The 6th Edition Beginning Level

감정평가실무연습

PLUS 입문 Practice Tests

I
PRACTICE

For Applied Property Appraisal

THE ACTUAL PRACTICE

김사왕
김승연
황현아

편저

會經社

머리말

가장 눈부신 청년시절을 신림동 고시촌에서 열정적으로 보냈던 추억은 감정평가업계에 들어와서도 큰 힘이 되고 있습니다. 그 시절 쌓았던 지식과 우정들은 현재 삶의 대부분을 차지하고 있습니다. 이러한 점은 현재 감정평가사를 꿈꾸는 수험생들을 보면서 강사 또는 선배로서의 책임과 의무를 무겁게 느끼게 합니다. 특히 이번 개정판을 집필하면서는 수험에 조금이라도 더 도움이 될 수 있는 교재가 될 수 있도록 노력하였습니다.

최근 감정평가실무 문제를 살펴보건 데 ① 순수 이론을 지양한 실제 현업에서 쟁점이 되었던 논점, ② 시대적 요청에 따른 선진 평가기법과 관련된 논점, ③ "공익사업을 위한 토지 등의 취득 및 보상에 관한 법률" 등 관계법령에 개정 취지와 그 적용과 관련된 논점, ④ 순수 계산 능력보다는 자료의 활용과 문제분석을 중시하는 논점 등이 새로운 출제경향으로 고착화되고 있습니다.

『PLUS 입문 감정평가실무연습』은 다음과 같은 내용으로 구성되었습니다.

1. 초심자의 접근성을 높이기 위해 개념위주의 문제를 구성하면서 기본이론과 연계성을 강화하였습니다.
2. 「문제편」과 「예시답안편」으로 구분하면서 관련규정 및 이론에 대한 부연 설명을 강화하였습니다.
3. 특히, 예시답안은 중급으로 가기위한 도구로서 목차의 구성 및 표현을 구체적이고 통일성을 갖추도록 하였습니다.

금번 『PLUS 입문 감정평가실무연습』의 개정과정에서 많은 시간 도움을 주신 모든 분들에게 감사의 말씀을 전합니다.

『PLUS 입문 감정평가실무연습』이 수험의 올바른 방향성을 제시하길 바라며, 여러분들의 건승을 기원합니다.

2024년 3월

편저자 씀

이 책의

차 례

Chapter 01

**감정평가
3방식 유제**

Chapter

01

감정평가 3방식 유제

01

비교방식

비교표준지 선정 및 사례 선정

문제 1 공시지가기준법 적용을 위한 비교표준지 선정 기준을 적시하시오.

• 풀이 •

1. 근거

   감정평가에 관한 규칙 제14조 제2항 제1호

2. 비교표준지 선정

   인근지역에 있는 표준지 중에서 대상토지와 용도지역·이용상황·주변환경 등이 같거나 비슷한 표준지를 선정할 것. 다만, 인근지역에 적절한 표준지가 없는 경우에는 인근지역과 유사한 지역적 특성을 갖는 동일수급권 안의 유사지역에 있는 표준지를 선정할 수 있다.

문제 **2**	거래사례비교법 적용을 위한 거래사례 선정 기준을 적시하시오.

● 풀이 ●

1. 근거

감정평가실무기준 610-1.5.3.1

2. 거래사례의 선정

거래사례는 아래 선정기준을 모두 충족하는 거래가격 중에서 대상토지의 감정평가에 가장 적절하다고 인정되는 거래가격을 선정한다. 다만, 한 필지의 토지가 둘 이상의 용도로 이용되고 있거나 적절한 감정평가액의 산정을 위하여 필요하다고 인정되는 경우에는 둘 이상의 거래사례를 선정할 수 있다.

① 「부동산 거래신고에 관한 법률」에 따라 신고된 실제 거래가격일 것
② 거래사정이 정상적이라고 인정되는 사례나 정상적인 것으로 보정이 가능한 사례일 것
③ 기준시점으로부터 도시지역(「국토의 계획 및 이용에 관한 법률」 제36조제1항제1호에 따른 도시지역을 말한다)은 3년 이내, 그 밖의 지역은 5년 이내에 거래된 사례일 것. 다만, 특별한 사유가 있는 경우에는 그 기간을 초과할 수 있다.
④ 토지 및 그 지상건물이 일체로 거래된 경우에는 배분법의 적용이 합리적으로 가능한 사례일 것
⑤ 비교표준지의 선정기준에 적합할 것

문제 3 대상 토지의 감정평가를 위한 비교표준지를 선정하시오.

〈자료 1〉 대상부동산

서울시 ○○구 ○○동 100번지, 제1종일반주거지역, 단독, 250m², 소로, 가장형, 평지

〈자료 2〉 표준지 공시지가

일련번호	용도지역	이용상황	면적	도로	형상, 지세	공시지가(원)
101	일반상업	단독	200m²	광대한면	세장형 평지	5,000,000
102	계획관리	연립	200m²	소로한면	세장형 평지	200,000
103	1종일주	다세대	200m²	소로한면	세장형 평지	1,000,000

● 풀이 ●

1. 비교표준지 선정

   인근지역 소재 1종일주, 다세대로 용도지역 및 이용상황 동일 유사한 〈#103〉 선정

2. 제외 사유

   #101,102는 용도지역 상이로 배제

| 문제 4 | 대상 토지의 감정평가를 위한 비교표준지를 선정하시오. |

〈자료 1〉 대상부동산

서울시 ○○구 ○○동 200번지, 일반상업지역, 상업용, 중로한면, 가장형, 200m²

〈자료 2〉 표준지 공시지가

일련번호	용도지역	이용상황	면적	도로	형상, 지세	공시지가(원)
101	일반상업	단독	200m²	소로한면	세장형 평지	500,000
102	일반상업	상업용	200m²	소로한면	가장형 평지	700,000
103	일반상업	상업용	2,000m²	중로한면	세장형 평지	1,000,000

• 풀이 •

1. 비교표준지 선정
   동일 용도지역(일상), 이용상황(상업용)으로 가치형성요인(도로) 동일 〈#103〉 선정

2. 제외 사유
   #101는 이용상황 상이, #102는 도로조건 상이로 배제

문제 5   대상 토지의 감정평가를 위한 비교표준지를 선정하시오.

〈자료 1〉 대상부동산

서울시 ○○구 ○○동 100번지, 제1종일반주거지역, 주거나지, 150m², 소로한면

〈자료 2〉 표준지 공시지가

일련번호	용도지역	이용상황	면적	도로	공시지가(원)
101	1종일주	단독	200m²	광대한면	5,000,000
102	1종일주	아파트	10,000m²	소로한면	200,000
103	1종일주	다세대	200m²	소로한면	1,000,000

● 풀이 ●

1. 비교표준지 선정
   용도지역(1종일주) 및 이용상황(다세대) 동일 유사하며 토지특성(규모, 도로 유사한) 〈#103〉 선정

2. 제외 사유
   #101는 도로 상이, #102는 규모 상이로 배제

| 문제 **6** | 대상 토지의 감정평가를 위한 비교표준지를 선정하시오. |

〈자료 1〉 대상부동산

서울시 ○○구 ○○동 100번지, 준주거지역(60%) 및 일반상업지역(40%), 중로한면.

〈자료 2〉 표준지 공시지가

일련번호	용도지역	이용상황	면적	도로	공시지가(원)
101	준주거/일반상업	상업용	200m²	중로한면	1,000,000
102	준주거	상업용	10,000m²	소로한면	1,500,000
103	일반상업	상업용	200m²	소로한면	2,000,000

──● 풀이 ●──

1. 비교표준지 선정
   용도지역(2개 준주거, 일상) 및 이용상황, 도로조건 동일 〈#101〉 선정
   (※ 102,103을 각각 선정하여 구분평가할 수 있으나 동일노선(도로)인 상기 표준지 선정)

2. 제외 사유
   #102, #103은 용도지역, 도로조건 상이로 배제

문제 7   대상 토지의 감정평가를 위한 비교표준지를 선정하시오.

〈자료 1〉 대상부동산

서울시 ○○구 ○○동 100번지, 준주거지역(60%) 및 일반상업지역(40%), 상업용

〈자료 2〉 표준지 공시지가

일련번호	용도지역	이용상황	면적	도로	공시지가(원)
101	준주거	업무용	200m²	소로한면	1,500,000
102	준주거	단독	200m²	소로한면	1,000,000
103	일반상업	단독	200m²	소로한면	2,000,000

─●풀이●─

1. 개요

둘 이상의 용도지역에 속해 있는 바 각각 가치를 달리하여 구분평가함.

2. 비교표준지 선정

① 준주거지역 : 동일 용도지역, 이용상황(상업용) #101 선정
② 일반상업 : 동일 용도지역기준 #103 선정

Tip 이용상황에 따른 비교표준지 선정 방법

#101의 이용상황은 업무용이고 대상은 상업용으로 세부적 분류의 이용상황이 다르나 대분류는 동일함. 통상 상업용과 업무용은 동일 노선에 소재하는 경우 토지의 가치가 달라진다고 볼 수 없다. 다만, 문제에 따라 상업용과 업무용의 가치를 달리 보와 출제되는 경우가 있으나 상업용과 업무용의 이용상황의 차이보다 상업·업무용 토지의 가치는 도로조건, 주위환경(노선상가지대, 후면상가지대)에 따라 크게 차이가 나타나며 이런 부분이 비교표준지 선정에 반영되어야 할 것이다.

#103의 이용상황이 단독(주거용)으로 대상과 상이하나 동일한 이용상황(상업용 또는 업무용)의 표준지가 제시되지 않아 용도지역이 우선시 되어 선정하고, 이용상황 차이는 개별요인으로 보정하여야 할 것이다.

문제 8 | 대상 토지의 감정평가를 위한 비교표준지를 선정하시오.

〈자료 1〉 대상부동산

서울시 ○○구 ○○동 100번지, 개발제한구역(100%), 자연녹지지역, 단독, 250m^2

〈자료 2〉 표준지 공시지가

일련번호	용도지역	이용상황	면적	도로	형상, 지세	공시지가(원)
101	개발제한	연립	200m^2	소로한면	세장형 평지	5,000,000
102	자연녹지	단독	200m^2	소로한면	세장형 평지	200,000
103	개발제한	주거나지	200m^2	소로한면	세장형 평지	1,000,000

—● 풀이 ●—

1. 비교표준지 선정

   인근지역 소재 개발제한구역(자연녹지), 이용상황 동일 유사(건부지) 〈#101〉 선정

2. 제외 사유

   #102는 용도지역 등 공법상제한 및 이용상황, #103은 이용상황(나대지) 상이로 배제

Tip 개발제한구역 내 건부지와 나대지

택지의 이용상황 대분류(주거용, 상업·업무용, 공업용) 내에서는 세분류 (단독, 연립, 다세대, 주거나지, 주거기타)로 구분하더라도 세분류된 이용상황 자체만으로 토지의 가치가 다르다고 보지 않는다. 즉 단독, 연립, 주거나지, 주거기타의 이용상황은 동일·유사하여 비교표준지 선정시 세분류된 이용상황이 상이한 것은 배제사유로 보지 않는다.
그러나, 개발제한구역에서는 건축행위가 원칙적으로 금지되어 건물이 있는 건부지(단독, 연립, 다세대)와 나대지(주거나지)는 지가의 차이가 존재하며 이러한 차이를 표준지 공시지가에도 담고 있어 비교표준지 선정시에는 건부지와 나대지를 구분하여야 한다.

문제 9	대상 토지의 감정평가를 위한 비교표준지를 선정하시오.

〈자료 1〉 대상부동산

서울시 ○○구 ○○동 100번지, 개발제한구역(100%), 자연녹지지역, 단독, 250m²

〈자료 2〉 표준지 공시지가

일련번호	용도지역	이용상황	면적	도로	형상, 지세	공시지가(원)
101	개발제한	단독	200m²	소로한면	세장형 평지	5,000,000
102	자연녹지	연립	200m²	소로한면	세장형 평지	200,000
103	개발제한/자연녹지	다세대	200m²	소로한면	세장형 평지	1,000,000

──● 풀이 ●──

1. 비교표준지 선정

　인근지역 소재 개발제한구역(자연녹지), 이용상황 동일 유사한 〈#101〉 선정

2. 제외 사유

　#102,103은 용도지역 등 공법상제한 상이로 배제

Tip 개발제한구역 표준지공지가 용도지역 표기 방법

통상적으로 개발제한구역(용도구역)은 자연녹지지역(용도지역)에 설정되며 이러한 표준지의 경우 용도지역의 공시방법은 "개발제한"만 표기한다. 개발제한구역 없이 자연녹지지역만인 경우 "자연녹지"로 표기되며, 자연녹지지역 중 일부만 개발제한구역이 설정되어 있는 경우 "개발제한/자연녹지" 두 가지(2개의 용도지역과 동일)를 모두 기재하게 된다.
따라서, 상기 표준지 일련번호 #101은 자연녹지지역 전체가 개발제한구역으로 설정된 경우의 표기방법이며, #102는 자연녹지지역만 설정된 경우이고, #103은 자연녹지지역에 일부만 개발제한구역이 설정된 상황이다.

문제 10 당신은 토지의 평가를 위하여 다음과 같은 자료를 수집하였다. 다음 사례 중 적정한 사례 하나를 선정하고 그 이유를 적시하시오.

〈자료 1〉 대상 토지자료

1. 위치 : 서울특별시 구로구 개봉동 ○○번지

2. 물적사항 및 공법적 제한사항 등 : 제1종일반주거지역, 주거나지, 100m², 정방형, 평지, 소로한면

3. 가격조사완료일 : 2025년 12월 31일

〈자료 2〉 인근사례자료

사례	소재지	이용상황	용도지역	면적(m²)	거래시점	거래가격	사정개입여부
1	개봉동	주거나지	1종일주	1,000	2024.8.1	2,000,000,000	저가거래
2	개봉동	주거나지	준주거	150	2024.5.1	120,000,000	정상거래
3	오류동	단독주택	1종일주	100	2024.10.3	350,000,000	정상거래
4	오류동	주거나지	준주거	100	2024.1.1	180,000,000	정상거래
5	목동	주거나지	1종일주	120	2020.1.1	150,000,000	고가거래

※ 위 개봉동, 오류동, 목동은 인근지역으로 판단된다.
※ 상기 거래가격은 건물가격은 제외한 토지만의 거래가격이다.

● 풀이 ●

1. 선정기준
   대상물건과 위치적, 물적 유사성이 있으며, 사정보정이 가능하고 시점수정이 가능한 사례 중 지리적으로 근접한 사례를 선정함.

2. 사례선정
   인근사례로 비교가능성이 가장 높은 사례3을 선정함.

3. 제외 사유
   사례1은 면적의 차이, 사정개입(저가거래)이 있어 보정한다 해도 오류가능성이 있는 점, 사례2, 4는 용도지역의 차이, 사례5는 최근의 거래사례가 아닌 점으로 인해 배제

사정보정

문제 1 택지후보지 33,500m²를 m²당 56,700원에 매수하였으나, 이것은 20% 정도 고가로 구입된 것으로 판명되었을 경우 m²당 시장가치는 얼마인가?

● 풀이 ●

$$56,700 \times \frac{100}{100+20(보정률)} \fallingdotseq 47,250\,원/m^2$$

문제 2 거래사례부동산은 매수자가 1억8천만원에 매수하였으나, 이것은 10% 정도 저가로 구입된 것으로 판명되었을 경우 시장가치는 얼마인가?

● 풀이 ●

$$180,000,000 \times \frac{100}{100-10(보정률)} = 200,000,000$$

문제 3 대지면적 800m²의 나지를 860,000,000원에 구입하였으나 이것은 인근의 유사규모의 표준획지보다 고가로 매매된 것으로 파악되었으며 표준획지의 시장가치는 1,000,000원/m²으로 조사되었다. 이 경우의 사정보정치는 얼마인가?

● 풀이 ●

1. 사정보정률($\frac{매매가격-정상가격}{정상가격}$)

$$\frac{860,000,000/800-1,000,000}{1,000,000} \fallingdotseq 0.075(\therefore 7.5\%)$$

2. 사정보정치

$$\frac{100}{100+7.5} \fallingdotseq 0.930$$

문제 4 김씨는 최근 채무변제를 못하여 경매진행 직전상태에 이르게 되었다. 김씨는 급박하여 상업용 "대" 100m²를 10,000,000원/m²에 매매하였다. 이는 시장가치 대비 20%나 저렴한 가격이라 한다. 상업용 나지의 시장가치는 얼마인가?

● **풀이** ●

1. 매매가격 : 10,000,000 × 100m² = 1,000,000,000원

2. 사정보정치 : $\dfrac{100(정상가격)}{100-20(매매가격)}$ = 1.250

3. 시장가치 : 1,000,000,000원 × 1.250 = 1,250,000,000원

문제 5 택지후보지 32,500m²을 m²당 56,700원에 매수하였으나, 이것은 20% 정도 고가로 구입된 것으로 판명되었을 경우 m²당 시장가치는 얼마인가?

● **풀이** ●

$56,700 \times \dfrac{100}{100+20(보정률)} ≒ 47,250원/m²$

문제 6 면적이 500m²인 토지를 25,000,000원에 구입하였으나 이는 인근 표준적인 획지보다 고가로 매입한 것으로 파악되었다. 표준적인 획지의 시장가치가 40,000원/m²으로 조사되었을 경우 사정보정치는 얼마인가?

● **풀이** ●

1. 사정보정률 : $\dfrac{25,000,000/500-40,000}{40,000} \times 100$ = 25%

2. 사정보정치 : $\dfrac{100}{100+25}$ = 0.8

문제 7 당신은 인근지역에서 사례를 포착하였는데 당해 사례는 매수자가 철거하기로 계약하고 다음과 같이 지불한 사례이다. 실질적으로 취득한 토지의 m²당 시장가치는 얼마인가? 또한 만약 매도자가 부담하기로 하였다면 m²당 시장가치는 얼마인가?

- 토지면적 : 520m²
- 거래가격 : 1억원
- 철거비 : 5백만원
- 폐재가치 : 1백만원

● 풀이 ●

1. 매수자 철거 : (100,000,000 + 5,000,000 − 1,000,000) ÷ 520 = 200,000원/m²
2. 매도자 철거 : 100,000,000 ÷ 520 ≒ 192,000원/m²

Tip 철거비 보정

철거비 보정은 사례 토지가격의 정상화(사정보정) 절차인지, 대상의 철거할 건물상태의 감정평가인지를 우선 구분한다.

① 사례 토지가격 산정(사정보정)

사정보정은 대상 토지와 비교하기 위한 사례 토지가격을 구하기 위한 것이다. 대상 토지는 개별물건으로서 토지만(나지상태) 비교하는 형식이기 때문에 사례 역시 나지상태 정상 토지가치를 산정하여야 한다. 철거할 건물이 있는 사례의 거래가격은 토지상 건물이 소재한 상태이다. 매수인은 나지상태의 토지를 만들기 위해서는 철거비를 더 들여야 하기 때문에 매도인에게 지불한 금액보다 철거비를 더 들여야만 나지상태의 토지를 취득하게 된다. 이때 토지만의 가격은 전 체 거래가격에서 건물가격을 제외하여야 하는데 철거할 건물은 '+(양)'의 가치가 아닌 '−(음)'의 가치를 가지게 된다, 형식상으로는 "토지 − 건물(철거)"로 산정하나, 실질은 "토지+철거비"가 된다.

단, 철거비용을 거래시점 당시에 매도인이 지불하는 조건이라면 거래금액에 철거비가 포함된 것이므로 나지상태를 매수한 것과 동일하게 된다. 이때는 별도의 철거비 보정이 필요 없다.

또, 거래 당시 예상한 철거비와 실제 투입된 철거비가 달라질 수 있다. 하지만, 거래시점 당시의 시장상황에서 합리적으로 예측한 것이라는 전제 하에 거래시점 당시 예상 철거비가 적용되어야 한다. 거래사례 거래금액은 거래시점의 가치형성요인을 바탕으로 형성된 가격이기 때문이다.

② 대상에 철거할 건물이 있는 경우

개별물건기준에 따라 대상 토지만의 가치를 우선 감정평가하고 건물을 감정평가하여 합산하는 원리에서 이해하여야 한다. 철거할 건물은 '+(양)'의 가치가 아닌 '−(음)'의 가치를 가지게 된다, 따라서, 형식상 으로는 "토지+건물(철거)"로 산정하나, 실질은 "토지−철거비"가 된다.

문제 8   노후화된 건물을 포함한 복합부동산 등의 거래사례의 토지가격을 산정하여 대상 토지 가치 산정시 활용하고자 한다. 각 조건에 맞는 사례 토지의 정상가액을 산정하시오

〈거래사례자료〉

1. 거래가격 : 150,000,000원
2. 건물 : 연면적 100m²(내용연수가 만료된 노후화된 건물로서 철거가 타당하다고 인정됨)
3. 철거시 철거비용은 40,000/m²이 소요되며 잔재가격은 200,000원 정도임(계약체결시 예상 가격)

〈조건〉

1. 합리적으로 시장사정에 정통한 매수자가 철거를 전제로 하여 거래가격을 결정한 경우
2. 철거비는 매도자가 부담한다는 조건하에 거래가 이루어진 경우
3. 매수자가 철거를 전제로 거래가격을 지불하였으나 실제 철거비용은 50,000원/m²이 소요된 경우
4. 매수자가 상기거래로 인한 매도자의 양도소득세 10,000,000원을 부담하기로 하였고, 철거 또한 매수자가 행하는 것을 전제로 거래가격을 지불한 경우

●풀이●

1. 개요
   각 조건에 따라 거래사례에 적용할 토지가격을 산정함.

2. 조건1
   150,000,000 + (100 × 40,000 − 200,000) = 153,800,000원

3. 조건2
   사례가격 = 거래가격 = 150,000,000원

4. 조건3 : 거래 당시 예상 철거비용 기준
   150,000,000 + (100 × 40,000 − 200,000) = 153,800,000원

5. 조건4
   150,000,000 + 10,000,000 + (100 × 40,000 − 200,000) = 163,800,000원

문제 9 사례부동산을 2025.01.01.에 명목상 금액 2억1천만원에 매수하였으나, 거래시점 현재에 1억원을 지불하고, 1년 후에 잔금을 지불하기로 한 경우의 실질 거래금액은 얼마인가? (할인율은 연간 10%이다.)

● 풀이 ●

$$100,000,000 + 110,000,000 \times \frac{1}{1.1} = 200,000,000$$

문제 10 감정평가사 이모씨는 평가의뢰된 토지를 평가하기 위해 다음과 같은 거래사례를 수집하였는데 거래사례를 살펴보니 은행으로부터 대출받아 매입한 사례이다. 다음 자료를 토대로 거래사례의 시장가치를 산정하시오.

〈거래사례자료〉

1. 매수자인 나씨는 매도자인 고씨에게 4천만원을 먼저 지급하고 나머지 잔금은 은행으로부터 대출받아 1년 후에 지급하기로 계약하였다. 나씨는 은행으로부터 6천만원을 대출받기로 하였다.

2. 시중은행의 이자율은 연 10%이다.

● 풀이 ●

$$40,000,0000 + 60,000,000/1.1 ≒ 94,545,000원$$

시점수정

문제 1 토지를 평가하기 위해서는 거래사례의 시점수정을 요한다. 상업지역 지가변동률이 다음과 같을 경우 지가변동률을 기준한 시점수정치를 산정하시오. 다만, 사례의 거래시점은 2025. 3. 1.이고 대상 기준시점이 2025. 7. 31.이다.

구 분	2025년 3월	4월	5월	6월	7월
상업지역 지가변동률	9%	6%	3%	5%	-5%

● 풀이 ●

$1.09 \times 1.06 \times 1.03 \times 1.05 \times (1 - 0.05) ≒ 1.18709$

문제 2 대상은 서울시 관악구 낙성대동 100번지 소재, 중심상업지역, 상업용 부동산이다. 대상의 공시지가기준 시장가치 평가를 위한 시점수정치를 산정하시오. 다만, 대상 기준시점이 2025. 9. 1.이고 동일 시군구 내 비교표준지가 존재한다.

(2025년 8월 지가변동률)

행정 구역	평균 (누계)	이 용 상 황 별				용 도 지 역 별			
		대		임야	공장	주거	상업	공업	녹지
		주거용	상업용						
관악구	0.503	0.665	0.266	0.000	-	0.572	0.205	-	0.047
	-0.293	0.165	-1.078	-0.125	-	-0.206	-1.000	-	-0.431
서울시	0.554	0.639	0.450	0.827	0.490	0.598	0.240	-	0.808
	0.644	1.231	0.023	0.565	-2.381	0.625	0.049	-	2.272

● 풀이 ●

비교표준지 소재 시군구 상업지역 지가변동률 적용 (관악구, 상업지역)

$(1 - 0.01000) \times (1 + 0.00205 \times \frac{1}{31}) ≒ 0.99007$

문제 3 대상은 서울시 서초구 방배동 100번지, 제1종일반주거지역에 소재 부동산이다. 대상의 공시지가기준 시장가치 평가를 위한 시점수정치를 산정하시오. 다만, 대상 기준시점이 2025. 9. 29이다(단, 비교표준지는 서초구 방배동 제1종 일반주거지역에 소개).

(2025년 8월 지가변동률)

행정구역	평균 (누계)	일 반 주 거 지 역			
		주거	상업	공업	녹지
서울시	0.503	0.572	0.205	–	0.047
	−0.293	−0.206	−1.000	–	−0.431
서초구	0.554	0.598	0.240	–	0.808
	0.644	0.625	0.049	–	2.272
강남구	0.734	0.701	0.791	–	1.387
	0.738	0.696	0.555	–	4.478

● 풀이 ●

비교표준지 소재 시군구 주거지역 지가변동률 적용(서초구, 주거지역)

$$1.00625 \times \left(1 + 0.00598 \times \frac{29}{31}\right) ≒ 1.01188$$

문제 4 대상은 서울시 서초구 서초동 300번지 소재, 준주거지역, 상업용 부동산이며 비교표준지는 서울시 강남구 역삼동 300번지 소재, 준주거지역, 상업용 부동산이다. 대상의 공시지가기준법 적용을 위한 시점수정치를 산정하시오. 다만, 대상 기준시점이 2025. 10. 15.이다.

(2025년 8월 지가변동률)

행정 구역	평균 (누계)	이 용 상 황 별				용 도 지 역 별			
		대		임야	공장	주거	상업	공업	녹지
		주거용	상업용						
서초구	0.554	0.639	0.450	0.827	0.490	0.598	0.240	–	0.808
	0.644	1.231	0.023	0.565	-2.381	0.625	0.049	–	2.272
강남구	0.734	0.694	0.764	0.918	–	0.701	0.791	–	1.387
	0.738	0.887	0.473	2.804	–	0.696	0.555	–	4.478

● 풀이 ●

비교표준지 소재 시군구 주거지역 지가변동률 적용(강남구, 주거지역)

$(1+0.00696) \times (1+0.00701 \times \frac{45}{31}) = 1.01721$

문제 **5** 대상은 서울시 강남구 역삼동 100번지 소재, 개발제한구역(자연녹지), 상업용 부동산이며 비교표준지는 서울시 강남구 역삼동 300번지 소재, 개발제한구역(자연녹지), 상업용 부동산이다. 대상의 공시지가기준법 적용을 위한 시점수정치를 산정하시오. 다만, 대상 기준시점이 2025. 10. 15.이다.

(2025년 9월 지가변동률)

행정 구역	평균 (누계)	이 용 상 황 별				용 도 지 역 별			
		대		임야	공장	주거	상업	공업	녹지
		주거용	상업용						
강남구	0.734	0.694	0.764	0.918	–	0.918	0.791	–	0.701
	0.738	0.887	0.473	2.804	–	2.804	0.555	–	0.696

● **풀이** ●

비교표준지 소재 시군구 공법상제한 유사한 용도지역별 지가변동률 적용
(강남구, 녹지지역)

$$(1+0.00696) \times (1+0.00701 \times \frac{15}{30}) ≒ 1.01049$$

Tip 개발제한구역 지가변동률 적용 방법

개발제한구역은 용도지역은 녹지지역이나 判例는 지가의 변동은 녹지지역과 다른 것으로 보고 있다. 따라서, 감칙 §14②2호의 단서 규정에 따라 공법상제한이 유사한 '녹지지역'을 주로 적용하게 되며 예외적으로 '평균' 또는 '이용상황별(상업용)'의 적용이 규정상으로는 가능지만 실무상 적용례가 없다.

문제 6 대상은 서울시 서초구 서초동 300번지 소재, 미지정지역(도시지역), 상업용 부동산이며 비교표준지는 서울시 강남구 역삼동 300번지 소재, 미지정지역(도시지역), 상업용 부동산이다. 대상의 공시지가기준법 적용을 위한 시점수정치를 산정하시오. 다만, 대상 기준시점이 2025. 10. 15.이다.

(2025년 8월 지가변동률)

행정 구역	평균 (누계)	이 용 상 황 별				용 도 지 역 별			
		대		임야	공장	주거	상업	공업	녹지
		주거용	상업용						
서초구	0.554	0.639	0.450	0.827	0.490	0.827	0.240	–	0.598
	0.644	1.231	0.023	0.565	−2.381	0.565	0.049	–	0.625
강남구	0.734	0.694	0.764	0.918	–	0.918	0.791	–	0.701
	0.738	0.887	0.473	2.804	–	2.804	0.555	–	0.696

● **풀이** ●

비교표준지 소재 시군구 공법상제한 유사한 용도지역별 지가변동률 적용
(강남구, 녹지지역)

$$(1+0.00696) \times \left(1+0.00701 \times \frac{45}{31}\right) \fallingdotseq 1.01721$$

Tip 미지정지역(도시지역) 지가변동률 적용 방법

도시지역 중 미지정지역은 용도지역이 미세분된 지역으로 '미지정지역'의 지가변동률은 공시가 되지 않는다. 따라서, 감칙 §14②2호의 단서 규정에 따라 공법상제한이 유사한 '녹지지역'을 주로 적용하게 되며 예외적으로 '평균' 또는 '이용상황별(상업용)'의 적용이 규정상으로는 가능지만 실무상 적용례가 없다.

문제 7 다음의 각 지수를 사용하여 조건별 시점수정치를 산정하시오.

시점	건축비지수		아파트매매가격지수				생산자물가지수
	주거용	비주거용	전국	서울	서북권	서대문구	
2024.1	100	105	100	100.5	100.7	100.6	100
2024.2	102	106	101	101.5	101.7	101.6	101
2024.3	104	108	102	102.5	102.7	102.6	102
2025.2	105	109	103	103.5	103.7	103.6	103
2025.3	106	110	104	104.5	104.7	104.6	104
2025.4	107	111	105	105.5	105.7	105.6	105
2025.5	미공시						

1. 서울특별시 서대문구 남가좌동에 소재하는 아파트 거래사례의 거래시점은 2024년 2월 17일 이고 기준시점은 2025년 3월 8일인 경우 아파트의 시점수정치는?

2. 거래사례의 건축시점은 2024년 2월 17일이고 거래시점은 2025년 3월 8일인 경우 다세대 주택의 재조달원가 산정을 위한 시점수정치는?

3. 2024년 2월 17일부터 2025년 7월 8일까지의 생산자물가상승률은?

● 풀이 ●

1. 2025.3.08 / 2024.2.17 $= \dfrac{\text{대상의 기준시점 서대문구 아파트매매가격지수}}{\text{사례의 거래시점 서대문구 아파트매매가격지수}}$

$= \dfrac{2025.2\text{아파트매매가격지수}}{2024.1\text{아파트매매가격지수}} = \dfrac{103.6}{100.6} ≒ 1.02982$

2. 2025.3.08 / 2024.2.17 $= \dfrac{\text{대상의 기준시점 주거용 건축비지수}}{\text{사례의 거래시점 주거용 건축비지수}}$

$= \dfrac{2025.3\text{아파트매매가격지수}}{2024.2\text{아파트매매가격지수}} = \dfrac{106}{102} ≒ 1.03922$

2. 2025.7.08 / 2024.2.17. "생산자물가지수" 적용

$= \dfrac{2025.6\text{생산자물가지수}}{2024.2\text{생산자물가지수}} = \dfrac{105}{101} ≒ 1.03960$

※ 2025.5 이후 미공시로 2025.6생산자물가지수는 최근 지수인 2025.4 적용

지역요인 및 개별요인비교

문제 1   다음 가로조건, 접근조건, 환경조건, 행정적조건, 기타조건을 고려하여 개별요인비교치를 산정하시오. 비교치는 "대상/사례"의 비교치이다.

개별요인비교	가로	접근	환경	행정	기타
비교치	1.01	1.03	1.00	1.00	1.00

● 풀이 ●

$1.01 \times 1.03 \times 1.00 \times 1.00 \times 1.00 = 1.040$

| 문제 **2** | 다음의 개별 요인항목을 고려하여 개별요인비교치를 산정하시오. 단, 대상은 소로, 가장형, 평지이며, 사례는 세로, 부정형, 완경사이다. |

1. 도로교통비교

구 분	세로	소로	중로	대로
세로	1	1.14	1.25	1.4
소로	0.87	1	1.08	1.22
중로	0.8	0.92	1	1.12
대로	0.71	0.82	0.89	1

※ 각지는 한면에 비해 15% 우세하다.

2. 지형 및 지세비교

구 분	정방형(장방형)	제형	부정형
정방형(장방형)	1	0.8	0.6
제형	1.25	1	0.75
부정형	1.67	1.33	1

※ 평지는 완경사에 비해 10% 정도 우세하다.

— **풀이** —

$$1.14 \times 1.67 \times 1.1 = 2.094$$

도로   지형   지세

문제 3 다음 가로조건, 접근조건, 환경조건, 행정적조건, 획지조건, 기타조건을 고려하여 개별 요인비교치를 산정하시오.

구 분	가로	접근	환경	행정	획지	기타
기준시점기준	1.00	0.98	0.95	1.00	0.95	1.00
공시시점기준	1.10	1.00	0.90	1.00	0.95	1.00

● 풀이 ●

기준시점 기준 : 1.00 × 0.98 × 0.95 × 1.00 × 0.95 × 1.00 = 0.884

문제 4 다음의 개별 요인항목을 고려하여 개별요인비교치를 산정하시오. 단, 대상은 소로각지, 정방형, 평지이며, 사례는 중로, 가장형, 완경사이다.

1. 도로교통비교

구 분	세로	소로	중로	대로
세로	1	1.14	1.25	1.4
소로	0.87	1	1.08	1.22
중로	0.8	0.92	1	1.12
대로	0.71	0.82	0.89	1

※ 각지는 한면에 비해 5% 우세하다.

2. 지형 및 지세비교

구 분	정방형(장방형)	제형	부정형
정방형(장방형)	1	0.8	0.6
제형	1.25	1	0.75
부정형	1.67	1.33	1

※ 평지는 완경사에 비해 10% 정도 우세하다.

● **풀이** ●

$$(0.92 \times 1.05) \times 1 \times 1.1 = 1.063$$

도로   지형 지세

문제 5   대상부동산은 주거지대내(용도지역 : 일반주거지역) 주거용나지이다. 인근의 부동산 거래사례를 조사한 결과 1,000,000원/m²으로 조사되었다. 대상부동산과 거래사례를 비교한 결과 위치, 도로조건, 면적, 형태 등 지역적요인 및 개별적 요인을 종합 참작한 결과 약 20% 정도 대상부동산이 우세하다. 이때 대상부동산의 가격은 m²당 얼마인가?

● 풀이 ●

1,000,000 × 120/100 = 1,200,000원/m²

문제 6   이평가사는 감정평가를 진행하는 과정에 A지역과 B지역에 대한 지역요인비교치를 산정하고 있다. A지역이 B지역보다 10% 우세할 경우와 B지역이 A지역보다 30% 열세할 경우, 그리고 B지역이 A지역보다 20% 우세할 경우의 지역요인비교치를 산정하시오. 다만, 대상은 A지역에 소재하는 부동산이다.

● 풀이 ●

1. A지역이 B지역보다 10% 우세할 경우 : (100 + 10)/100 = 1.100
2. B지역이 A지역보다 30% 열세할 경우 : 100/(100 - 30) = 1.429
3. B지역이 A지역보다 20% 우세할 경우 : 100/(100 + 20) = 0.833

문제 7 대상물건이 소재하는 A지역은 C지역보다 지역적으로 3%열세하고 사례물건이 소재하는 B지역은 C지역보다 지역적으로 5%우세하다. 대상물건이 소재하는 A지역과 사례물건이 소재하는 B지역의 지역요인의 비교치를 산정하시오.

● 풀이 ●

$$\frac{A지역}{B지역} = \frac{A지역}{C지역} \times \frac{C지역}{B지역} \qquad \therefore \frac{(100-3)}{100} \times \frac{100}{(100+5)} = \frac{97}{105} ≒ 0.924$$

문제 8 대상토지의 면적은 900m²이나 이중 200m²는 30°경사지이고 나머지는 평지부분이다. 경사지는 인근표준획지에 비해 55%, 평지부분은 5%의 감가요인이 있을 경우 인근 표준적인 토지에 대비한 대상토지의 개별요인비교치를 산정하시오.

● 풀이 ●

1. 개요

   대상과 인근표준적인 토지의 개별요인차이를 보정하여 개별요인비교치를 산정함.

2. 개별요인 비교치

$$\underset{경사지}{\frac{200}{900} \times (1-0.55)} + \underset{평지}{\frac{700}{900} \times (1-0.05)} ≒ 0.839$$

문제 9   서울시 관악구 봉천동에 소재하는 주거용 토지에 대하여 감정의뢰를 받았다. 인근지역의 유사용도로 이용중인 주거용 토지의 거래사례를 조사한 결과 1,800,000원/m²에 거래된 것으로 조사되었다. 이는 시장가치로 사료되며 거래시점 역시 평가시점과 동일한 것으로 조사되었다. 이 경우 여러 가지 가치형성요인을 조사한 바 개별요인의 비교가 아래의 표와 같다. 이때 대상부동산의 적정한 m²당 단가는 얼마인가?

비교항목	대상부동산	사례부동산
획지조건	90	80
환경조건	80	100
가로조건	100	60
접근조건	100	80
행정적조건	80	100
기타조건	80	60
합계	530	480

━━● 풀이 ●━━

1. 개별요인비교치

   조건단위는 곱하여 산정함.

   $$\therefore \frac{90}{80} \times \frac{80}{100} \times \frac{100}{60} \times \frac{100}{80} \times \frac{80}{100} \times \frac{80}{60} = 2.000$$

2. m2당 시장가치

   1,800,000×2.000＝3,600,000원/m²

문제 10 대상부동산이 속한 지역과 사례부동산이 속한 지역이 다음과 같은 격차를 보이고 있을 경우 지역요인 비교치를 총화식과 상승식으로 구분하여 산정하시오. (격차는 사례부동산이 속한 지역을 100으로 사정할 경우 비준치임.)

비교항목	격차내역
기타조건	−1
환경조건	+3
가로조건	−3
접근조건	+5
행정적조건	0

● **풀이** ●

1. 상승식

$$\frac{99}{100} \times \frac{103}{100} \times \frac{97}{100} \times \frac{105}{100} \times \frac{100}{100} ≒ 1.039$$

기타　　환경　　가로　　접근　　행정

2. 총화식

−1 + 3 − 3 + 5 = 4

100 + 4 = 104(∴1.040)

문제 11　다음 각각의 개별요인 비교치를 산정하시오. (사례 평점은 모두 100)

구 분	항목	비교치			
		대상 1	대상 2	대상 3	대상 4
가로조건	가로의폭	102	102	98	99
	계통 및 연속성	103	105	99	100
접근조건	상업지중심과 접근성	98	102	100	101
	교통시설가의 편의성	100	100	101	98
환경조건	고객의 유동성	103	102	98	96
	인근환경	110	105	90	95
획지조건	면적, 접면너비, 깊이	95	105	85	90
	접면도로상태	89	95	100	102
행정적조건	용도지역 등	100	105	110	103
	기타규제	103	100	105	100

* 비교사례 평점기준은 100.

● 풀이 ●

1. 대상 1

$$\frac{100+2+3}{100} \times \frac{100-2+0}{100} \times \frac{100+3+10}{100} \times \frac{100-5-11}{100} \times \frac{100+0+3}{100} \fallingdotseq 1.006$$

2. 대상 2

$$\frac{100+2+5}{100} \times \frac{100+2+0}{100} \times \frac{100+2+5}{100} \times \frac{100+5-5}{100} \times \frac{100+5+0}{100} \fallingdotseq 1.226$$

3. 대상 3

$$\frac{100-2-1}{100} \times \frac{100+0+1}{100} \times \frac{100-2-10}{100} \times \frac{100-15+0}{100} \times \frac{100+10+5}{100} \fallingdotseq 0.843$$

4. 대상 4

$$\frac{100-1+0}{100} \times \frac{100+1-2}{100} \times \frac{100-4-5}{100} \times \frac{100-10+2}{100} \times \frac{100+3+0}{100} \fallingdotseq 0.845$$

문제 12 감정평가에 적용할 개별요인 비교치를 산정하시오. 단, 감정평가를 위한 사례 선정에서 대상A는 사례1을 선정하였고, 대상B는 사례2를 선정하였다.

1. 가치형성요인 격차

구 분	대상 A	대상 B	사례 1	사례 2
공실률(%)	0	0	2	3
전용률(%)	68	70	68	70
지하철역과거리(km)	1.0	1.0	0.7	0.9

2. 가치형성요인 격차 산식

구 분	공실률차이	전용률차이	지하철역과 거리차이
격차율	0.01	0.03	0.05

3. 가치형성요인 비교치
(1 + 격차율×공실률 차이 + 격차율 × 전용률 차이 + 격차율 × 지하철역과 거리 차이)

● 풀이 ●

1. 대상 A
   1 + (2 × 0.01 + 0 × 0.03 − 0.3 × 0.05) = 1.005

2. 대상 B
   1 + (3 × 0.01 + 0 × 0.03 − 0.1 × 0.05) = 1.025

문제 **13** 감정평가에 적용할 개별요인 비교치를 산정하시오. 단, 감정평가를 위한 사례 선정에서 대상과 비교를 위해 사례1, 2를 모두 선정하였다.

〈개별요인 분석 항목〉

구 분	사례1 (S빌딩)	사례2 (Y빌딩)	대상 (P빌딩)
이용상황	업무용	업무용	업무용
등급분류	보통	보통	보통
빌딩 지명도	보통	우세	보통
위치 · 접근성	보통	보통	보통
관리상태	보통	보통	우세
장래의 동향	보통	보통	보통

1. 상기 표의 품등격차는 시장 내에서의 일반적인 비교단위를 기준으로 부여되어 있음.

2. 적용평점은 보통을 중간(100)으로 하여 우세는 "+5%", 열세는 "-5%"를 적용함.

3. 격차율 누계는 아래의 가중치를 고려한 항목별 격차를 합산하여 산정함.

구 분	이용상황 분류	빌딩 지명도	위치 접근성	관리 상태	장래 동향
가중치(%)	20	20	30	20	10

───● 풀이 ●───

1. 사례1기준 개별요인비교치

$$\frac{100}{100} \times 0.2 + \frac{100}{100} \times 0.2 + \frac{100}{100} \times 0.3 + \frac{105}{100} \times 0.2 + \frac{100}{100} \times 0.1 ≒ 1.010$$

2. 사례2기준 개별요인비교치

$$\frac{100}{100} \times 0.2 + \frac{100}{105} \times 0.2 + \frac{100}{100} \times 0.3 + \frac{105}{100} \times 0.2 + \frac{100}{100} \times 0.1 ≒ 1.000$$

공시지가기준법

문제 1 대상 토지를 감정평가하시오.

〈자료 1〉 대상부동산

1. 서울시 서초구 ○○동 10번지, 제1종일반주거지역, 대, 250m², 소로, 가장형, 평지

2. 기준시점 : 2025. 12. 31.

3. 평가목적 : 일반거래

〈자료 2〉 표준지 및 각종 요인비교치

1. 표준지 공시지가(2025년)

(원/m²)

지번	용도지역	이용상황	면적	도로	형상, 지세	공시지가
101	1종일주	대	200m²	소로	세장형 평지	1,000,000

2. 요인별비교치

시점수정치	지역요인 비교치	개별요인 비교치	그 밖의 요인 보정치
1.01234	1.000	1.050	1.10

—● 풀이 ●—

1. 기준시점
   2025.12.31.

2. 토지단가
   1,000,000 × 1.01234 × 1.000 × 1.050 × 1.10 ≒ @1,170,000원/m²

3. 감정평가액(시산가액)
   1,170,00 0 ×250 = 292,500,000원

| 문제 **2** | 대상 토지를 감정평가하시오. |

〈자료 1〉 대상부동산

1. 서울시 관악구 ○○동 100번지, 제1종일반주거지역, 대, 250m², 소로, 가장형, 평지

2. 기준시점 : 2025. 12. 31.

3. 평가목적 : 일반거래

〈자료 2〉 표준지 및 각종 요인비교치

1. 표준지 공시지가(2025년)

(원/m²)

일련번호	용도지역	이용상황	면적	도로	형상, 지세	공시지가
101	일반상업	대	200m²	광대로	세장형 평지	5,000,000
102	계획관리	대	200m²	소로	세장형 평지	200,000
103	1종일주	대	200m²	소로	세장형 평지	1,000,000

2. 요인별비교치

시점수정치	지역요인 비교치	개별요인 비교치	그 밖의 요인 보정치
1.01234	1.000	1.050	1.10

• **풀이** •

1. 기준시점
   2025.12.31.

2. 비교표준지 선정
   대상소재 일반주거지역, 대인 일련번호103 선정

3. 토지단가
   $1,000,000 \times 1.01234 \times 1.000 \times 1.050 \times 1.10 ≒$ @1,170,000원 / m²

4. 감정평가액(시산가액)
   $1,170,000 \times 250 = 292,500,000$원

문제 3　대상 토지를 시장가치로 감정평가 하시오.

〈자료 1〉 대상부동산

1. 서울시 서초구 ○○동 100번지, 준주거지역, 대, 300m², 주상용, 가장형, 평지

2. 기준시점 : 2025. 9. 29.

3. 평가목적 : 일반거래

〈자료 2〉 표준지 및 각종 요인비교치

1. 표준지 공시지가(2025년) (서초구)

(원/m²)

일련번호	용도지역	이용상황	면적	도로	형상, 지세	공시지가
101	1종일주	주상용	200m²	광대로	세장형 평지	1,700,000
102	1종전주	주상용	200m²	소로	세장형 평지	1,500,000
103	준주거	상업용	200m²	소로	세장형 평지	2,000,000

2. 지가변동률(2025년 8월)

| 행정구역 | 평균 (누계) | 용 도 지 역 별 | | | |
		주거	상업	공업	녹지
서울시	0.503	0.572	0.205	–	0.047
	-0.293	-0.206	-1.000	–	-0.431
서초구	0.554	0.598	0.240	–	0.808
	0.644	0.625	0.049	–	2.272
강남구	0.734	0.701	0.791	–	1.387
	0.738	0.696	0.555	–	4.478

3. 요인별비교치

지역요인 비교치	개별요인 비교치	그 밖의 요인 보정치
1.000	1.010	1.10

• 풀이 •

1. 기준시점
   2025.9.29.

2. 비교표준지 선정
   대상 소재 준주거지역, 상업용인 일련번호103 선정

3. 시점수정치

   서초구, 주거지역 $1.00625 \times (1 + 0.00598 \times \frac{29}{31}) ≒ 1.01188$

4. 토지단가
   $2,000,000 \times 1.01188 \times 1.00 \times 1.01 \times 1.1 ≒ @2,250,000원/m^2$

5. 감정평가액(시산가액)
   $2,250,000 \times 300 = 675,000,000원$

   Tip 비교표준지 선정시 용도지역의 중요성

   상기 문제에서 대상은 준주거지역, 주상용이나 표준지 중 #103은 용도지역(준주거)는 동일하나, 이용상황은 상이하며, #101, #102는 이용상황(주상용)은 동일하나, 용도지역이 상이하다. 이런 경우 비교표준지 선정은 선정기준의 순서에 따라 용도지역의 동일성이 우선 강조되어 동일한 용도지역의 표준지를 비교표준지로 선정하고, 이용상황에 따른 차이는 개별요인비교에서 반영하여야 한다.

문제 **4**　대상 토지를 시장가치로 감정평가하시오.

〈자료 1〉 대상부동산

1. 서울시 강남구 ○○동 100번지, 일반상업지역, 대, 300m², 중로, 정방형, 평지
2. 기준시점 : 2025. 9. 29.
3. 평가목적 : 일반거래

〈자료 2〉 표준지 및 각종 요인비교치

1. 표준지 공시지가(2025년) (강남구)

(원/m²)

일련번호	용도지역	이용상황	면적	도로	형상, 지세	공시지가
101	중심상업지역	대	200m²	광대로	세장형 평지	10,000,000
102	일반상업지역	대	200m²	중로각지	세장형 평지	7,000,000
103	준주거지역	대	200m²	소로	세장형 평지	3,000,000

2. 지가변동률(2025년 8월)

행정구역	평균 (누계)	용　도　지　역　별			
		상업	주거	공업	녹지
관악구	0.503	0.572	0.205	–	0.047
	−0.293	−0.206	−1.000	–	−0.431
강남구	0.554	0.598	0.240	–	0.808
	0.644	0.625	0.049	–	2.272

3. 개별요인

1) 접면도로

중로	중로각지	광대로
0.95	1.00	1.10

2) 형상

부정형	사다리	세장형	정방형, 가장형
0.9	0.95	1.00	1.05

3) 고저

완경사	평지	저지
0.95	1.00	0.90

4. 지역요인

구 분	표준지	대상
기준시점	1.00	1.00
공시시점	0.90	0.95

5. 그 밖의 요인 보정

지역요인은 대등하며, 그 밖의 요인은 평가전례 고려 1.3으로 적용함.

● 풀이 ●

1. 기준시점 : 2025.9.29.

2. 비교표준지 선정 : 대상소재 일반상업지역, 대인 일련번호102 선정

3. 시점수정치 : 강남구, 상업지역 $1.00625 \times (1 + 0.00598 \times \frac{29}{31}) ≒ 1.01188$

4. 지역요인 비교치 : $\frac{기준시점}{기준시점} = \frac{1.00}{1.00} = 1.000$

5. 개별요인 비교치 : $\frac{0.95}{1.00} \times \frac{1.05}{1.00} \times \frac{1.00}{1.00} = 0.998$

6. 토지단가 : $7,000,000 \times 1.01188 \times 1.00 \times 0.998 \times 1.3 ≒ @9,190,000원/m^2$

7. 감정평가액(시산가액) : $9,190,000 \times 300 = 2,757,000,000원$

문제 5   대상 토지를 시장가치로 감정평가하시오.

〈자료 1〉 대상부동산

1. 서울시 강남구 ○○동 300번지, 자연녹지지역 내 개발제한구역, 전, 300m², 세로(가), 정방형, 평지
2. 기준시점 : 2025. 10. 15.
3. 평가목적 : 일반거래

〈자료 2〉 표준지 및 각종 요인비교치

1. 인근지역 표준지 공시지가(2025년)

(원/m²)

일련번호	소재지	용도지역	이용상황	면적	도로	형상, 지세	공시지가(m²)
101	서초구 ○○동 1	자연녹지	전	200m²	세로 (가)	세장형 평지	2,500,000
102	서초구 ○○동 2	일반상업	전	200m²	중로 각지	세장형 평지	7,000,000
103	서초구 ○○동 3	개발제한	전	200m²	세로 (불)	세장형 평지	500,000

2. 지가변동률(2025년 8월)

행정구역	평균 (누계)	용 도 지 역 별			
		상업	주거	공업	녹지
강남구	0.503	0.572	0.205	–	0.047
	−0.293	−0.206	−1.000	–	−0.431
서초구	0.554	0.598	0.240	–	0.808
	0.644	0.625	0.049	–	2.272

3. 지역요인

구 분	표준지	대상
기준시점	1.00	1.00
공시시점	0.90	0.95

4. 개별요인

  1) 접면도로

    세로(가)는 세로(불)에 비해 10% 우세한 것으로 판단됨.

  2) 형상

부정형	사다리	세장형	정방형, 가장형
0.9	0.95	1.00	1.05

  3) 고저

완경사	평지	저지
0.95	1.00	0.90

5. 그 밖의 요인 보정

  그 밖의 요인은 평가전례 고려 1.3으로 적용함.

● 풀이 ●

Ⅰ. 감정평가 개요

  1. 기준시점 : 2025.10.15.

  2. 기준가치 : 시장가치

Ⅱ. 토지가액 산출근거

  1. 비교표준지 선정 : 인근지역, 개발제한구역(자연녹지), 전(田)인 일련번호103 선정

  2. 시점수정치 : 비교표준지 소재 서초구 녹지(2025.1.1.~2025.10.15.)

$$1.02272 \times (1 + 0.00808 \times \frac{45}{31}) \fallingdotseq 1.03472$$

  3. 지역요인 비교치 : $\frac{기준시점}{기준시점} = \frac{1.00}{1.00} = 1.000$

  4. 개별요인 비교치 : $1.1 \times \frac{1.05}{1.00} \times \frac{1.00}{1.00} = 1.155$

  5. 산정단가 : $500,000 \times 1.03472 \times 1.00 \times 1.155 \times 1.3 \fallingdotseq$ @777,000원 / m^2

  6. 감정평가액(시산가액) : $777,000 \times 300 = 233,100,000$원

02

원가방식

건물평가 (원가법)

문제 1 대상건물은 철근콘크리트조 슬래브지붕 근린생활시설 3층 건물 연면적 1,000㎡이다.
건물가격을 평가하시오. 다만, 건축물대장상 사용승인일자는 2021년 12월 1일이고,
기준시점은 2025년 10월 15일이며, 감가수정은 정액법으로 하되 내용년수 만료시
잔가율은 0%이다.

〈재조달원가표〉

분류번호	용 도	구 조	급수	표준단위(원/m²)	내용년수
X-X-7-8	근린생활시설	철근콘크리트조 슬래브지붕	1	800,000	50

● **풀이** ●

1. 개요

철근콘크리트 슬래브지붕 기준, 사용승인일자를 기준으로 만년 감가하여 적산가액을 산정함.

2. 단가

$800,000 \times (1 - \dfrac{3}{50}) ≒ @752,000원$

3. 감정평가액

752,000 × 1,000 = 752,000,000원

> 문제 **2** 대상건물은 철골철근콘크리트조 슬래브지붕 근린생활시설 10층 건물 연면적 10,000m²이다. 건물가격을 평가하시오. 다만, 건축물대장상 사용승인일자는 2021년 9월 1일이고, 기준시점은 2025년 10월 15일이며, 감가수정은 정액법으로 하되 내용년수 만료시 잔가율은 0%이다.

〈재조달원가표〉

1. 근린생활시설

분류번호	용 도	구 조	급수	표준단위(원/m²)	내용년수
X-X-7-8	근린생활시설	철근콘크리트조 슬래브지붕	1	900,000	50

2. 근린생활시설

분류번호	용 도	구 조	급수	표준단위(원/m²)	내용년수
X-1-X-8	근린생활시설	철골철근콘크리트조 슬래브지붕	1	1,200,000	55

● 풀이 ●

1. 개요

철골철근콘크리트 슬래브지붕 기준, 사용승인일자를 기준으로 만년감가 적용하여 적산가액을 산정함.

2. 단가

$1,200,000 \times (1 - \frac{4}{55}) ≒ @1,113,000원$

3. 감정평가액

$1,113,000 \times 10,000 = 11,130,000,000원$

> **문제 3** 대상건물은 철근콘크리트조 슬래브지붕 근린생활시설 지상5층, 지하2층의 각층 바닥 면적은 공히 200m²이다. 건물가격을 평가하시오. 다만, 건축물대장상 사용승인일자는 2016년 9월 1일이고, 기준시점은 2025년 10월 15일이며, 감가수정은 정액법으로 하되, 지하의 재조달원가는 지상부분의 70%수준이 적정하다고 판단됨. 내용년수 만료시 잔가율은 0%이다.

〈재조달원가표〉

1. 근린생활시설

분류번호	용 도	구 조	급수	표준단위(원/m²)	내용년수
X-X-7-8	근린생활시설	철근콘크리트조 슬래브지붕	1	900,000	50

2. 근린생활시설

분류번호	용 도	구 조	급수	표준단위(원/m²)	내용년수
X-1-X-8	근린생활시설	철골철근콘크리트조 슬래브지붕	1	1,200,000	55

● **풀이** ●

1. 개요

철근콘크리트 슬래브지붕 기준, 사용승인일자를 기준으로 만년 감가적용 지상, 지하를 구분하여 평가함.

2. 단가

지상(1~5층) : $900,000 \times (1 - \frac{9}{50}) ≒ @738,000$원

지하(B1, B2) : $900,000 \times 0.7 \times (1 - \frac{9}{50}) ≒ @517,000$원

3. 감정평가액

$(738,000 \times 5층 + 517,000 \times 2층) \times 200 = 944,800,000$원

문제 4   기준시점의 재조달원가가 500,000원/m²이고, 내용년수가 50년인 철근콘크리트조 슬래브지붕 3층 건물 연면적 1,500m²인 적산가액을 산정하시오. 다만, 건축물대장상 사용승인일자는 2020년 10월 15일이고, 기준시점은 2025년 9월 1일이며, 감가수정은 정액법으로 하되 내용년수 만료시 잔가율은 10%이다.

● 풀이 ●

1. 개요

   사용승인일자를 기준으로 만년 감가하여 적산가액을 산정함.

2. 감정평가액

   $$500,000 \times \left(1 - (1 - 0.1) \times \frac{4}{50}\right) \times 1,500 ≒ 696,000,000원$$

문제 5 대상건물은 철골철근콘크리트조 슬래브지붕 근린생활시설 10층 건물 연면적 10,000m² 이다. 건물가격을 평가하시오. 다만, 건축물대장상 사용승인일자는 2021년 9월 1일이고, 기준시점은 2025년 10월 1일이며, 감가수정은 정액법으로 하되 내용년수 만료시 잔가율은 0%이다.

〈재조달원가표〉

1. 근린생활시설

분류번호	용 도	구 조	급수	표준단위(원/m²)	내용년수
X-X-7-8	근린생활시설	철근콘크리트조 슬래브지붕	1	900,000	50

2. 근린생활시설

분류번호	용 도	구 조	급수	표준단위 (원/m²)	내용년수
X-1-X-8	근린생활시설	철골철근콘크리트조 슬래브지붕	1	1,500,000	55

〈관찰감가 적용〉

본 건물은 관리의 불량으로 인해 관찰감가 2년을 더 고려해야할 것으로 판단함.

─●풀이●─

1. 개요

철골철근콘크리트 슬래브지붕 기준, 사용승인일자를 기준으로 만년 감가 및 관찰감가 2년 적용하여 적산가액을 산정함.

2. 단가

$1,500,000 \times (1 - \dfrac{4+2}{55}) \fallingdotseq @1,336,000$원

3. 감정평가액

$1,336,000 \times 10,000 = 13,360,000,000$원

토지평가 (가산방식(조성원가법), 개발법)

문제 1 택지조성을 완료한 토지의 가치를 가산방식(조성원가법)으로 산정하시오.

〈자료 1〉 대상 : 조성 전 소지 내역

1. 지목 및 면적 : 잡종지, 1,000m²
2. 기준시점 : 2025년 8월 1일
3. 1년전 대상 소지상태를 1억원에 매입하였음.

〈자료 2〉 개발내역 등

1. 투입 조성공사비 등 100,000원/m²
2. 조성 완공시점(2025.5.1.)에 조성공사비를 지불하였으며, 소지매입비는 완공시점의 원가로 봄.
3. 조성 완공시점부터 기준시점까지 지가변동률은 10%임.

─●풀이●─

Ⅰ. 감정평가 개요
　택지조성 완료한 토지를 조성원가법으로 감정평가함. (기준시점 : 2025.8.1.)

Ⅱ. 준공 당시 토지가액(2025.5.1.)
　　1. 소지매입비 : 100,000,000원
　　2. 조성공사비 : 100,000 × 1,000 = 100,000,000원
　　3. 준공 당시 토지가액 : 1. + 2. = 200,000,000원

Ⅲ. 기준시점 당시 토지가액(감정평가액, 2025.8.1)
　　200,000,000 × 1.10000 = 220,000,000원

문제 2 택지조성을 완료한 토지의 가치를 가산방식(조성원가법)으로 산정하시오.

〈자료 1〉 대상 : 조성 전 소지 내역

1. 지목 및 면적 : 잡종지, 1,000m²

2. 기준시점 : 2025년 12월 31일

3. 대상 소지상태를 2024년 5월 1일에 1억원에 매입하였음.

〈자료 2〉 개발내역 등

1. 투입 조성공사비 등 100,000원/m²

2. 조성 착공시점은 2024년 5월 1일이며 조성공사비는 착공 당시 모두 지불하였고, 완공시점은 2025년 5월 1일임. 소지매입비는 조성 원가성격으로 봄.

3. 조성 완공시점부터 기준시점까지 지가변동률은 10%임.

4. 투하자본이자율은 연 5%임.

● 풀이 ●

I. 감정평가 개요
   택지조성 완료한 토지를 조성원가법으로 감정평가함. (기준시점 : 2025.12.31.)

II. 준공 당시 토지가액(2025.5.1.)
   1. 소지매입비 : 100,000,000 × 1.05 = 105,000,000원
   2. 조성공사비 : 100,000 × 1,000 × 1.05 = 105,000,000원
   3. 준공 당시 토지가액 : 1. + 2. = 210,000,000원

III. 기준시점 당시 토지가액(감정평가액, 2025.12.31)
   210,000,000 × 1.100000 = 231,000,000원

문제 **3**   택지를 조성하여 분양하고자 농경지(전) 상태의 토지를 매입하고자 한다. 현재 토지의 가치를 개발법으로 감정평가하시오.

〈자료 1〉 대상 : 조성 전 소지 내역

1. 지목 및 면적 : 잡종지, 1,000m^2
2. 기준시점 : 2025년 6월 1일
3. 소지 매입가격 : 5천만원

〈자료 2〉 개발계획

1. 조성획지 당 면적 300m^2
2. 감보율(공공시설 설치 비율) : 40%
3. 분양가격 : 조성획지 당 1억원

〈자료 3〉 개발내역 등

1. 투입 조성공사비 등 100,000원/m^2
2. 분양가의 수입과 조성비용의 지출은 모두 기준시점에 발생한 것으로 본다.

─● 풀이 ●─

Ⅰ. 감정평가 개요
현재 소지 상태 토지를 개발법으로 감정평가함. (기준시점 : 2025.6.1.)

Ⅱ. 개발계획
1. 조성면적 : 1,000m^2 × (1 − 40%) = 600m^2
2. 조성획지 수 : 600m^2 ÷ 300m^2 = 2 획지

Ⅲ. 분양수입(현가)
100,000,000 × 2 = 200,000,000원

Ⅳ. 개발비용(현가)
100,000 × 1,000 = 100,000,000원

Ⅴ. 토지가치
200,000,000 − 100,000,000 = 100,000,000원

문제 **4** 택지를 조성하여 분양하고자 농경지(전) 상태의 토지를 매입하고자 한다. 현재 토지의 가치를 개발법으로 감정평가하시오.

〈자료 1〉 대상 : 조성 전 소지 내역

1. 지목 및 면적 : 잡종지, 1,000m^2
2. 기준시점 : 2025년 12월 31일
3. 소지 매입가격 : 5천만원

〈자료 2〉 개발계획

1. 조성획지 당 면적 300m^2
2. 감보율(공공시설 설치 비율) : 40%
3. 분양가격 : 조성획지 당 110,000,000원

〈자료 3〉 개발내역 등

1. 투입 조성공사비 등 110,000원/m^2
2. 공사기간은 1년이 소요되며, 분양수입과 조성공사비는 공사완료 시기에 지급함.
3. 할인율 : 연 10%

● 풀이 ●

Ⅰ. 감정평가 개요
   현재 소지 상태 토지를 개발법으로 감정평가함. (기준시점 : 2025.12.31.)

Ⅱ. 개발계획
   1. 조성면적 : 1,000m^2 × (1 − 40%) = 600m^2
   2. 조성획지 수 : 600m^2 ÷ 300m^2 = 2 획지

Ⅲ. 분양수입 현가
   110,000,000 × 2 / 1.1 = 200,000,000원

Ⅳ. 개발비용 현가
   110,000 × 1,000 / 1.1 = 100,000,000원

Ⅴ. 토지가치
   200,000,000 − 100,000,000 = 100,000,000원

문제 5 다세대 주택을 건축하여 분양하고자 토지를 매입하고자 한다. 현재 토지의 가치를 개발법으로 감정평가하시오.

〈자료 1〉 대상 토지 내역

1. 지목 및 면적 : 대, 100m^2
2. 기준시점 : 2025년 12월 31일
3. 토지 매입가격 : 5천만원

〈자료 2〉 개발계획

1. 건축 규모 : 건폐율 50%, 용적률 100%, 지상 2층
2. 세대당 면적은 모두 동일하며 2개 세대를 건축함.
3. 분양가격 : m^2 당 2,200,000원

〈자료 3〉 개발내역 등

1. 건축공사비 : 1,100,000원/m^2
2. 공사기간은 1년이 소요되며, 분양수입과 건축공사비는 공사완료 시기에 지급함.
3. 할인율 : 연 10%

─●풀이●─────────────

Ⅰ. 감정평가 개요
대지인 토지를 개발법으로 감정평가함. (기준시점 : 2025.12.31.)

Ⅱ. 개발계획
1. 건축 바닥 면적 : 100m^2 × 50% = 50m^2
2. 연면적 : 100m^2 × 100% = 100m^2

Ⅲ. 분양수입 현가
2,200,000 × 100m^2 / 1.1 = 200,000,000원

Ⅳ. 개발비용 현가
1,100,000 × 100m^2 / 1.1 = 100,000,000원

Ⅴ. 토지가치
200,000,000 − 100,000,000 = 100,000,000원

03

수익방식

순수익 (NOI) 산정

문제 1 대상은 임대면적 10,000m²인 오피스 빌딩건물이다. 다음 자료를 활용하여 연간 순수익을 구하라.

〈자료〉

1. m² 당월지불임대료 : 50,000원

2. 보증금 : 500,000,000원

3. 보증금운용이율 : 연 8%

4. 운영경비 : 총수익의 10% 수준임.

─● 풀이 ●─

1. 총수익(PGI)
   (50,000 × 12 × 10,000) + 500,000,000 × 0.08 = 6,040,000,000원

2. 운영경비(OE)
   6,040,000,000 × 0.1 = 604,000,000원

3. 순수익(NOI)
   6040,000,000 − 604,000,000 = 5,436,000,000원

문제 2　다음 자료를 활용하여 연간 순수익을 구하라.

〈자 료〉

1. 매월지불임대료 : 3,000,000원

2. 보증금 : 100,000,000원

3. 보증금운용이율 : 연 10%

4. 운영경비 : 30,000,000원

● 풀이 ●

1. 총수익(PGI)
   3,000,000 × 12 + 100,000,000 × 0.1 = 46,000,000원

2. 운영경비(OE)
   30,000,000원

3. 순수익(NOI)
   46,000,000 − 30,000,000 = 16,000,000원

문제 3 다음 자료를 활용하여 연간 순수익을 구하라.

지출항목(연간)		수입항목(연간)	
유지관리비 :	6,000,000	보증금 운용이익 :	10,000,000
제세공과금 :	8,000,000	임대료 수입 :	144,000,000
손해보험료 :	3,000,000	주차료 수입 :	14,000,000
대손상각 :	15,000,000		
공실손실상당액 :	2,000,000		

● 풀이 ●

1. 총수익(PGI)

   10,000,000 + 144,000,000 + 14,000,000 = 168,000,000원

2. 영업경비(OE)

   6,000,000 + 8,000,000 + 3,000,000 + 15,000,000 + 2,000,000 = 34,000,000원

3. 순수익(NOI)

   168,000,000 − 34,000,000 = 134,000,000원

문제 4 다음 자료를 활용하여 연간 순수익을 구하라. 다만, 보증금운용이율은 연 10%이다.

지출항목(연간)		수입항목(연간)	
유지관리비 :	3,000,000	보증금 :	100,000,000
제세공과금 :	5,000,000	임대료수입 :	100,000,000
손해보험료 :	1,000,000	주차료 수입 :	10,000,000
공실손실상당액 :	2,000,000		

● 풀이 ●

1. 총수익(PGI)

    100,000,000 × 0.1 + 100,000,000 + 10,000,000 = 120,000,000원

2. 영업경비(OE)

    3,000,000 + 5,000,000 + 1,000,000 + 2,000,000 = 11,000,000원

3. 순수익(NOI)

    120,000,000 − 11,000,000 = 109,000,000원

문제 5 다음 자료를 활용하여 연간 순수익을 구하라.

지출항목(연간)		수입항목(연간)	
유지관리비 :	5,000,000	임대료 수입 :	144,000,000
제세공과금 :	5,000,000	주차료 수입 :	14,000,000
손해보험료 :	3,000,000		
대손충당금 :	15,000,000		
공실손실상당액 :	5,000,000		

※ 전체 보증금은 100,000,000원 이며, 보증금운용이율은 10%임.

• 풀이 •

1. 총수익(PGI)

   100,000,000×0.1 + 144,000,000 + 14,000,000 = 168,000,000원

2. 영업경비(OE)

   5,000,000 + 5,000,000 + 3,000,000 + 15,000,000 + 5,000,000 = 33,000,000원

3. 순수익(NOI)

   168,000,000 − 33,000,000 = 135,000,000원

문제 6 임대인으로부터 다음 임대 내역에 대한 자료를 제시받았다. 다음 자료를 활용하여 연간 상각 후 순수익을 구하라. 다만, 보증금운용이율은 연 10%이다.

보증금 :	200,000,000
임대료 수입 :	200,000,000
주차료 수입 :	20,000,000
유지관리비 :	3,000,000
제세공과금 :	5,000,000
손해보험료 :	1,000,000
공실손실상당액 :	2,000,000
감가상각비 :	10,000,000

● 풀이 ●

1. 총수익(PGI)

   200,000,000 × 0.1 + 200,000,000 + 20,000,000 = 240,000,000원

2. 영업경비(OE)

   3,000,000 + 5,000,000 + 1,000,000 + 2,000,000 + 10,000,000 = 21,000,000원

3. 순수익(NOI)

   240,000,000 − 21,000,000 = 219,000,000원

| 문제 **7** | 다음 자료를 활용하여 연간 순수익을 구하라. 단, 보증금운용이율은 연 10%이다 |

⟨총수익 내역⟩

층	B1	1	2	3
임대면적(m²)	400	430	430	430
월 지불임대료(원/m²)	6,000	7,000	7,500	8,000
보증금	월 지불임대료의 12월분		월 지불임대료의 10월분	

⟨영업경비 내역⟩

연간 m²당 50,000원임.

• **풀이** •

1. 총수익(PGI)
   ① 지하1층 : {6,000 × (12월 + 12월 × 0.1)} × 400 = 31,680,000원
   ② 1층 : {7,000 × (12월 + 12월 × 0.1)} × 430 = 39,732,000원
   ③ 2층 : {7,500 × (12월 + 10월 × 0.1)} × 430 = 41,925,000원
   ④ 3층 : {8,000 × (12월 + 10월 × 0.1)} × 430 = 44,720,000원
   ⑤ 합계 : ① + ② + ③ + ④ = 158,057,000원

2. 영업경비(OE)
   50,000 × (400 + 430 × 3) = 84,500,000원

3. 순수익(NOI)
   158,057,000 − 84,500,000 = 73,557,000원

문제 **8** 임대인으로부터 다음 임대 내역에 대한 자료를 제시받았다. 다음 자료를 활용하여 연간 상각 전 순수익을 구하라. 다만, 보증금운용이율은 연8%이다.

보증금 :	100,000,000
임대료 수입 :	100,000,000
주차료 수입 :	20,000,000
유지관리비 :	2,000,000
제세공과금 :	3,000,000
손해보험료 :	1,000,000
공실손실상당액 :	2,000,000
감가상각비 :	10,000,000

─● 풀이 ●─

1. 가능총수익(PGI)

   100,000,000 × 0.08 + 100,000,000 + 20,000,000 = 128,000,000원

2. 영업경비(OE)

   2,000,000 + 3,000,000 + 1,000,000 + 2,000,000 = 8,000,000원

3. 순수익(NOI)

   128,000,000 - 8,000,000 = 120,000,000원

환원율 산정

문제 1 대상부동산을 수익가액으로 평가하고자 한다. 인근의 표준적 부동산의 가격이 3억원이고, 총수익은 5천만원이며, 필요제경비 비율은 총수익의 20%임이 시장에서 포착되었을 때 적정한 환원율을 산정하시오.

● 풀이 ●

1. 산식

   R = NOI/P

2. 환원율(R)

   $$\frac{50,000,000 \times (1-0.2)}{300,000,000} \fallingdotseq 0.133(13\%)$$

문제 2 (물리적투자결합법) 대상부동산을 수익가액으로 평가하고자 한다. 토지 건물 가격구성비는 3 : 7이며, 토지환원율은 7%, 건물환원율은 10%일 때 환원율을 산정하시오

● 풀이 ●

1. 산식

   R = 토지가격구성비 × 토지환원율 + 건물가격구성비 × 건물환원율

2. 환원율(R)

   0.3 × 0.07 + 0.7 × 0.1 $\fallingdotseq$ 0.091(9.1%)

문제 3   (물리적투자결합법) 토지가격은 3억, 건물가격은 2억이다. 토지환원율은 8%, 건물환원율은 9%일 때 환원율을 산정하시오

● 풀이 ●

1. 산식

  R = 토지가격구성비 × 토지환원율 + 건물가격구성비 × 건물환원율

2. 환원율(R)

$$\frac{3억}{3억+2억} \times 0.08 + \frac{2억}{3억+2억} \times 0.09 ≒ 0.084(8.4\%)$$

문제 4   (요소구성법) 시장에서 무위험률이 7%로 포착되었을 때, 대상 부동산의 위험성, 비유동성, 관리의 난이성 등을 고려한 위험할증률이 3%인 경우 적용가능한 환원율은 얼마인가?

● 풀이 ●

1. 산식

  R = 무위험률 + 위험할증률

2. 환원율(R)

  0.07 + 0.03 = 0.1(10%)

문제 5   각 조건에 따른 환원율을 산정하시오.

1. 조건1

건물의 상각후 환원율이 10%, 회수율이 2%인 경우 건물의 상각전 환원율은 얼마인가?

2. 조건2

토지 건물 가격구성비는 8 : 2, 토지환원율은 10%, 건물의 상각후 환원율이 10%, 회수율이 1%인 경우 상각전 환원율은 얼마인가?

● 풀이 ●

1. 조건1
   0.1 + 0.02 = 0.12(12%)

2. 조건2
   0.8 × 0.1 + 0.2 × (0.1 + 0.01) = 0.102(10.2%)

문제 6   다음 각 조건에 따른 환원율을 산정하시오.

1. 조건 1

부동산가격	총수익	총비용
150,000,000	20,000,000	9,500,000

2. 조건 2

토지가격구성비	건물가격구성비	토지환원율	건물환원율
60%	40%	8%	10%

3. 조건 3

자기자본구성비율	타인자본구성비율	지분배당률	저당이자율
60%	40%	8%	10%

● 풀이 ●

1. 조건1

$$\frac{20,000,000 - 9,500,000}{150,000,000} \qquad ≒ 0.07(7\%)$$

2. 조건2

$0.6 \times 0.08 + 0.4 \times 0.1 \qquad\qquad ≒ 0.088(8.8\%)$

3. 조건3

$0.6 \times 0.08 + 0.4 \times 0.1 \qquad\qquad ≒ 0.088(8.8\%)$

문제 7 (ROSS금융적투자결합법) 자기자본 3억, 타인자본을 2억을 조달하여 대상부동산에 투자하고자 한다. 지분투자자가 요구하는 지분배당률은 8%이며, 은행이 요구하는 저당이자율이 9%인 경우 적정 환원율을 산정하시오.

● 풀이 ●

1. 산식

   R = 자기자본구성비 × 지분배당률 + 타인자본구성비 × 저당이자율

2. 환원율(R)

$$\frac{3억}{3억 + 2억} \times 0.08 + \frac{2억}{3억 + 2억} \times 0.09 ≒ 0.084(8.4\%)$$

직접환원법 (DCM)

문제 1　대상은 토지건물 복합부동산이며 연간 순수익은 200,000,000원이며, 대상지역의 토지환원율은 8%, 건물환원율은 12%, 토지, 건물의 가격구성비가 6 : 4일 때 수익가액을 산정하시오.

● **풀이** ●

1. 종합환원율

    0.6 × 0.08 + 0.4 × 0.12 = 0.096(9.6%)

2. 감정평가액

    200,000,000/0.096 = 2,083,333,000원

문제 2　대상은 토지건물 복합부동산이며 연간 총수익은 200,000,000원, 필요제경비는 80,000,000원이고, 대상의 자기자본과 타인자본의 구성비율은 4 : 6이며, 지분배당률은 9% 저당이자율 8%인 경우, 수익가액을 산정하시오(단, 환원율은 ROSS방식으로 구할 것).

● **풀이** ●

1. 순수익

    200,000,000 − 80,000,000 = 120,000,000원

2. 종합환원율

    0.4 × 0.09 + 0.6 × 0.08 = 0.084(8.4%)

3. 감정평가액

    120,000,000/0.084 = 1,428,571,000원

문제 3 대상은 토지건물 복합부동산이며 연간 총수익은 200,000,000원, 필요제경비는 80,000,000원이고, 대상지역의 토지환원율은 10%, 건물환원율은 12%, 토지, 건물의 가격구성비가 5 : 5이다. 수익가액을 산정하시오.

● 풀이 ●

1. 순수익
   200,000,000 − 80,000,000 = 120,000,000원

2. 종합환원율
   $0.5 \times 0.1 + 0.5 \times 0.12 = 0.11(11\%)$

3. 감정평가액
   120,000,000/0.11 = 1,090,909,000원

문제 4 (토지잔여법) 대상은 토지, 건물 복합부동산이다. 대상의 총수익이 100,000,000, 필요제경비가 50,000,000원이며, 건물만의 가격이 200,000,000원으로 산정되었다. 대상의 복합부동산 가격을 산정하시오(단. 토지환원율 10%, 건물환원율 12%임).

● 풀이 ●

1. 토지가격
   (1) 순수익
       100,000,000 − 50,000,000 = 50,000,000원
   (2) 건물 귀속 순수익
       200,000,000원 × 0.12 = 24,000,000원
   (3) 토지 귀속 순수익
       50,000,000 − 24,000,000 = 26,000,000원
   (4) 토지 수익가액
       26,000,000 ÷ 0.1 = 260,000,000원

2. 감정평가액
   200,000,000(건물) + 260,000,000(토지) = 460,000,000원

문제 5 (토지잔여법) 대상은 토지, 건물 복합부동산이다. 대상의 총수익이 100,000,000, 필요제경비는 총수익의 25%이며, 대상건물의 재조달원가는 m²당 @500,000원이고 건물 연면적은 200m²일 때 대상의 복합부동산 가격을 산정하시오. (단. 토지환원율 10%, 건물환원율 12%, 건물의 물리적 내용년수는 100년, 경제적 내용년수는 50년, 경과년수는 10년임)

●──● 풀이 ●──────────────────────────────────

1. 토지가액
   (1) 순수익
       100,000,000 × (1 − 0.25) = 75,000,000원
   (2) 건물 귀속 순수익
       1) 건물가격 : 500,000 × (1 − 10/50) × 200 = 80,000,000원
       2) 건물 귀속 순수익 : 80,000,000 × 0.12 = 9,600,000원
   (3) 토지 귀속 순수익
       75,000,000 − 9,600,000 = 65,400,000원
   (4) 토지 수익가액
       65,400,000 ÷ 0.1 = 654,000,000원

2. 감정평가액
   80,000,000(건물) + 654,000,000(토지) = 734,000,000원

문제 6 다세대 주택 건축이 가능한 나지 상태의 토지를 매입하고자 한다. 현재 토지의 가치를 수익환원법으로 감정평가하시오. (기준시점 : 2025.6.1.)

〈자료 1〉 대상 토지 내역

1. 지목 및 면적 : 대, 100m²

〈자료 2〉 건축계획 및 임대계획

1. 건물면적 : 바닥면적 50m², 건물연면적 100m², 임대면적 80m²,
2. PGI : 연지불임료 m² 당 200,000원
3. 공실률은 10%, 영업경비는 연지불임대료의 20%

〈자료 3〉 건축비 등

1. 건축공사비 : 1,000,000원/m²
2. 환원율 : 토지환원율 연 5%, 건물환원율 연 10%

● **풀이** ●

Ⅰ. 감정평가 개요

대지인 토지를 토지잔여법으로 평가함. (기준시점 : 2025.6.1.)

Ⅱ. NOI

1. PGI : 200,000 × 80m² = 16,000,000원
2. EGI : 16,000,000 × (1 − 10%) = 14,400,000원
3. OE : 16,000,000 × 20% = 3,200,000원
4. NOI : 14,400,000 − 3,200,000 = 11,200,000원

Ⅲ. 건물귀속 NOI

1. 건물가격 : 1,000,000 × 100m² = 100,000,000원
2. 건물귀속 NOI : 100,000,000 × 10%(건물R) = 10,000,000원

Ⅳ. 토지기대 NOI

11,200,000 − 10,000,000 = 1,200,000원

Ⅴ. 토지가치 (수익가액)

1,200,000 ÷ 5%(토지R) = 24,000,000원

문제 7 다세대 주택 건축이 가능한 나지 상태의 토지를 매입하고자 한다. 현재 토지의 가치를 수익환원법으로 감정평가하시오. (기준시점 : 2025.6.1.)

〈자료 1〉 대상 토지 내역

1. 지목 및 면적 : 대, 100m^2

〈자료 2〉 건축계획 및 임대계획

1. 건물면적 : 바닥면적 50m^2, 건물연면적 100m^2, 임대면적 80m^2,
2. PGI : 연지불임료 m^2 당 200,000원
3. 공실률은 10%, 영업경비는 연지불임대료의 20%

〈자료 3〉 건축비 등

1. 건축공사비 : 1,000,000원/m^2
2. 종합환원율 : 연 10%

─── ● 풀이 ● ───

Ⅰ. 감정평가 개요 : 대지인 토지를 토지잔여법으로 평가함. (기준시점 : 2025.6.1.)

Ⅱ. NOI
 1. PGI : 200,000 × 80m^2 = 16,000,000원
 2. EGI : 16,000,000 × (1 – 10%) = 14,400,000원
 3. OE : 16,000,000 × 20% = 3,200,000원
 4. NOI : 14,400,000 – 3,200,000 = 11,200,000원

Ⅲ. 부동산 전체 가치 : 11,200,000 ÷ 10%(종합R) = 112,000,000원

Ⅳ. 건물가격 : 1,000,000 × 100m^2 = 100,000,000원

Ⅴ. 토지가치 : 112,000,00 – 100,000,000 = 12,000,000원

할인현금흐름분석법 (DCF)

문제 1　다세대 주택인 토지, 건물 복합부동산을 수익환원법으로 감정평가하시오.
(기준시점 : 2025. 6. 1.)

〈자료 1〉 대상 부동산 내역

1. 지목 및 면적 : 대, 100m²
2. 건물면적 : 바닥면적 50m², 건물연면적 100m², 임대면적 80m²˒
3. PGI : 연지불임료 m² 당 200,000원
4. 공실률은 10%, 영업경비는 연지불임대료의 20%

〈지료2〉 수익가치 산정 변수

1. 보유기간 : 3년
2. 임대료 변동 없음.
3. 기말복귀가치 : 4기의 NOI를 기출환원율 10% 환원하되, 재매도비용은 없음.
4. 할인율 : 10%

─● 풀이 ●─

Ⅰ. 감정평가 개요 : 복합부동산의 가치를 DCF법으로 평가함. (기준시점 : 2025. 6. 1.)

Ⅱ. NOI
  1. PGI : 200,000 × 80m² = 16,000,000원
  2. EGI : 16,000,000×(1 − 10%)=14,400,000원
  3. OE : 16,000,000 × 20% = 3,200,000원
  4. NOI : 14,400,000 − 3,200,000 = 11,200,000원

Ⅲ. 기말 부동산 복귀액 : 11,200,000 ÷10%(기출R) = 112,000,000원

Ⅳ. 수익가액
  11,200,000/1.1 + 11,200,000/1.1² + 11,200,000/1.1³ + 112,000,000/1.1³

  OR $\displaystyle\sum_{n=1}^{3} \frac{NOI_n}{(1+할인율)^n} + \frac{기말부동산복귀액}{(1+할인율)^3}$
  = 112,000,000원

04 화폐가치 계수의 이해 (현금등가)

To 현재		To 미래	
일시불 (PV)	n년 후 1원 → 현재?	일시불 (FV)	현재 1원 → n년 후?
연금 (PVAF)	매년 말 1원씩 → 현재?	연금 (FVAF)	매년 말 1원씩 → n년 후?
저당상수 (MC)	현재 1원 빌리고 → 매년?	감채기금 (SFF)	n년 후 1원 위해 → 매년?

화폐가치 계수의 이해

일반적으로 의사결정은 현재시점에서 이루어지는 반면에 현금의 흐름은 미래의 여러 기간에 걸쳐 실현된다. 그런데 동일한 금액이라고 하더라도 발생시점에 따라서 화폐의 가치가 달라지기에 서로 다른 시점에서 발생하는 현금흐름을 비교하는 경우 동일한 시점의 가치로 환산해서 비교해야 한다.

각종 계수	목 적	수 식
일시불의 내가계수 (FVF)	"현재의 1원"이 n년 동안 복리로 증식한 미래가치	$(1+r)^n$
일시불의 현가계수 (PVF)	"n년 후의 1원"이 갖는 현재의 가치	$\dfrac{1}{(1+r)^n}$

각종 계수	목 적	수 식
연금의 내가계수 (FVAF)	매년 1원씩 n년 동안 적립할 경우 n년 후의 미래가치	$\dfrac{(1+r)^n - 1}{r}$
감채기금계수 (SFF)	"n년 후의 1원"을 만들기 위해 n년 동안 매년 적립해야 할 금액	$\dfrac{r}{(1+r)^n - 1}$
연금의 현가계수 (PVAF)	매년 1원씩 n년 동안 적립할 경우 그 합계의 현재가치	$\dfrac{(1+r)^n - 1}{r \times (1+r)^n} = \dfrac{1 - (1+r)^{-n}}{r}$
저당상수(MC)	"현재의 1원"을 n년 동안 상환하기 위해 매년 불입해야 할 금액	$\dfrac{r \times (1+r)^n}{(1+r)^n - 1} = \dfrac{r}{1 - (1+r)^{-n}}$
상환비율(p)	기초에 1원을 대출하여 상환하던 중 특정시점(t)까지의 상환액	$\dfrac{(1+r)^t - 1}{(1+r)^n - 1} = \dfrac{MC_{r,n} - r}{MC_{r,t} - r}$
등비수열	초항 a, 등비 r인 경우의 합	$a \times \dfrac{(1 - r^n)}{(1 - r)}$
K계수	매년 일정비율씩 증감하는 경우(1기부터)	$\dfrac{1 - \dfrac{(1+g)^n}{(1+r)^n}}{(r - g) \times PVAF}$
J계수	매년 일정액씩 감채기금형식으로 누적적 변화하는 경우(0기부터)	$SFF \times \left[\dfrac{t}{1 - (1+y)^{-t}} - \dfrac{1}{y} \right]$

Tip 유의사항

- 저당상수(MC)와 저당계수(c)를 혼동하여 실수하지 말아야 한다.
- 상환비율(P)은 두가지 방법으로 구할 수 있으나, 이때 대출기간(n)과 저당상수(MC) 중 어느 자료가 있는지를 먼저 검토하고 결정하여야 한다.
- k계수×PVAF 는 소득정률증감모형과 같은 결과가 도출된다.

1. 일시불의 내가계수(복리종가율, Future Value of lump sum Factor-FVF)

유제 1   할인율이 년 8%일 때 현재의 1,000원은 5년 후 얼마인가?

● 풀이 ●
─────────────────────────────

1) 의의

할인율이 r일 때, 현재 P인 금액의 n년(기간)말 미래가치 F는 얼마인가를 평가하는 계수로 일시불의
현가계수의 역수이다.

2) 산식

일시불의 내가계수 $(R_1) = (1+r)^n$

3) 5년 후 가치

1,000 × 1.08^5 ≒ 1,469.33원
　　　　　　FVF(8%, 5년)

2. 일시불의 현가계수(복리현가율, Present Value of lump Factor : PVF)

유제 **2** 당신은 지금부터 5년 후 500만원의 보험금을 받기로 예정되어 있다. 이 보험금을 지금 즉시 받는다면 얼마이겠는가? 또한 현재의 10,000원은 5년 전 얼마였는가?(다만, 시장에서의 일반적인 할인율은 년 11%이다.)

● 풀이 ●

1) 의의

할인율이 r일 때, n년(기간)말 미래가치가 F인 금액의 현재가치 P는 얼마인가를 평가하는 계수로 일시불의 내가계수의 역수이다.

2) 산식

일시불의 현가계수$(R_2) = \dfrac{1}{(1+r)^n}$

3) 5년 후 500만원을 즉시 받는 경우

$5,000,000 \times \underbrace{\dfrac{1}{1.11^5}}_{\text{PVF(11\%, 5년)}} ≒ 2,967,257$원

4) 10,000원의 5년 전 가치

$10,000 \times \underbrace{\dfrac{1}{1.11^5}}_{\text{PVF(11\%, 5년)}} ≒ 5,935$원

유제 **3** 다음의 현금흐름을 가진 소득의 1년 초의 현재가치와 5년 후 미래가치를 평가하시오. 다만, 할인율은 년 10%이다.

1년말	2년말	3년말	4년말	5년말
100	200	300	400	500

─●풀이●─

1. 현재가치

$$\frac{100}{1.1} + \frac{200}{1.1^2} + \frac{300}{1.1^3} + \frac{400}{1.1^4} + \frac{500}{1.1^5} ≒ 1,065$$

2. 미래가치

$$100 \times 1.1^4 + 200 \times 1.1^3 + 300 \times 1.1^2 + 400 \times 1.1 + 500 ≒ 1,716$$

3. 연금의 현가계수(복리연금현가율, Present Value of an Annuity Factor-PVAF)

> 유제 **4** 당신은 C회사에 근무하는 중견사원으로 매년 연말에 향후 5년 동안 성과급으로 8,000,000원씩 받기로 계약을 하였다. 향후 5년간 성과급의 현재가치는 얼마인가? 또한 만약 매년 연초에 미리 받기로 하였다면 5년간 성과급의 현재가치는 얼마인가? (시장이자율은 10%이다.)

● 풀이 ●

1) 의의

할인율이 r일 때, 매년(기간)말 연금 a를 n년(기간)동안 불입시 현재가치P가 얼마인지를 평가하는 계수로, 일시불의 현재가치를 누계한 수치이다.(연금의 내가계수×일시불의 현가계수)

2) 산식

$$연금의\ 현가계수(R4) = \frac{(1+r)^n - 1}{r \times (1+r)^n} = \frac{1}{r + \frac{r}{(1+r)^n - 1}} = \frac{(1+r)^n - 1}{r} \times \frac{1}{(1+r)^n}$$

$$= \frac{1 - (1+r)^{-n}}{r}$$

3) 향후 5년간 성과급 현재가치

$$8,000,000 \times \underbrace{\frac{1 - 1.1^{-5}}{0.1}}_{PVAF(10\%,\ 5년)} \fallingdotseq 30,326,000원$$

4) 연초 지급 향후 5년간 성과급 현재가치

$$8,000,000 \times \underbrace{1.1}_{기초보정} \times \underbrace{\frac{1 - 1.1^{-5}}{0.1}}_{PVAF(10\%,\ 5년)} \fallingdotseq 33,359,000원$$

4. 저당상수(연부상환율, Mortgage Constant-MC)

유제 5 당신은 새 아파트를 구입하기 위해 아파트가격의 40%를 HK은행에서 대출받기로 약정
하였다. 다음 조건으로 대출을 받아 매년 갚아야 할 원금과 이자의 합계액은 얼마인가?
(아파트가격 3억원, 이자율 9%, 대출기간 20년, 매년원리금균등상환)

● 풀이 ●

1) 의의

   할인율이 r일 때, 현재 P인 금액을 n기간 동안 원리균등하게 상환할 경우 매년(기간)말 불입해야하는
   일정액의 연금 a를 평가하는 계수로, 연금의 현가계수의 역수이다.

2) 산식

   $$\text{저당상수}(R_6) = \frac{r \times (1+r)^n}{(1+r)^n - 1} = \frac{r}{1 - (1+r)^{-n}}$$

3) 매년 원리금

   $$\underset{\text{대출원금}}{300,000,000 \times 0.4} \times \underset{\text{MC(9\%, 20년)}}{\frac{0.09}{1 - 1.09^{-20}}} ≒ 13,146,000원$$

유제 **6** 다음의 물음에 각각 답하시오.

1. 저당금액 1억원, 저당기간 20년일 때 매년의 원리금 분할상환금액은?(이자율 : 연 12%)

2. 위의 조건에서 매월 분할 상환할 경우의 상환원리금은?(관행상 월이자는 연 이자의 1/12임.)

─● 풀이 ●─

1) (물음1) 매년 원리금상환금액

$$100,000,000 \times \frac{0.12}{1 - 1.12^{-20}} \fallingdotseq 13,388,000원$$

대출원금   MC(12%, 20년)

2) (물음2) 매월 원리금상환금액

$$100,000,000 \times \frac{0.01}{1 - 1.01^{-240}} \fallingdotseq 1,101,000원$$

대출원금   MC(12/12%, 20×12월)

5. 연금의 내가계수(복리연금종가율, Future Value of an annuity Factor-FVAF)

유제 7   당신이 소유한 부동산으로부터 매년 말 2,000,000원의 임대소득을 올리고 있다. 이를 매년 저축할 경우(시장이자율10%) 7년 후 총 예금액은 얼마인가?

● **풀이** ●

1) 의의

할인율이 r일 때, 매년말 일정액의 연금 a를 n년 동안 납입시 n년말의 적립누계액 F는 얼마인가를 평가하는 계수로, 일시불의 내가계수를 누적한 수치이다.

2) 산식

$$연금의 \ 내가계수 = \frac{(1+r)^n - 1}{r}$$

3) 7년 후 예금 총액

$$2,000,000 \times \underset{\text{FVAF(10\%, 7년)}}{\frac{1.1^7 - 1}{0.1}} ≒ 18,974,000원$$

6. 감채기금계수(상환기금율, Sinking Fund Fator-SFF)

> 유제 **8**　당신은 10년 후 세계여행을 하기로 가족과 약속을 했다. 10년 후 세계여행을 가기 위해서는 10년 동안 매년말 일정액씩 저축하여 10,000,000원을 저축하여야 하는데, 매년 말 저축하여야 할 일정액은 얼마인가? 또한 기초에 저축한다면 얼마인가?(시장이자율은 8%이다.)

● 풀이 ●

1) 의의

할인율이 r일 때, n년(기간)말 적립누계금액 F를 적립하기 위해 n년(기간)동안 매기간말에 불입해야하는 일정액의 연금 a를 평가하는 계수로, 연금의 내가계수의 역수이다.

2) 산식

$$감채기금계수(R_5) = \frac{r}{(1+r)^n - 1}$$

3) 매년 말 저축금액

$$10,000,000 \times \underset{\text{SFF(8\%, 10년)}}{\frac{0.08}{1.08^{10} - 1}} ≒ 690,000원$$

4) 매년 초 저축금액

$$10,000,000 \times \underset{\text{기초보정}}{\frac{1}{1.08}} \times \underset{\text{SFF(8\%, 10년)}}{\frac{0.08}{1.08^{10} - 1}} ≒ 639,000원$$

7. 상환비율과 잔금비율

유제 9   당신은 10년 전 명목상 2억원이었던 부동산을 현금으로 30%를 지급하고 나머지는 25년 매년 원리금균등상환조건의 저당대출로 매입하여 현재 보유 중에 있다. 현재까지 갚은 상환금액과 앞으로 갚아야 할 저당잔금을 구하시오. 다만 저당이자율은 10%이다.

• 풀이 •

1) 상환비율(= 1 - 잔금비율)
   상환비율이란 일정시점에서 저당대부금액에 대한 원금의 상환비율을 의미한다.
   $$\frac{(1+r)^n - 1}{(1+r)^N - 1} = \frac{MC_{(r,N)} - r}{MC_{(r,n)} - r} = \left(\frac{n기간동안\ 불입한\ 원금\cdot이자의\ t시점\ 종가}{저당지불액의\ N시점까지의\ 종가}\right)$$

2) 잔금비율(= 1 - 상환비율)
   잔금비율이란 일정시점에서 저당대부금액에 대한 저당잔금의 비율을 의미한다.
   $$1 - \frac{(1+r)^n - 1}{(1+r)^N - 1} \times \frac{n'기간동안\ 불입해야할\ 원금\cdot이자의\ t시점\ 종가}{저당지불액의\ 대부시점현가(저당대부액)}$$

3) 상환금액
   $$200,000,000 \times (1 - 0.3) \times \frac{(1+0.1)^{10} - 1}{(1+0.1)^{25} - 1} ≒ 22,687,000원$$

4) 저당잔금
   $$200,000,000 \times (1 - 0.3) \times \left[1 - \frac{(1+0.1)^{10} - 1}{(1+0.1)^{25} - 1}\right] ≒ 117,313,000원$$

현금등가

문제 1   다음 물음에 답하시오. (단, 시장이자율은 10%이며, 기준시점은 2025.1.1임)

1. 기준시점 현재부터 매년 말에 1,000,000원씩 10년 간 적립할 경우 10년 후 적립 총액은 얼마인가?

2. 10년 후에 100,000,000원의 적금을 타기 위해서는 매년 말 얼마를 저축하여야 하는가?

3. 은행으로부터 100,000,000원의 대부를 받고 10년간 원금과 이자를 균등상환 할 경우 매년 말에 상환해야할 금액은 얼마인가?

4. 매년 초 1,000,000원씩 10년간 저축할 경우 10년 후 저축총액은 얼마인가?

5. 10년 후 100,000,000원을 모으기 위해서 매년 초에 저축해야할 금액은 얼마인가?

6. 은행에서 100,000,000원의 대부를 받고 10년간 원금과 이자를 균등상환할 경우 매년 초에 상환해야할 금액은 얼마인가?

● 풀이 ●

1. (물음 1) : 1,000,000 × FVAF(10%, 10년) $\dfrac{1.1^{10}-1}{0.1}$ ≒15,937,000

2. (물음 2) : 100,000,000 × SFF(10%, 10년) $\dfrac{0.1}{1.1^{10}-1}$ ≒6,275,000

3. (물음 3) : 100,000,000 × MC(10%, 10년) $\dfrac{0.1}{1-1.1^{-10}}$ ≒16,275,000

4. (물음 4) : 1,000,000 × 1.1 × FVAF(10%, 10년) $\dfrac{1.1^{10}-1}{0.1}$ ≒17,531,000

5. (물음 5) : 100,000,000 × 1/1.1 × SFF(10%, 10년) $\dfrac{0.1}{1.1^{10}-1}$ ≒5,704,000

6. (물음 6) : 100,000,000 × 1/1.1 × MC(10%, 10년) $\dfrac{0.1}{1-1.1^{-10}}$ ≒14,795,000

문제 2 다음과 같은 조건에 있어 각 물음에 대하여 답하시오.(연 임대료 12,000,000원, 시장이자율 12%)

---

1. 향후 5년간 매년 연말에 임대료 수입이 있을 경우 현재가치의 합은 얼마인가?

2. 향후 5년간 매년 연말에 임대료 수입이 있을 경우 5년 후 미래가치의 합은 얼마인가?

3. 향후 5년간 매년 초에 임대료 수입이 있을 경우 현재가치의 합은 얼마인가?

4. 향후 5년간 매년 초에 임대료 수입이 있을 경우 5년 후 미래가치의 합은 얼마인가?

5. 향후 3년간 매월 말에 임대료 수입이 있을 경우 현재가치의 합은 얼마인가?

6. 향후 3년간 매월 말에 임대료 수입이 있을 경우 3년 후 미래가치의 합은 얼마인가?

7. 향후 3년간 매월 초에 임대료 수입이 있을 경우 현재가치의 합은 얼마인가?

8. 향후 3년간 매월 초에 임대료 수입이 있을 경우 3년 후 미래가치의 합은 얼마인가?

● 풀이 ●

1. (물음 1) : $12,000,000 \times$ PVAF(12%, 5년) $\dfrac{1-1.12^{-5}}{0.12} \fallingdotseq 43,257,000$

2. (물음 2) : $12,000,000 \times$ FVAF(12%, 5년) $\dfrac{1.12^{5}-1}{0.12} \fallingdotseq 76,234,000$

3. (물음 3) : $12,000,000 \times 1.12 \times$ PVAF(12%, 5년) $\dfrac{1-1.12^{-5}}{0.12} \fallingdotseq 48,448,000$

4. (물음 4) : $12,000,000 \times 1.12 \times$ FVAF(12%, 5년) $\dfrac{1.12^{5}-1}{0.12} \fallingdotseq 85,382,000$

5. (물음 5) : $12,000,000 \div 12 \times$ PVAF(1%, 36월) $\dfrac{1-(1+0.12/12)^{-36}}{0.12/12} \fallingdotseq 30,108,000$

6. (물음 6) : $12,000,000 \div 12 \times$ FVAF(1%, 36월) $\dfrac{(1+0.12/12)^{36}-1}{0.12/12} \fallingdotseq 43,077,000$

7. (물음 7) : $12,000,000 \div 12 \times (1 + 0.12/12) \times$ PVAF(1%, 36월) $\dfrac{1-(1+0.12/12)^{-36}}{0.12/12}$

   $\fallingdotseq 30,409,000$

8. (물음 8) : $12,000,000 \div 12 \times (1 + 0.12/12) \times$ FVAF(1%, 36월) $\dfrac{(1+0.12/12)^{36}-1}{0.12/12}$

   $\fallingdotseq 43,508,000$

문제 **3** 순영업소득의 흐름이 다음과 같을 때 각각의 현재가치는?(단, 할인율은 연 12%, 기간은 10년임)

1. 순영업소득이 매년 말 백만원씩 지불될 경우

2. 순영업소득이 매년 초 백만원씩 지불될 경우

3. 순영업소득이 매월 말 백만원씩 지불될 경우

4. 순영업소득이 매월 초 백만원씩 지불될 경우

● 풀이 ●

1. (물음 1)

$1,000,000 \times$ PVAF(12%, 10년) $(\frac{1-1.12^{-10}}{0.12}) \fallingdotseq 5,650,000$

2. (물음 2)

⑴ 방법1 : $1,000,000 \times$ PVAF(12%, 10년) $(\frac{1-1.12^{-10}}{0.12}) \times 1.12 \fallingdotseq 6,328,000$

⑵ 방법2 : $1,000,000 \times$ PVAF(12%, 9년) $(\frac{1-1.12^{-9}}{0.12}) + 1,000,000 \fallingdotseq 6,328,000$

3. (물음 3)

$1,000,000 \times$ PVAF(1%, 120월) $(\frac{1-(1+0.12/12)^{-120}}{0.12/12}) \fallingdotseq 69,701,000$

4. (물음 4)

⑴ 방법1

$1,000,000 \times$ PVAF(1%, 120월) $(\frac{1-(1+0.12/12)^{-120}}{0.12/12}) \times 1.01 \fallingdotseq 70,398,000$

⑵ 방법2

$1,000,000 \times$ PVAF(1%, 119월) $(\frac{1-(1+0.12/12)^{-119}}{0.12/12}) + 1,000,000 \fallingdotseq 70,398,000$

금융보정

금융보정에서는 부동산 거래시 거래금액의 일부를 차입한 매수자가 실질적으로 지불하는 현금 등가액(현금지불액＋저당대부액의 현가)을 구하게 된다. 은행이자율과 시장이자율(또는 할인율)이 같다면 저당대부액의 현가와 저당대부액(저당원금)은 동일하게 된다. 즉, 은행이자율과 시장 이자율의 차이에 따라 매수인의 실질지불액(현금등가)과 명목지불액의 차이가 발생하여 금융보정을 하게 된다.

금융보정에서는 현금지불액과 저당대부액으로 구분하며 저당대부액의 현가의 효과로 실질지 불액이 변화게 된다. 금융보정에서는 ① 저당대부액, ② 상환조건, ③ 저당기간, ④ 저당이자율, ⑤ 시장이자율(또는 할인율)의 5가지 변수를 확인하여야 한다.

상환조건의 대표적인 예로 ① 원리금균등상환, ② 만기일시상환(interest-only), ③ 원금분할 상환을 들 수 있고, 저당약정에 따라 각 방식들을 혼용할 수 있다.

원리금균등상환은 원금과 이자를 저당기간 동안 매기간 같은 금액으로 나누어 갚아가는 방식 이다. 매기간 은행에 납부하여야 하는 저당과 원금상환분의 합이 동일하게 설계된다. 초기에는 원금이 많이 남아있으므로 이자를 많이 지급해야 하나 상환할수록 대출원금이 줄어들게 되므로 이자도 점차 줄어든다. 따라서 후기로 갈수록 이자부담은 적어지나 원금상환 비중은 커지는 결과가 된다.

만기일시상환은 저당기간 동안은 매기간 이자만 납부하고 기간말에 원금 전체를 일시에 상환 하는 방식이다. 동일한 이자율이라면 은행에서는 만기일시상환보다 원리금균등상환을 선호한다. 은행 입장에서는 만기일시상환은 원금상환에 대한 리스크가 더 크기 때문이다.

원금분할상환은 저당기간 중 특정시점에 일정비율씩 원금을 상환하고 비특정 기간(거치기간) 에는 남은 원금에 대한 이자만 갚아가는 방식이다. 원금불할상환은 만기일시상환의 원금상환 리스크를 줄이기 위한 방법일 수 있다. 거치기간이란 대출을 받은 후 원금을 갚지 않고 이자만 지불하는 기간으로 원금은 거치기간이 끝나고 난 후 매달 조금씩 나누어서 갚을 수 있다.

각 상환조건에 따른 저당대부액의 현금등가의 기본 산식은 아래와 같다.

※ 공통사항 : 저당부액(원금) 1억, 저당기간 3년, 저당이자율 10%, 시장이자율15%

상환조건	저당대부액의 현가 (기본 산식)
원리금균등상환	1억 × MC(10%, 3년) × PVAF(15%, 3년)
만기일시상환	1. 이자지급분 : 1억 × 10% × PVAF(15%, 3년) 2. 원금상환분 : 1억×1/(1+15%)³
원금분할상환 (매년1/3씩 상환) (매월 이자지급)	1. 원금상환분 : 1억 × 1/3 × $(1.15^{-1} + 1.15^{-2} + 1.15^{-3})$ 2. 이자지급분 : (1년차) 1억 × 10/12% × PVAF(15/12%, 12개월) 　　　　　　　 (2년차) 1억 × 2/3 × 10/12% × PVAF(15/12%, 12개월) × 1.15^{-1} 　　　　　　　 (3년차) 1억 × 1/3 × 10/12% × PVAF(15/12%, 12개월) × 1.15^{-2}

또, 부동산거래를 하면서 매도인의 남은 저당을 승계하고 거래금액의 차액만 현금으로 납부하는 경우가 있다. 저당의 승계의 조건에 따라서 여러 가지 경우의 수가 발생한다. 원리금균등상환인 경우 저당승계에 대한 예시는 아래와 같다.

승계 조건	저당대부액의 현가 (기본 산식)
매도인 저당대부액 1억 저당기간 10년 중 3년 상환 (잔존7년) 저당이자율 10%, 시장이자율15%	1억 × MC(10%, 10년) × PVAF(15%, 7년)
매도인 미상환 대부액 1억 저당기간 10년 중 3년 상환 (잔존7년) 저당이자율 10%, 시장이자율15%	1억 × MC(10%, 7년) × PVAF(15%, 7년)
매도인 저당대부액 1억 저당기간 10년 중 3년 상환 (잔존7년) 저당이자율 10%, 시장이자율15% + 저당 이자율 매수시 7%로 변경	$1억 × \left(1 - \dfrac{(1+10\%)^3 - 1}{(1+10\%)^{10} - 1}\right)$ × MC(7%, 7년) × PVAF(15%, 7년) 잔금비율(기존 이자율)　신규이자율

문제 1 다음과 같이 거래된(2025.8.1) 부동산의 거래시점 현재 시장가치(현금등가액)은?

1. 현금지불액 : 100,000,000

2. 저당대부액 : 100,000,000(기존 저당)

3. 대부조건 : 저당이자율 : 12%저당기간 : 2020.8.1.~2030.8.1.(10년)
   상환조건 : 매월 원리금균등상환, 기존 저당을 승계하는 것을 전제

4. 시장이자율 : 15%

──● 풀이 ●──

1. 금융보정

$$100,000,000 \quad \times \quad \frac{0.01}{1-1.01^{-120}} \quad \times \quad \frac{1-1.0125^{-60}}{0.0125} \quad \fallingdotseq \quad 60,307,000원$$

　　　저당원금　　　　MC(1%, 120월)　　PVAF(15/12%, 60월)

※ 별해 $100,000,000 \times (1 - \frac{1.01^{60}-1}{1.01^{120}-1}) \times MC(1\%, 60월) \times PVAF(15/12\%, 60월)$

2. 현금등가액
   $100,000,000 + 60,307,000 \fallingdotseq 160,307,000$

문제 **2** 매수인은 현금100,000,000원과 함께 매도자의 5년 전 감정은행 대출금 2억원, 대출이자율 9%, 10년간 매월원리금균등상환조건의 저당대부를 인수하기로 하고 감정은행과 협의하여 은행이자율을 12%/년으로 변경하였다. 시장이자율이 15%일 때 대상부동산의 현금등가액은 얼마인가?

—● 풀이 ●—

1. 금융보정

$$200,000,000 \times \left(1 - \frac{1.0075^{60} - 1}{1.0075^{120} - 1}\right) \times \frac{0.01}{1 - 1.01^{-60}} \times \frac{1 - 1.0125^{-60}}{0.0125} \fallingdotseq 114,119,000$$

기존 저당   저당잔금 인수   MC(1%, 60월)   PVAF(15/12%, 60월)
(잔금비율, 9÷12%)

2. 현금등가액

100,000,000 + 114,119,000 = 214,119,000

문제 3

저당대부가 결부된 조건으로 다음의 거래가 이루어졌다. 명목상 거래가격은 250,000,000원이고, 명목상 거래가격의 2/3는 거래시점에 현금으로 지불하고 나머지 차액에 대하여 저당대부를 얻기로 하였다. 저당이자율은 14.4%이고, 거래시점 이후 1년말에 20%, 2년말에 30%, 그리고 마지막 3년말에 나머지 저당잔금을 상환하기로 하며, 전액 상환할 때까지 매월말 미상환저당잔금에 대한 이자를 지불하기로 한다. 현재의 시장이자율이 12%인 상황에서 거래시점 현재의 현금등가액을 구하라(계산은 월단위로 함).

● 풀이 ●

1. 현금지급액

$$250,000,000 \times \frac{2}{3} ≒ 166,667,000$$

2. 원금상환액의 현가

$$250,000,000 \times \frac{1}{3} \times \left(0.2 \times \frac{1}{1.01^{12}} + 0.3 \times \frac{1}{1.01^{24}} + 0.5 \times \frac{1}{1.01^{36}} \right) ≒ 63,602,000$$

3. 이자지급액의 현가

(1) 1년말 : $250,000,000 \times \frac{1}{3} \times \frac{0.144}{12} \times pvaf(1\%,12월) \frac{1-1.01^{-12}}{0.01} ≒ 11,255,000$

(2) 2년말 : $250,000,000 \times \frac{1}{3} \times 0.8 \times \frac{0.144}{12} \times pvaf(1\%,12월) \frac{1-1.01^{-12}}{0.01} \times \frac{1}{1.01^{12}}$

　　　$≒ 7,991,000$

(3) 3년말 : $250,000,000 \times \frac{1}{3} \times 0.5 \times \frac{0.144}{12} \times pvaf(1\%,12월) \frac{1-1.01^{-12}}{0.01}$

　　　$\times \frac{1}{1.01^{24}} ≒ 4,432,000$

(4) 계 　$≒ 23,678,000$

4. 거래시점 현금등가액

$$166,667,000 + 63,602,000 + 23,678,000 ≒ 253,947,000$$
　현금지급액　　　　　원금상환　　　　이자지급

문제 4   다음과 같이 거래된 부동산의 거래시점(2025.8.20) 현재 시장가치(현금등가액)을 산정하시오.

---

1. 현금지불액 200,000,000

2. 저당대부금 100,000,000

3. 대부조건(대출일자 2022.8.20) : 저당이자율(12%), 5년 거치 10년 분할상환(거치기간 동안은 매월 이자만 지급), 매월 원리금 균등상환

4. 시장이자율 : 15%

● **풀이** ●

1. 금융보정
   (1) 거치기간이자

$$100,000,000 \times 0.12/12 \times \frac{1 - 1.0125^{-24}}{0.0125} \fallingdotseq 20,624,000$$

   매월이자   PVAF(15/12%, 24월)

   (2) 원리금상환액현가

$$100,000,000 \times \frac{0.01}{1 - 1.01^{-120}} \times \frac{1 - 1.0125^{-120}}{0.0125} \times \frac{1}{1.15^2} \fallingdotseq 67,242,000$$

   저당 원금   MC(1%, 120월)   PVAF(15/12%, 120월)

   (3) 합계 : 87,866,000

2. 현금등가액
   200,000,000 + 87,866,000 = 287,866,000

> **문제 5** 현금지불액이 1억원이고 저당대부액이 1억원인 경우 대부조건대부이자율은 12%이고 상환조건은 1년말 20%, 2년말 30%, 3년말 50%이며, 매월말 미상환액에 대한 이자를 지급하는 조건이다. (대부일자 및 기준시점은 2025년 8월 1일, 시장이자율 15%임)

● **풀이** ●

1. 금융보정

　(1) 원금상환액의 현가

　　$100,000,000 \times (0.2/1.15 + 0.3/1.15^2 + 0.5/1.15^3) ≒ 72,951,000$

　(2) 이자의 현가

　　$100,000,000 \times [(1.0 \times 0.01 \times \dfrac{1-1.0125^{-12}}{0.0125}[\text{pvaf}(1.25\%, 12월)]) + (0.8 \times 0.01$

　　$\times \dfrac{1-1.0125^{-12}}{0.0125} \times \dfrac{1}{1.15}) + (0.5 \times 0.01 \times \dfrac{1-1.0125^{-12}}{0.0125} \times \dfrac{1}{1.15^2})) ≒ 22,975,000$

　(3) 합계 : 95,926,000

2. 현금등가액

　$100,000,000 + 95,926,000 = 195,926,000$

문제 6   각 거래사례의 현금등가 및 사정보정된 정상거래가격을 구하시오.

〈거래사례 1〉

1. 소재지 : P시 H동 137번지

2. 거래내역 : 나대지(지목 '대' 1,000m²)로서 2023년 12월 1일, 현금 30억원에 거래되었다. 이에 더하여 대출잔금 8억원(이자율 연 7.5%, 잔여대출기간 10년, 매년말 원리금균등상환 조건)을 승계부담하는 조건이었다(시장이자율 6%).

● 풀이 ●

사례가격 현금등가(2023.12.1)

$$3,000,000,000 + 800,000,000 \times \underbrace{\frac{0.075}{1-1.075^{-10}}}_{\text{MC(7.5\%, 10년)}} \times \underbrace{\frac{1-1.06^{-10}}{0.06}}_{\text{PVAF(6\%, 10년)}} = 3,857,809,000$$

〈거래사례 2〉

1. 토지 : S시 K구 B동 200번지, 대, 750m², 일반상업지역, 사다리, 평지, 소로한면

2. 건물 : 위 지상 조적조 기와지붕 단층 창고, 면적 180m²

3. 거래일자 : 2024년 6월 1일

4. 거래금액, 거래조건 등
   ① 채권최고액을 7억5천만원으로 하는 근저당권이 설정되어 있으며, 매수인이 미상환 대부액(저당잔금) 4억원을 인수하는 조건으로 18억3천만원을 현금으로 지급함.
   ② 저당대출조건
      • 대출기간 : 2024.6.1.~2032.5.31
      • 원리금 상환방법 : 매년 원리금 균등상환(시장이자율 8%, 저당이자율 6%)

5. 기타사항
   거래 당시 지상에 소재하는 창고의 철거에 따른 비용 12,000,000원은 매도인이 철거 용역 회사에 지불하기로 함.

●풀이●

사례가격 현금등가화(2024.6.1.)

$$1,830,000,000 + 400,000,000 \times \underbrace{\frac{0.06}{1-1.06^{-8}}}_{MC(6\%,\ 8년)} \times \underbrace{\frac{1-1.08^{-8}}{0.08}}_{PVAF(8\%,\ 8년)} = 2,200,000,000원$$

주) 매도인부담 철거비 고려 않음.

〈거래사례 3〉

1. 토지 : S시 K구 B동 204번지 대 450m²

2. 건물 : 위 지상 철근콘크리트조 슬래브즙 5층건 점포 및 사무실(연면적 : 1,800m²)

3. 거래시점 : 2024. 6. 30

4. 현금지급액 : 1,770,000,000원

5. 도시계획관계 등 : 일반상업지역으로서 중로각지에 접하며 장방형 완경사임.

6. 기타사항 : 거래 당시에 토지 및 건물에는 P보험회사로부터 2023. 6. 30에 근저당권이 설정되어 있었으며 이를 매수인이 인수하는 조건으로 거래됨(채권최고액은 650,000,000원, 피담보채권액은 500,000,000원, 이자율은 14.5%, 5년 만기로 원금은 만기일시상환이며 이자는 매년 불입하는 조건임; 시장이자율 12%).

● 풀이 ●

사례가격 현금등가(2024. 6. 30)

① 현금지급액
　1,770,000,000

② 저당대부액

$$500,000,000 \times \left[\underbrace{0.145 \times \frac{1-1.12^{-4}}{0.12}}_{\text{이자분(pvaf(12\%,4))}} + \underbrace{\frac{1}{1.12^4}}_{\text{원금}} \right] = 537,967,000$$

③ 현금등가(합계)
　2,307,967,000

〈거래사례 4〉

1. 토지 : 관악구 신림동 대 520m², 일반상업지역 중로한면 장방형 평지

2. 건물 : 위 지상 벽돌조 시멘와즙 2층 건 연 250m²

3. 거래일자 : 2024년 8월 1일

4. 거래가격 : 15억원

5. 기타
① 거래가격 중 5억원은 저당대출로 충당하기로 함
② 거래일자에 12%이자율로 대출을 설정한 저당은 매매시점 이후 3년 동안 매년 말 일정액을 균등상환하고, 저당이자는 매월 말 미상환잔금에 대하여 지불하는 조건이었음(시장이자율 10%)
③ 매수인은 지상 건물을 철거 후 8층 업무용 건물을 건축할 계획임
④ 철거비는 매수인이 전액 부담하기로 하였으며 5,000,000원이 예상되었으나, 실제로는 5,500,000원이 소요됨(예상 폐재가치는 500,000원임)

● 풀이 ●

사례토지 정상화 가격(2024. 8. 1)

① 현금
1,000,000,000

② 원금
$500,000,000 \times \dfrac{1}{3} \times (1.1^{-1} + 1.1^{-2} + 1.1^{-3}) = 414,475,000$

③ 이자
$500,000,000 \times 0.01 \times pvaf(10/12\%, 12월) \dfrac{1-(1+0.1/12)^{-12}}{0.1/12} \times (1 + \dfrac{2}{3} \times 1.1^{-1} + \dfrac{1}{3} \times 1.1^{-2})$
$= 107,008,000$

④ 철거비 등
$5,000,000 - 500,000 = 4,500,000$

⑤ 계
1,525,983,000

〈거래사례 5〉

1. 토지 1,200m²

2. 매매일자 : 2024. 1. 1.

3. 명목상 거래가격은 900,000,000원이었고 그 중 1/3은 저당대부금으로 대체하였음.

4. 저당대부금은 매매시점 이후 3년 동안 매년말 일정액을 균등상환하고, 저당이자는 매월 말 미상환 저당잔금에 대하여 지불하는 조건이었음(시장이자율 : 연 12%, 저당대부이자율 : 연 14.4%)

● 풀이 ●

거래시점(2024. 1. 1) 사례가격보정
사례가격의 1/3이 저당대부금이나 저당이자율(14.4%)과 시장이자율(12%)이 상이하므로 금융조건 보정률을 구한다.

① 원금상환액의 현가

$$300,000,000 \times \left(\frac{1}{3} \times \frac{1}{1.12} + \frac{1}{3} \times \frac{1}{1.12^2} + \frac{1}{3} \times \frac{1}{1.12^3} \right)$$

$$= 240,183,000원$$

② 이자액의 현가

$$300,000,000 \times \frac{0.144}{12} \times pvaf(1\%, 12월)\frac{1-(1+0.01)^{-12}}{0.01}$$

$$+ 200,000,000 \times \frac{0.144}{12} \times pvaf(1\%, 12월)\frac{1-(1+0.01)^{-12}}{0.01} \times \frac{1}{1.01^{12}}^※$$

$$+ 100,000,000 \times \frac{0.144}{12} \times pvaf(1\%, 12월)\frac{1-(1+0.01)^{-12}}{0.01} \times \frac{1}{1.01^{24}}^※$$

$$= 75,127,000원$$

※ 월 1%로 할인하였으나, 연 12%로 할인도 가능.

③ 보정된 거래가격

$$600,000,000 + 240,183,000 + 75,127,000 = 915,310,000원$$

〈거래사례 6〉

1. 토지 : S시 D구 N동 727번지. 300m²
2. 건물 : 위 지상 조적조 슬래브즙 상가. 연면적 230m²
3. 용도지역 : 일반상업
4. 이용상황 : 상업용 건부지, 자루형, 소로한면
5. 거래시점 : 2024. 12. 22
6. 거래내역
   ① 대출금의 미상환잔액 상환과 전세금 반환의무를 매수인이 승계하기로 하고 현금 340,000,000원을 지불함
   ② 대출금은 신한은행으로부터 2023. 4. 22자로 대부기간 10년, 연리 10%, 매월말 원리금 균등상환조건으로 400,000,000원을 대출함
   ③ 대상건물은 현재 임차인에게 전세금 50,000,000원에 임대 중임(전세계약시점 : 2023. 12. 22, 1년 계약)
   ④ 시장이자율 : 12%
7. 기타
   사례건물이 현저히 노후화되어 매수자가 매입 후 곧바로 철거할 것을 전제로 매입한 사례로 철거공사비는 5,000,000원, 잔재가치는 3,500,000원 정도가 될 것으로 추정하였다.

—●풀이●—

사례가격현금등가(2024. 12. 22)

① 현금 : 340,000,000

② 대출금 : $400,000,000 \times \dfrac{0.1/12}{1-(1+0.1/12)^{-120}} \times \dfrac{1-1.01^{-100}}{0.01}$ = 333,173,000

　　　　　　　　　　　　MC(10/12%, 120월)　　　　PVAF(12/12%, 100월)

③ 전세금 : 50,000,000

④ 철거비 등 : 5,000,000 - 3,500,000 = 1,500,000

⑤ 계 : 724,673,000

문제 7　다음의 물음에 답하시오.

(물음 1) 명목상 매매가격은 1억원이다. 그 중 8천만원은 금융기관의 대출로 조달할 수 있고, 대출조건은 첫 3년 동안은 이자율 연 12%로 원리금을 지불하지만, 그 이후에는 이자율 연 15%로 저당잔금에 대한 원리금을 지불한다. 총 대부기간은 25년이며, 시장이자율은 연 16%일 경우 정상매매가격을 산정하시오. (원리금 계산은 월단위로 할 것)

(물음 2) 매년말 5,000,000원의 화재보험료를 지불하기로 계약하였다. 계약조건은 보험기간 5년 후 화재미발생시 매년의 지불보험료에 약정이자율 5%로 환급받는 조건이다. 영업경비에 포함될 소멸성보험료를 산정하시오. (시장이자율은 10%)

(물음 3) 투자기간은 5년이며 부동산의 구입가격은 3,125,600,000원이고, 자금의 조달은 자기 자본 30%이며 저당조건은 대부기간 30년, 대부이자율 12.5%로 원리금균등상환할 경우 매년의 원금상환액을 산정하시오. (투자기간 종료 후 저당을 승계시킬 예정임)

● 풀이 ●

(물음1)

1. 현금지급액
　20,000,000원

2. 원리금지급액의 현가

$$80,000,000 \times \left[\underbrace{\frac{0.12/12}{1-(1+0.12/12)^{-300}}}_{MC(1\%,\ 300월)} \times \underbrace{\frac{1-(1+0.16/12)^{-36}}{0.16/12}}_{PVAF(16/12\%,\ 36월)} + \underbrace{\left(1 - \frac{1.01^{36}-1}{1.01^{300}-1}\right)}_{\text{잔금비율 (1\%)}} \right.$$

$$\left. \times \underbrace{\frac{0.15/12}{1-(1+0.15/12)^{-264}}}_{MC(15/12\%,\ 264월)} \times \underbrace{\frac{1-(1+0.16/12)^{-264}}{0.16/12}}_{PVAF(16/12\%,\ 264월)} \times \frac{1}{(1+0.16/12)^{36}} \right] \fallingdotseq 69,802,000원$$

3. 정상매매가격
　1 + 2 ≒ 89,802,000원

(물음 2)

$$5,000,000 - 5,000,000 \quad \times \quad \underbrace{\frac{1.05^5 - 1}{0.05}}_{\substack{\text{(전체보험료)} \\ \text{FVAF(5\%,5)}}} \quad \times \quad \underbrace{\frac{0.1}{1.1^5 - 1}}_{\substack{\text{(저축성보험료)} \\ \text{SFF(10\%,5)}}} \quad \fallingdotseq 475,000원$$

(물음 3)

1. 저당대부액

   $3,125,600,000 \times (1 - 0.3) \fallingdotseq 2,187,920,000원$

2. 1차년도 원금상환액

   $$2,187,920,000 \quad \times \left(\underbrace{\frac{0.125}{1 - 1.125^{-30}}}_{\text{MC(12.5\%,30)}} - \underbrace{0.125}_{\text{이자}} \right) \fallingdotseq 8,227,000원$$

3. 2차년도 원금상환액

   $8,227,000 \times 1.125 = 9,255,000원$

4. 3차년도 원금상환액

   $8,227,000 \times 1.125^2 \fallingdotseq 10,412,000원$

5. 4차년도 원금상환액

   $8,227,000 \times 1.125^3 \fallingdotseq 11,714,000원$

6. 5차년도 원금상환액

   $8,227,000 \times 1.125^4 \fallingdotseq 13,178,000원$

비교방식 연습

공시지가기준법

연습문제 1 감정평가사인 당신은 다음 부동산에 대한 적정매도가격 참고를 위한 감정평가를 의뢰 받았다. 다음의 물음에 답하시오. (10점)

> (물음 1) 다음의 주어진 공시지가 중 적정한 비교표준지를 선정하고, 선정 근거를 설명하시오. (판정기준은 감정평가관계법령 및 감정평가에 관한 일반 이론을 근거로 함)
>
> (물음 2) 위에서 선정한 가격자료를 바탕으로 주어진 제반 자료를 활용하여 대상부동산의 적정거래가격을 산정하시오. (기준시점 : 2025. 8. 31)

〈자료 1〉 대상물건

1. 소재지 : S시 K구 B동 272-43번지
2. 지목 · 면적 : 대, 200m²
3. 용도지역 : 일반상업지역
4. 이용상황 : 상업용
5. 형상 · 지세 : 장방형, 평지
6. 도로접면 : 소로한면

〈자료 2〉 인근지역 내 표준지공시지가 자료(S시 K구)

(공시기준일 : 2025. 1. 1)

일련 번호	소재지	면적 (m²)	지목	이용 상황	용도 지역	도로 조건	형상 · 지세	공시지가 (원/m²)
1	B동 125	195	대	주상용	1종 일주	소로한면	장방형 평지	1,500,000
2	B동 290	200	대	단독	1종 일주	소로각지	장방형 평지	1,300,000
3	B동 243-1	250	대	단독	일반 상업	세로(가)	정방형 평지	2,020,000
4	B동 423	230	대	상업나지	일반 상업	소로한면	정방형 평지	2,770,000

※ 일련번호1은 2025. 8. 1.자로 1,700,000원/m²에 거래사실을 평가시점에서 확인함

※ 일련번호2는 건부감가요인이 10% 존재하며, 건물은 공실상태임

※ 일련번호3은 50m²가 도시계획도로에 저촉됨(저촉감가율 : 30%)

※ 공시지가는 인근 적정 시세를 충분히 반영하고 있음

〈자료 3〉 지가변동률

1. 2025년 7월 지가변동률

행정 구역	평균 (누계)	용 도 지 역 별						
		주거	상업	공업	녹지	관리	농림	자연환경보전
K구	0.562	0.434	0.426	0.407	1.054	0.787	0.681	0.268
	1.859	1.459	1.237	1.426	3.483	2.698	2.290	1.308
D구	0.457	0.464	0.232	0.406	0.691	0.454	0.431	0.317
	3.633	3.067	2.477	2.806	6.446	4.709	4.107	2.292

2. 기타사항

(1) 상기 표에서 아래 부분은 해당년도 1월 1일부터 해당 월까지의 누계치임

(2) 2024년도 1월 1일부터 7월달까지의 상업지역 지가변동률 누계치는 K구 2.166%, D구 0.564%임

〈자료 4〉 요인비교치

1. K구 B동은 D구 N동에 비하여 지역적으로 약 2%

2. 개별요인(도로조건 제외)

대상	공-1	공-2	공-3	공-4
100	98	95	101	102

※ 개별요인비교치는 당해지역의 표준획지를 기준한 것임.

※ 거래사례-1은 상기에서 제시된 자료에 의함.

3. 도로조건

구 분	중로	소로	세로(가)	세로(불)	각지는 한면에 비해 5%우세
평점	100	95	90	80	

둘 이상의 용도지역에 걸친 토지

연습문제 2 의뢰된 토지의 평가시 기준이 되는 비교표준지를 선정하고 그 사유를 설명하시오. (10점)

〈자료 1〉 평가의뢰 부동산의 개요

1. 소재지 : K시 B동 277-44번지

2. 토지

　가. 지목 : 대

　나. 면적 : 350m²

　다. 도시계획관계 : 전체면적 중 60%는 제2종 일반주거지역에, 나머지 40%는 준주거지역에
　　　속함. 2종일반주거지역 내 15%는 도시계획시설 저촉

　라. 지적도 등본

　마. 도로접면상황 : 본건은 남동측으로 18m도로에 접하고 있으며, 북동측으로는 사실상 통행이
　　　불가능한 지적도상 약 4m의 지목 '도'에 접하고 있음.

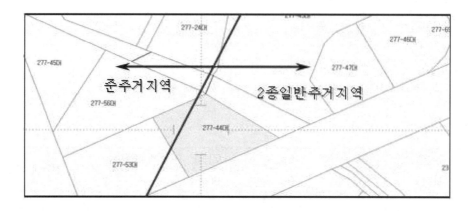

　바. 지형지세(고저) : 본건 및 주위의 토지는 간선도로보다 높고 경사도가 12°을 약간 초과하는
　　　지대에 위치하고 있음.

　사. 기타 : 대상 토지는 남동측 일부 약 5m²가 현황도로와 겹쳐 있음.

3. 건물

    가. 구조 : 철근콘크리트조 슬래브지붕, 지하 1층, 지상 5층

    나. 용도 : 제2종근린생활시설로 이용 중이며, 이는 인근지역에서의 표준적인 이용상황임.

    다. 연면적(지상 / 지하) : 600m^2(480m^2 / 120m^2)

〈자료 2〉 표준지 공시지가 자료

1. 감정평가사 L씨는 현장조사를 완료한 후 비교가능한 표준지를 선정하기 위하여 1차적으로
아래의 표준지(2025년 기준)를 선별하였음.

일련 번호	소재지 지번	면적 (m^2)	지목	이용 상황	용도 지역	도로 교통	형상 지세	공시지가	도시계획 시설저촉
40000 -100	K시 A동 275	173	대지	상업용	2종 일주	소로 한면	사다리 평지	1,214,000	
40000 -200	K시 B동 270-4	520	대지	상업용	준주거	중로 한면	부정형 평지	1,550,000	도로 (14%)
40000 -300	K시 C동 329-26	(일단지) 147	대지	주상용	준주거	소로 한면	사다리 평지	714,000	
40000 -400	K시 C동 329-52	250	대지	*아래 참조	2종 일주	소로 한면	가장형 평지	1,321,000	도로 (23%)
40000 -500	K시 C동 329-16	602	대지	단독 주택	2종 일주	소로 한면	사다리 평지	1,004,000	공원 (72%)

2. 표준지에 대한 부가설명자료

    가. 일련번호 40000-200, 400, 500 표준지는 공시기준일 현재 도시계획시설에 일부가 저촉
        되어 있다.

    나. 일련번호 40000-400 표준지는 상업용 건물이 도로를 따라 들어서고 있는 제2종일반주거
        지역 내 노선상가지대에 위치하는 나지상태의 토지로서 2024년 12월 2일자로 향후 건물
        신축을 위한 J씨의 지상권이 토지 전체 면적에 대하여 설정되어있으며, K씨 표준지 담당
        감정평가사인 S씨와의 통화 결과 공시기준일 현재 당해 지상권의 가치는 토지의 시장가치
        대비 30% 수준인 것으로 확인되었음.

공시지가기준법 – 공법상제한

연습문제 3 다음의 자료를 이용하여 대상부동산의 토지가치를 산정하시오. (10점)

〈자료 1〉 의뢰 대상 토지

1. 소재지 : S시 D구 L동 25번지

2. 지목 : 대, 200m^2

3. 용도지역 : 제2종일반주거지역, 주차장 정비지구, 소로한면에 접함.

4. 이용상황 : 주택 및 근린생활시설

5. 형상 및 지세 : 가장형 평지

6. 기준시점 : 2025. 8. 31.

〈자료 2〉 표준지 공시지가

(공시기준일 2025. 1. 1)

일련 번호	소재지	면적 (m^2)	지목	이용 상황	용도지역	도로 교통	형상 지세	공시지가 (원/m^2)
1	L동 10	150	대	주거나지	1종전주	세로 한면	가장형 완경사	980,000
2	L동 20	200	대	주상용	2종일주	소로 각지	가장형 완경사	1,400,000
3	M동 90	210	잡	업무용	준주거	중로 한면	세장형 평지	1,800,000

※ 기호 2는 10%의 건부감가가 존재하며, 일부(50m^2)가 도시계획시설도로에 저촉

※ 공시지가는 인근 적정 시세를 충분히 반영하고 있음.

〈자료 3〉 지가변동률(주거지역)

(단위 : %)

구 분		1월	2월	3월	4월	5월	6월
2025년	당 월	2.550	2.700	2.360	2.100	2.500	1.600
	누 계	2.550	5.319	7.804	10.068	12.820	14.625

※ 상기 표에서 "누계"는 해당년도의 1월부터 해당월까지의 누계를 의미한다.
   (예 : 2025년 3월 누계 : 2025년 1월~3월까지의 누계)

〈자료 4〉 지역요인 및 개별요인

1. L동과 M동은 동일수급권 내 인근지역이며 L동이 M동에 비해 5% 우세하다.

2. 형상 : 세장형 토지는 가장형보다 10% 열세이다.

3. 지세 : 급경사지는 완경사지보다 10%, 평지보다 20% 열세이다.

4. 접면도로(각지는 한면보다 5% 우세함)
   맹지(100), 세로한면(105), 소로한면(110)

5. 기타 개별요인평점

구 분	대상	표준지
평점	100	101

6. 도시계획시설도로 저촉에 따른 감가율은 30%를 적용한다.

지역요인 평점

연습문제 4   X지역과 동일수급권 내 유사지역인 Y지역을 기준으로 "X지역(대상토지가 소재하는 지역)의 지역평점"을 구하시오. (5점)

〈자료 1〉 대상 토지 내용

대상토지는 X지역에 소재하며, 대, 1,040m² 소로한면, 정방형, 평지 토지로 시장가치는 기준시점 2025. 8. 31 당시 756,957,000원임.

〈자료 2〉 지가변동률(Y지역, 주거지역)

(단위 : %)

2024년 12월	2025년 7월	2025년 1월~7월 누계치
0.470	0.804	4.961

〈자료 3〉 요인비교자료

1. 지역요인 : Y지역(100)

2. 개별요인
   (1) 도로교통 : 소로(95), 세로(100) 각지는 한면에 비하여 10% 우세함.
   (2) 형상 : 정방형(100), 세장형(95)
   (3) 지세 : 평지(100), 완경사(95)

〈자료 4〉 Y지역의 표준지 공시지가

감정평가사 K는 아래 표준지가 Y지역의 가격수준을 대표할 수 있다고 판단하였다.
"2025. 1. 1 기준 880,000/m², 대, 1,000m², 소로각지, 정방형, 평지
※ 공시지가는 인근 적정 시세를 충분히 반영하고 있음.

지역요인 비교치

연습문제 5　K시 B동 277-44번지 소재하는 토지 평가를 하고자 한다. 평가를 위한 과정에서 필요한 K시의 A동, B동, C동 및 D동 상호간의 지역적 격차를 대상 부동산이 소재하는 "대상 지역(B동)"을 기준으로 평점화하여 제시하시오. (10점)

〈자료 1〉 지역요인 자료의 전제

본 자료는 감정평가사 L씨가 K시 A동, B동, C동 및 D동에 대한 지역적 가격수준을 파악하기 위하여 수집한 최근의 거래사례로서 모든 금액은 L씨가 직접 비교기준시점으로 적절히 시점 수정하였고, 각 사례별로 이용상황, 도로조건, 형상, 지세 등 제반 개별요인 격차 항목에 의한 금액 차이 또한 보정 완료하였음.

〈자료 2〉 K시 A동의 사례자료

	사례 1	사례 2	사례 3	사례 4
소재지	K시 A동	K시 A동	K시 A동	K시 A동
거래시점	2025년 4월 20일	2025년 5월 5일	2025년 4월 24일	2025년 1월 3일
거래금액	1,050,000원/m^2	950,000원/m^2	900,000원/m^2	1,000,000원/m^2
사례 부동산	토지 320m^2 가장형 평지 소로한면	토지 350m^2 가장형 평지 소로한면 건물 150m^2 벽돌조	토지 300m^2 가장형 평지 소로한면	토지 300m^2 가장형 평지 소로한면 건물 100m^2 벽돌조
이용상황	상업용	주거용	상업용	주거용
기타사항	당해 이용은 최유효이용임.	당해 이용은 최유효이용이며, 친인척간의 거래임.	당해 이용은 최유효이용이며, 당해 거래는 열회사 관계에 있는 Q㈜와 A㈜ 간 거래사례임.	당해 이용은 최유효이용임.

〈자료 3〉 K시 B동의 사례자료

	사례 5	사례 6	사례 7	사례 8
소재지	K시 B동	K시 B동	K시 B동	K시 B동
거래시점	2025년 4월 24일	2025년 7월 5일	2025년 4월 30일	2025년 2월 3일
거래금액	토지 및 건물 16억	토지 및 건물 15억	5억3천2백만원	4억8천1백만원
사례 부동산	토지 320m^2 가장형 평지 중로한면 건물 200m^2, 철근콘크리트조	토지 350m^2 정방형 평지 소로한면 건물 800m^2 벽돌조	토지 400m^2 정방형 평지 중로각지	토지 370m^2 세장형 평지 소로한면
이용상황	상업용	상업용	상업용	상업용
기타사항	상기금액은 토지면적당 거래금액(토지건물합산 가액)이며, 당해이용은 최유효이용에 미달됨.	상기금액은 토지면적 당 거래금액(토지건물 합산가액)이며, 당해이 용은 최유효이용임.	당해 이용은 최유효이용임.	당해 이용은 최유효이용 미달임

〈자료 4〉 K시 C동의 사례자료

	사례 9	사례 10	사례 11	사례 12
소재지	K시 C동	K시 C동	K시 C동	K시 C동
거래시점	2025년 3월 20일	2025년 7월 5일	2025년 4월 30일	2025년 2월 3일
거래금액	1,350,000원/m^2	1,370,000원/m^2	700,000원/m^2	2,000,000원/m^2
사례 부동산	토지 400m^2 가장형 평지 중로한면	토지 350m^2 정방형 평지 소로한면	토지 190m^2 정방형 평지 중로각지	토지 900m^2 세장형 평지 소로한면
이용상황	상업용	상업용	상업용	상업용
기타사항	당해이용은 최유효이용임.	당해이용은 최유효이용임.	당해이용은 최유효이용 미달임.	당해이용은 최유효이용 미달임.

〈자료 5〉 K시 D동의 사례자료

	사례 13	사례 14	사례 15	사례 16
소재지	K시 D동	K시 D동	K시 D동	K시 D동
거래시점	2025년 3월 20일	2025년 7월 5일	2025년 5월 1일	2025년 7월 3일
거래금액	12억7백만원	13억1백만원	8억4천만원/600 =@1,400,000	9억2천3백만원/650 =@1,420,000
사례 부동산	토지 600m^2 가장형 평지 광대로 건물 6000m^2 7층	토지 700m^2 정방형 평지 소로한면 건물 8,000m^2 10층	토지 600m^2 정방형 평지 소로한면	토지 650m^2 세장형 평지 소로한면
이용상황	상업용	상업용	상업용	상업용
기타사항	상기금액은 토지면적당 거래금액(토지건물합산 가액)이며, 당해이용은 최유효이용임.	상기금액은 토지면적당 거래금액(토지건물합산가액)이며, 당해이용은 최유효이용임.	당해이용은 최유효이용임.	당해이용은 최유효이용임.

〈자료 6〉 지역분석 방법

A동, B동 C동 및 D동에 대한 지역분석은 우선 사례로서의 적정성을 검토하고 해당가격수준(사례금액의 평균)으로 각 동간 지역적 격차 정도를 파악하기로 하되, 가장 유사한 지역을 동일수급권 내 유사지역으로 적용함.

그 밖의 요인 보정 1

연습문제 6 K감정평가법인 소속 감정평가사 甲은 서울특별시 A구청장으로부터 공유지의 처분을 위한 감정평가를 의뢰받고 현장조사 및 가격조사를 완료하였는바, 주어진 자료를 기준으로 감정평가액을 구하시오.(15점)

〈자료 1〉 감정평가 의뢰내역(요약)

1. 의 뢰 인 : 서울특별시 A구청장

2. 의뢰일자 : 2025. 9. 1

3. 의뢰목록

일련번호	소재지	지번	지목	면적(m²)	용도지역
1	서울특별시 A구 B동	121	대	1,000.0	2종일주

4. 가격조사완료일 : 2025. 9. 5

〈자료 2〉 표준지공시지가, 매매사례 및 평가선례 등

1. 인근 표준지공시지가 내역

소재지1	면적 (m²)	지목	이용 상황	용도 지역	도로 교통	형상 지세	공시기준일	공시지가 (원/m²)
B동 132	102.0 (일단지)	대	주거 나지	2종 일주	광대 소각	부정형 평지	2025.1.1	3,220,000

2. 평가선례

기호	소재지	목적	기준시점	지목	면적(m²)	용도 지역	평가액 (원/m²)
㉠	B동 526 외	택지비	2024.9.1	대	32,685.24	2종일주	5,700,000

〈자료 4〉 지가변동률(서울특별시 A구 주거지역)

기간	변동률(%)
2024. 9. 1~2025. 9. 5	0.221
2025. 1. 1~2025. 9. 5	0.057

〈자료 5〉 요인비교 자료

1. 지역요인 : 본건, 공시지가 표준지, 평가선례는 인근지역에 소재하여 지역요인 대등함

2. 개별요인

표준지공시지가	본건	평가선례
1.00	1.00	1.18

그 밖의 요인 보정 2

연습문제 7 감정평가사 L씨는 2025년 9월 1일에 금융기관 KEB증권의 C차장으로부터 일반거래 (시가참고용)목적의 감정평가를 의뢰받고, 동년 동월 5일에 현장조사를 마친 후 다음과 같은 자료를 수집하였다. 아래의 물음에 답하시오. (현장조사완료일 : 2025.09.05.)

(15점)

(물음 1) 「감정평가에 관한 규칙」 제 14조 제 2항 제 5호에서 말하는 '그 밖의 요인 보정'시 고려해야 할 사항에 대하여 설명하시오.

(물음 2) 의뢰된 토지의 평가시 적용할 '그 밖의 요인 보정치'를 산정하시오.

〈자료 1〉 평가의뢰 부동산의 개요

1. 소재지 : K시 B동 277-44번지

2. 토지
   가. 지목 및 이용상황 : 대, 상업용
   나. 면적 : 350m²
   다. 도시계획관계 제2종 일반주거지역에 속함.
   라. 도로접면상황본건은 남동측으로 18m도로에 접하고 있으며, 북동측으로는 사실상 통행이 불가능한 지적도상 약 4m의 지목 '도'에 접하고 있음.
   마. 지형지세(고저)본건은 세장형으로 및 주위의 토지는 간선도로보다 높고 경사도가 12°을 약간 초과하는 지대에 위치하고 있음.
   바. 기타대상 토지는 남동측 일부 약 5m²가 현황도로와 겹쳐 있음.

〈자료 2〉 표준지공시지가 자료

1. 감정평가사 L씨는 현장조사를 완료한 후 비교가능한 표준지를 선정하기 위하여 1차적으로
   아래의 표준지(2025년 기준)를 선별하였음.

일련 번호	소재지 지번	면적 (m²)	지목	이용 상황	용도 지역	도로 교통	형상 지세	공시지가	도시계획 시설저촉
40000 -400	K시 C동 329-52	250	대지	*아래 참조	2종 일주	소로 한면	가장형 평지	1,321,000	도로 (23%)

2. 표준지에 대한 부가설명자료

   일련번호 40000-400표준지는 상업용 건물이 도로를 따라 들어서고 있는 제2종일반주거지역
   내 노선상가지대에 위치하는 나지상태의 토지로서 2024년 12월 2일자로 향후 건물 신축을
   위한 J씨의 지상권이 토지 전체 면적에 대하여 설정되어있으며, K씨 표준지 담당 감정평가사인
   S씨와의 통화 결과 공시기준일 현재 당해 지상권의 가치는 토지의 시장가치 대비 30% 수준인
   것으로 확인되었음.

〈자료 3〉 지가변동률 자료

2025년 8월 및 9월의 지가변동률은 미고시된 상태임.

(단위 : %)

구 분			평균		주거		상업		공업		녹지	
연	월	시군구	평균	누계	주거	누계	상업	누계	공업	누계	녹지	누계
2025	7	K시	0.312	1.914	0.377	2.253	0.216	1.119	0.136	0.778	0.211	1.972
2025	6	K시	0.341	1.597	0.396	1.869	0.218	0.901	0.173	0.641	0.320	1.757
2025	5	K시	0.354	1.252	0.418	1.467	0.340	0.682	0.171	0.467	0.223	1.432
2025	4	K시	0.319	0.895	0.350	1.045	0.341	0.341	0.189	0.295	0.304	1.206
2025	3	K시	0.221	0.574	0.277	0.693	0.000	0.000	0.035	0.106	0.286	0.899
2025	2	K시	0.222	0.352	0.272	0.415	0.000	0.000	0.071	0.071	0.285	0.611
2025	1	K시	0.130	0.130	0.143	0.143	0.000	0.000	0.000	0.000	0.325	0.325

〈자료 4〉 지역요인

B동의 지역평점 100.0을 기준으로 C동은 102.3을 적용한다.

〈자료 5〉 개별요인 자료

감정평가사 L씨는 각종 개별요인 비교시에 활용하기 위하여 다음의 자료를 정리하였다.

1. 도로접면

	광대한면	광대소각	광대세각	중로한면	중로각지	소로한면	소로각지	세로가	세각가	세로불	세각불	맹지
광대한면	1.00	1.06	1.04	0.96	1.00	0.89	0.93	0.85	0.87	0.81	0.82	0.78
광대소각	0.94	1.00	0.98	0.91	0.94	0.84	0.88	0.80	0.82	0.76	0.77	0.74
광대세각	0.96	1.02	1.00	0.92	0.96	0.86	0.89	0.82	0.84	0.78	0.79	0.75
중로한면	1.04	1.10	1.08	1.00	1.04	0.93	0.97	0.89	0.91	0.84	0.85	0.81
중로각지	1.00	1.06	1.04	0.96	1.00	0.89	0.93	0.85	0.87	0.81	0.82	0.78
소로한면	1.12	1.19	1.17	1.08	1.12	1.00	1.04	0.96	0.98	0.91	0.92	0.88
소로각지	1.08	1.14	1.12	1.03	1.08	0.96	1.00	0.91	0.94	0.87	0.88	0.84
세로가	1.18	1.25	1.22	1.13	1.18	1.05	1.09	1.00	1.02	0.95	0.96	0.92
세각가	1.15	1.22	1.20	1.10	1.15	1.02	1.07	0.98	1.00	0.93	0.94	0.90
세로불	1.23	1.31	1.28	1.19	1.23	1.10	1.15	1.05	1.07	1.00	1.01	0.96
세각불	1.22	1.29	1.27	1.17	1.22	1.09	1.13	1.04	1.06	0.99	1.00	0.95
맹지	1.28	1.36	1.33	1.23	1.28	1.14	1.19	1.09	1.12	1.04	1.05	1.00

2. 토지용도

	주거용	상업업무	주상복합	공업용	전	답	임야
주거용	1.00	1.23	1.21	1.04	0.74	0.72	0.40
상업업무	0.81	1.00	0.98	0.85	0.60	0.59	0.33
주상복합	0.83	1.02	1.00	0.86	0.61	0.60	0.33
공업용	0.96	1.18	1.16	1.00	0.71	0.69	0.38
전	1.35	1.66	1.64	1.41	1.00	0.97	0.54
답	1.39	1.71	1.68	1.44	1.03	1.00	0.56
임야	2.50	3.08	3.03	2.60	1.85	1.80	1.00

3. 고저

	저지	평지	완경사	급경사	고지
저지	1.00	1.16	0.90	0.73	0.72
평지	0.86	1.00	0.78	0.63	0.62
완경사	1.11	1.29	1.00	0.81	0.80
급경사	1.37	1.59	1.23	1.00	0.99
고지	1.39	1.61	1.25	1.01	1.00

4. 형상(주거, 공업용)

	정방형	장방형	사다리형	부정형	자루형
정방형	1.00	1.00	0.99	0.96	0.95
장방형	1.00	1.00	0.99	0.96	0.95
사다리형	1.01	1.01	1.00	0.97	0.96
부정형	1.04	1.04	1.03	1.00	0.99
자루형	1.05	1.05	1.04	1.01	1.00

5. 형상(상업용, 주상복합용)

	정방형	가로장방	세로장방	사다리형	부정형	자루형
정방형	1.00	1.02	0.99	0.99	0.96	0.95
가로장방	0.98	1.00	0.97	0.97	0.94	0.93
세로장방	1.01	1.03	1.00	1.00	0.97	0.96
사다리형	1.01	1.03	1.00	1.00	0.97	0.96
부정형	1.04	1.06	1.03	1.03	1.00	0.99
자루형	1.05	1.07	1.04	1.04	1.01	1.00

6. 도시계획시설

	일반	도로	공원	운동장	혐오	위험	도살장
일반	1.00	0.85	0.60	0.85	0.85	0.85	0.85
도로	1.18	1.00	0.71	1.00	1.00	1.00	1.00
공원	1.67	1.42	1.00	1.42	1.42	1.42	1.42
운동장	1.18	1.00	0.71	1.00	1.00	1.00	1.00
혐오	1.18	1.00	0.71	1.00	1.00	1.00	1.00
위험	1.18	1.00	0.71	1.00	1.00	1.00	1.00
도살장	1.18	1.00	0.71	1.00	1.00	1.00	1.00

〈자료 6〉 그 밖의 요인 관련 자료

1. 감정평가사 L씨는 당해 부동산의 평가에 활용하기 위하여 아래의 가격자료를 수집하였음.

기호	소재지번	기준시점	지목	이용 상황	용도 지역	토지단가 (원/m²)	토지특성	비고
1	K시 B동 203	2025.2.18	대	상업용	1종 일주	1,835,000	사다리, 평지, 중로한면	실거래
2	K시 C동 320-3	2025.1.18	전	상업용	2종 일주	1,800,000	세장형, 평지, 중로각지	실거래
3	K시 C동 322	2025.2.01	대	주상용	2종 일주	1,750,000	사다리, 평지, 중로한면	담보평가

2. 그 밖의 사항

상기 자료는 그 밖의 요인 보정치의 산정을 위한 자료로만 활용함

거래사례비교법 (토지)

연습문제 8 다음의 주어진 거래사례를 당해 평가건과 관련한 가격자료로서의 채택여부를 판정하여 적정한 가격자료를 선정하되 그 판정 근거를 설시하고, 주어진 제반 자료를 활용하여 대상부동산의 적정거래가격을 산정하시오(기준시점 : 2025. 8. 31). ^(10점)

〈자료 1〉 대상물건

1. 소재지 : S시 K구 B동 272-43번지

2. 지목·면적 : 대, 200m²

3. 용도지역 : 일반상업지역

4. 이용상황 : 상업용

5. 형상·지세 : 장방형, 평지

6. 도로접면 : 소로한면

〈자료 2〉 거래사례자료

1. 거래사례 - 1
    (1) 토지 : S시 D구 N동 727번지. 300m²
    (2) 건물 : 위 지상 조적조 슬래브즙 상가. 연면적 230m²
    (3) 용도지역 : 일반상업
    (4) 이용상황 : 상업용, 자루형, 소로한면
    (5) 거래시점 : 2024. 12. 22

⑹ 거래내역

① 대출금의 미상환잔액 상환과 전세금 반환의무를 매수인이 승계하기로 하고 현금 340,000,000원을 지불함.

② 대출금은 신한은행으로부터 2023. 4. 22자로 대부기간 10년, 연리 10%, 매월말 원리금 균등상환조건으로 400,000,000원을 대출함.

③ 대상건물은 현재 임차인에게 전세금 50,000,000원에 임대 중임(전세계약시점 : 2023. 12. 22, 1년 계약).

④ 시장이자율 : 12%

⑺ 기타

사례건물이 현저히 노후화되어 매수자가 매입 후 곧바로 철거할 것을 전제로 매입한 사례로 철거공사비는 5,000,000원, 잔재가치는 3,500,000원 정도가 될 것으로 추정하였다.

⑻ 사례토지의 획지상황은 다음의 그림과 같다.

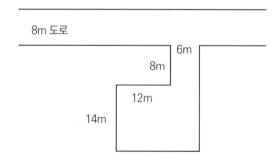

⑼ K구, D구에서 정형 표준획지에 대비한 노지(路地)부분과 유효택지부분의 평점은 "정형 표준획지를 100이라 할 때, 노지부분 85, 유효택지부분 95"이다.

2. 거래사례 - 2

⑴ 토지 : K구 B동 129번지 소재, 대지, 150m²

⑵ 용도지역 : 일반상업지역

⑶ 이용상황 : 상업나지, 장방형

⑷ 거래일자 : 2022. 2. 17

3. 거래사례 - 3

    (1) 토지 : K구 B동 152번지 소재 대지 300m²

    (2) 건물 : 위 지상 철근콘크리트조 슬래브즙 5층 건물, 2018. 8. 1 준공

    (3) 거래일자 : 2024. 12. 1

    (4) 용도지역 : 일반상업지역

    (5) 이용상황 : 상업용, 소로한면, 장방형

    (6) 건물내역

구　　분		건설사례	거래사례 3
준공연월일		2024. 12. 1	2018. 8. 1
부지면적(m²)		200	300
연면적(m²)		650	900
기준시점현재의 경제적 내용년수	주체부분	50년	45년
	부대부분	15년	10년
건물과 부지의 적응성		양호	부적응
개별적 요인의 평점(건축비 제외)		100	98
건축비(건축시점)		450,000원/m²	

    ※ 주체부분과 부대부분의 비율은 7 : 3임.

    ※ 내용년수 말 잔재가치는 모두 10%.

    ※ 주체부분은 정액법, 부대부분은 정률법에 의하여 감가수정함.

    (7) 거래내역 : 현금 5,000,000,000원을 일시지급

〈자료 3〉 지가변동률

1. 2024년 12월 지가변동률

행정 구역	평균 (누계)	용 도 지 역 별						
		주거	상업	공업	녹지	관리	농림	자연환경 보전
K구	0.290	1.120	0.292	0.293	0.181	0.222	0.152	0.000
	11.241	10.342	3.789	5.930	11.747	13.547	19.997	2.872
D구	0.486	0.175	0.045	0.000	0.452	0.581	0.727	0.396
	11.434	3.838	1.474	1.667	13.684	15.376	14.343	5.584

2. 2025년 7월 지가변동률

행정 구역	평균 (누계)	용 도 지 역 별						
		주거	상업	공업	녹지	관리	농림	자연환경 보전
K구	0.562	0.434	0.426	0.407	1.054	0.787	0.681	0.268
	1.859	1.459	1.237	1.426	3.483	2.698	2.290	1.308
D구	0.457	0.464	0.232	0.406	0.691	0.454	0.431	0.317
	3.633	3.067	2.477	2.806	6.446	4.709	4.107	2.292

3. 기타사항

⑴ 상기 표에서 아래 부분은 해당년도 1월 1일부터 해당월까지의 누계치임.

⑵ 2024년도 1월 1일부터 7월달까지의 상업지역 지가변동률 누계치는 K구 2.166%, D구 0.564% 임.

〈자료 4〉 요인비교치

1. K구 B동은 D구 N동에 비하여 지역적으로 약 2% 우세함.

2. 개별요인(도로조건 제외)

대상	거래-1	거래-2	거래-3	거래-4
100	-	97	105	110

※ 개별요인비교치는 당해지역의 표준획지를 기준한 것임.

※ 거래사례-1은 상기에서 제시된 자료에 의함.

3. 도로조건

구 분	중로	소로	세로(가)	세로(불)	
평점	100	95	90	80	각지는 한면에 비해 5%우세

한정가치 1

연습문제 **9** A와 B토지의 합병으로 인한 증분가치를 구하고, B토지의 적정매입 가격을 기여도비율에 의한 차액배분법의 논리로 산정하시오. (합병에 따른 제반 비용은 고려치 아니하기로 함) (10점)

〈자료 1〉 토지의 상황

각 획지의 형태는 다음의 그림과 같다. 각각의 토지가치를 파악한 결과 A는 9,000,000,000원, B는 4,000,000,000원으로 판단된다. 이때 A와 B를 합병하면 토지의 가치는 그림의 C획지와 유사해 질 것으로 판단되며, C의 가치는 18,000,000,000원으로 조사된다.

획지	면적(m^2)	단가(원/m^2)	가격(원)
A	15,000	600,000	9,000,000,000
B	5,000	800,000	4,000,000,000
C	20,000	900,000	18,000,000,000

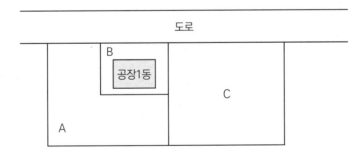

한정가치 2

연습문제 10 "B토지의 한정가치"을 아래 기준에 의거 구하시오. (15점)

> (물음 1) 단가비율에 의한 한정가치
>
> (물음 2) 면적비율에 의한 한정가치
>
> (물음 3) 총액비율에 의한 한정가치
>
> (물음 4) 구입한도액비에 의한 한정가치

〈자료 1〉 합병 전 각 토지내용

구 분	소재지	지목	면적(m²)	용도지역	도로교통	형상·지세
A토지	S시 P동	대	600	일반주거	소로한면	세장형 평지
B토지	S시 P동	대	400	일반주거	소로한면	세장형 평지

〈자료 2〉 합필 전·후 토지 가격

구 분	단가(원/m²)	비고
A토지	460,000원	합병 전
B토지	990,000원	합병 전
합병 후 토지	1,100,000원	

거래사례비교법 (사정보정, 한정가치)

연습문제 11 다음의 각 사례에 의한 토지의 시산가액을 산정하시오. (15점)

> (물음 1) 사례1에 의한 비준가액
>
> (물음 2) 사례2에 의한 비준가액

〈자료 1〉 의뢰 대상 토지

1. 소재지 : S시 D구 L동 25번지

2. 지목 : 대, 200m^2

3. 용도지역 : 제2종일반주거지역, 주차장 정비지구, 소로한면에 접함.

4. 이용상황 : 주택 및 근린생활시설

5. 형상 및 지세 : 가장형 평지

6. 기준시점 : 2025. 8. 31

〈자료 2〉 거래사례 1

1. 거래시점 : 2025. 4. 1

2. 소재지 : S시 D구 M동 22번지

3. 거래물건 : 토지 195m^{2}과 건물(근린생활시설)

4. 용도지역 : 제2종일반주거지역

5. 거래가격 : 380,000,000원(거래가격 중 1/2은 1년 후에 지불하는 조건으로 거래됨. 시장이 자율 12%)

6. 개별요인 : 세로한면, 가장형, 평지

7. 기타 : 인근지역을 통해 조사한 결과 건물의 적정 거래가격은 100,000,000원으로 판단되며, 사례의 거래가격은 지인간의 거래로서 시장가치 대비 5%의 저가에 거래되었음.

〈자료 3〉 거래사례 2

1. 소재지 : S시 D구 L동 60번지

2. 용도지역 등 : 제2종일반주거지역 내 나지(평지)

3. 거래시점 : 2025. 1. 1.

4. 거래내역

⑴ A토지 소유자가 B토지를 매입한 사례로 현 상태하의 B토지의 단가는 A토지의 1/2 수준이며, 병합 후 획지의 단가는 현 상태에서의 A토지가격의 4/5가 된다.

⑵ A토지 소유자는 B토지를 병합함으로써 발생하는 예상증분가치의 3/4을 B토지에 배분한다는 전제하에 구입한 사례로써 전체 지불가격은 260,000,000원이다.

5. 지적상황

〈자료 4〉 지가변동률(주거지역)

(단위 : %)

구 분		1월	2월	3월	4월	5월	6월
2025년	당 월	2.550	2.700	2.360	2.100	2.500	1.600
	누 계	2.550	5.319	7.804	10.068	12.820	14.625

※ 상기 표에서 "누계"는 해당년도의 1월부터 해당 월까지의 누계를 의미한다.
　(예 : 2025년 3월 누계 : 2025년 1월~3월까지의 누계)

〈자료 5〉 지역요인 및 개별요인

1. L동과 M동은 동일수급권 내 인근지역이며 L동이 M동에 비해 5% 우세하다.

2. 형상 : 세장형 토지는 가장형보다 10% 열세이다.

3. 지세 : 급경사지는 완경사지보다 10%, 평지보다 20% 열세이다.

4. 접면도로(각지는 한면보다 5%우세함)
   맹지(100), 세로한면(105), 소로한면(110)

5. 기타 개별요인평점

구 분	대상	거래사례 1	거래사례 2
평점	100	90	92

거래사례비교법 (집합건물)

연습문제 12 K평가사는 법원으로부터 서울특별시 강남구 Y동 소재 "Y중학교" 남서측 인근에 위치하는 Y빌딩에 대해 경매목적의 평가를 의뢰받았다. 대상부동산 감정평가액을 결정하시오. (15점)

〈자료 1〉 대상부동산 현황

1. 대상부동산 1동 전체 내역
   ① 토지 : 서울시 강남구 Y동 780번지   1,550m²
   ② 건물 : 위 지상 철근콘크리트조 슬래브지붕 지하1층 지상 9층 연 7,000m²

2. 평가목적 : 경매목적의 평가

3. 기준시점 : 2025. 8. 31

4. 대상부동산 : 501호

호	분양면적(m²)	전유면적(m²)	공용면적(m²)	대지권(m²)
501호	124.49	97.1	27.39	1,550 중 10

〈자료 2〉 건물구조 등

1. 건물의 구조 및 이용상태
   ① 철근콘크리트조 슬래브지붕 9층건
   ② 외벽 : 복합판넬마감
   ③ 내벽 : 몰탈위 페인트, 벽지 및 타일 등 마감
   ④ 이용상태
      지하1층, 1층 : 근린생활시설
      2~9층 오피스텔
      (각층 1~3호, 방3, 거실, 주방, 욕실, 실외기실)

〈자료 3〉 사례자료

1. 사례 1(거래사례)

   (1) 토지 : 서울시 강남구 Y동 소재, 면적 700m², 광대로한면, 노선상가지대
       제3종일반주거지역

   (2) 건물 : 지하1층 ~ 지상9층 주상용 건물, 철근콘크리트조, 2024. 1. 1건축
       (경제적 내용년수 50년)

   (3) 거래내역 : 2025. 8. 31 거래됨

   (4) 거래금액 : 22,067,000,000원

2. 사례 2(거래사례)

   (1) 소재지 : 서울시 강남구 Y동 710번지, 제3종일반주거지역, 대, 노선상가지대

   (2) 거래대상 : 건물 1층에 소재한 점포로서 대지지분권과 건물이 함께 거래되었음.

   (3) 구분상가전유부분의 면적 : 320m²

   (4) 건물건축시점 : 2025. 1. 1

   (5) 거래금액 : 4,150,000,000원

   (6) 거래시점 : 2025. 2. 1

3. 사례 3(거래사례)

   (1) 소재지 : 서울시 강남구 Y동 823번지, 제3종일반주거지역, 대, 노선상가지대

   (2) 거래대상 : 건물 3층에 소재한 오피스텔로서 대지지분권과 건물이 함께 거래되었음. (305호)

   (3) 전유부분 면적 : 45m²

   (4) 건물건축시점 : 2025. 1. 1

   (5) 거래금액 : 231,000,000원

   (6) 거래시점 : 2025. 1. 1

   (7) 사례의 오피스텔은 위치, 구조, 방향 등에 있어서 대상과 효용에 있어서 유사한 것으로
       판단된다.

〈자료 4〉 요인비교치

1. 지역요인

　대상부동산 및 사례자료는 모두 인근지역에 위치한 부동산이다.

2. 개별요인(단지내부요인 및 단지외부요인)

구 분	〈대상〉	〈거래사례2〉	〈거래사례3〉
단지 외부	100	98	100
단지 내부	100	98	100

〈자료 5〉 부동산가격변동률(용도별 차이없음)

2025년 1월 이후 매월 0.2%씩 상승함.

〈자료 6〉 효용비

인근의 분양사례를 분석하여 각층별 호별 효용비를 아래와 같이 도출하였음.

층	지층	1	2	3, 4	5~8	9
효용비율	64.1	100	26.8	27.9	28.3	28.9

호	1	2	3	4	5	6	7	8	9
효용비율	98	100	98	80	80	80	85	85	85

03

원가방식 연습

📁 **목표**   원가법, 적산법 등 비용성의 원리에 기초한 감정평가방식

[연관학습] [400-3.2]의 연습

가산방식 (조성원가법)

연습문제 1 잡종지 상태의 토지를 매입하여 택지조성을 완료한 토지의 가치를 가산방식(조성원가법)으로 산정하시오. (15점)

〈자료 1〉 조성 전 소지 내역

1. 소재지 : D시 S구 N동 100번지

2. 지목 및 면적 : 전 5,000m²

3. 기준시점 : 2025년 8월 1일

4. 기타 : 계획관리지역 내 소로한면에 접하는 토지로서 실제이용은 잡종지임.

〈자료 2〉 개발내역

1. 조성공사비 : 95,000원/m²

2. 일반관리비, 공공공익시설부담금, 농지조성비등 : 조성공사비의 5%

3. 개발이윤 : 조성공사비의 10%

4. 감보율 : 35%

5. 소지매입시점 및 조성완공시점은 기준시점과 동일한 것으로 가정함.

〈자료 3〉 공시지가자료(2025. 1. 1)

기호	소재지	면적(m²)	지목	도로교통	이용상황	용도지역	공시지가 (원/m²)
1	N동 413	5,000	잡	소로각지	기타	계획관리	100,000

※ 공시지가는 인근 적정 시세를 충분히 반영하고 있음.

〈자료 4〉 거래사례

1. 사례 1

　　(1) 토지 : D시 S구 G동 7977번지, 잡종지 4,000m²

　　(2) 거래일자 : 2025. 7. 1

　　(3) 거래금액 : 375,000,000원

　　(4) 기타 : 계획관리지역 내 소로한면에 접하고 친인척간의 거래사례로 시장가치의 10% 저가로 거래된 사례임.

2. 사례 2

　　(1) 토지 : D시 S구 N동 125번지, 주거용 대 4,300m²

　　(2) 거래일자 : 2025. 7. 25

　　(3) 거래금액 : 350,000원/m²

　　(4) 기타 : 계획관리지역 내 중로각지에 접하고, 정상적인 거래사례임.

〈자료 5〉 D시 S구 지가변동률(6월)

행정 구역	평균 (누계)	용 도 지 역 별						
		계관	생관	보관	공업	주거	농림	자보
S구	0.562	0.434	0.426	0.407	1.054	0.787	0.681	0.268
	1.859	1.459	1.237	1.426	3.483	2.698	2.290	1.308

※ 상기 표에서 아래 부분은 해당년도 1월 1일부터 해당 월까지의 누계치이며 6월 이후는 추정하여 적용함.

〈자료 6〉 요인비교자료

1. D시 N동은 G동에 비해 2% 열세이다.

2. 토지의 개별요인 평점(도로조건 제외)

　　(1) 조성 전

대상	표1	거1	거2
98	101	100	99

(2) 조성 후

대상	표1	거1	거2
100	101	99	99

(3) 도로조건 평점

세로(불)	세로(가)	소로한면	소로각지	중로한면	중로각지
60	75	80	85	95	100

(토지분양) 개발법

연습문제 2 감정평가사 K는 감정평가를 의뢰받고 다음의 자료를 수집하였다. 주어진 조건에 따라 대상부동산의 가치를 산정하시오. (15점)

〈자료 1〉 의뢰물건의 내용

1. 대상부동산 : k동 100번지 잡종지 3,000m²

2. 용도지역 : 제1종일반주거지역

3. 기준시점 : 2025년 8월 31일

4. 기준가치 : 시장가치

5. 주변상황 : 도시 근교의 주택지대에 접하고 있는 잡종지 상태의 토지로서 주변에는 보통 2,500~4,000m² 정도의 넓은 면적의 잡종지 상태의 토지가 산재해 있다.

〈자료 2〉 공시지가 표준지(2025년 1월 1일 기준)

기호	소재지	지번	지목	이용 상황	면적 (m²)	용도 지역	주변상황	공시지가 (원/m²)
1	k동	100-5	잡	잡(나지)	3,700	1종 일주	택지후보지대	430,000
2	k동	50	대	주거 나지	200	1종 일주	정비된 주택지대	800,000

※ 공시지가는 인근 적정 시세를 충분히 반영하고 있음.

〈자료 3〉 조성사례의 자료

대상부동산의 인근에 소재하는 잡종지의 조성비 등은 다음과 같으며, 대상토지에 적용해도 무방하다고 판단된다.

1. 조성비 : 5,000원/m^2

2. 공공시설부담금 : 구획당 100,000원

3. 판매비 및 일반관리비 : 분양가 총액의 3%

4. 업자이윤 : 분양가 총액의 5%

〈자료 4〉 대상토지의 조성 및 분양계획

1. 공공시설의 면적 : 전체 토지의 40%

2. 조성획지당 단위면적 : 200m^2(잔여지 없이 구획하는 것을 전제함)

3. 상업용 건물의 신축가능 획지수 : 3획지(나머지 획지는 주거용으로 분양함)

4. 공사기간 및 판매기간
   ⑴ 허가일 : 허가 신청일로부터 3개월이 소요됨
   ⑵ 조성완료일 : 허가일 다음날로부터 공사에 착수하여 2개월이 소요됨.
   ⑶ 판매완료일 : 조성완료 다음날부터 판매를 착수하며 2개월 만에 판매 완료가 가능함.

5. 분양대금 및 회수기간
   ⑴ 분양토지 단가 : 상업용은 @925,000원/m^2, 주거용은 @870,000원/m^2
   ⑵ 분양대금 회수 : 판매 개시 2개월 후 계약금으로 20%, 판매개시 3개월 후 중도금으로 30%, 판매개시 5개월 후 잔금으로 50%를 수령하는 것을 전제로 한다.

6. 투하자본이자율은 월 1%로 한다.

7. 공공시설부담금은 개발허가시에 지급한다.

8. 조성비는 매월말 50%씩 2회에 걸쳐 지급한다.

9. 판매비 및 일반관리비는 분양대금 수령시에 그 비율에 따라 지급한다.

10. 업자이윤은 분양대금 수령과 동시에 실현되는 것으로 한다.

〈자료 5〉 지가변동률

(단위 : %)

분 기	2025. 1~6월 누계	6월
지가변동률(%)	5.220	-1.29

〈자료 6〉 지역요인 및 개별요인(분할 조성 이전의 경우)

1. k동은 j동에 비하여 지역적으로 8% 열세임.

2. 개별요인

대상토지	표준지 1
100	97

(건물분양) 개발법

연습문제 3 감정평가사인 당신은 상업지역에 소재하는 노후화된 건물이 있는 토지의 적정매도가격 평가를 의뢰받았다. 다음 자료를 이용하여 2025년 9월 1일을 기준시점으로 나지상정 토지의 가격을 산정하시오. (20점)

〈자료 1〉 평가대상물건

1. 토지 : S시 K구 A동 244번지. 대 500m²

2. 건물 : 위 지상. 시멘벽돌조 슬래브즙 1층건. 주택 100m²

3. 평가목적 : 일반거래를 위한 정상시가 평가

〈자료 2〉 대상부동산에 관한 자료

1. 대상부동산은 일반상업지역, 방화지구에 위치하며 기타 공법상 제한사항은 없음.

2. 대상주택은 1975년에 건축(연면적 100m²)되었는바, 노후화가 심하고 유지 · 관리상태가 불량하며 인근지역과의 적응성도 많이 떨어지므로 최유효이용의 관점에서 철거하는 것이 합리적이라고 판단됨.

3. 대상부동산은 노폭 12m 도로에 한면을 접하는 장방형의 평지임.

〈자료 3〉 인근지역의 상황

대상부동산의 인근지역은 단독주택이 많이 분포하는 지역이었으나 지하철이 개통되면서 상업용 건물의 신축이 활발히 이루어지고 있다.

〈자료 4〉 표준지공시지가 (S시 K구)

(공시기준일 : 2025. 1. 1)

일련 번호	소재지	면적 (m^2)	지목	이용상황	용도지역	도로조건	공시지가 (원/m^2)
1	B동 124	750	장	주상용	일반상업	중로각지	2,600,000
2	B동 335	961	대	상업용	중심상업	중로각지	3,500,000
3	A동 232-1	370	대	주거용	일반상업	소로한면	1,950,000
4	A동 244-4	441	대	상업용	일반상업	중로각지	2,400,000

※ 공시지가는 인근 적정 시세를 충분히 반영하고 있음.

〈자료 5〉 대상부동산의 최유효이용시 개발계획

1. 건축계획

　⑴ 부지면적 : 500m^2

　⑵ 건폐율 : 80%

　⑶ 용적률 : 400%

　⑷ 건축구조 및 용도 : 철근콘크리트조 슬래브즙 5층 건 점포(1~3층) 및 사무실(4~5층)

　⑸ 건축면적 : 400m^2

　⑹ 건축연면적 : 2,000m^2

　⑺ 전유면적(분양, 임대가능면적) 비율 : (각 층의) 60%

2. 개발 Schedule

(소요기간 단위 : 월)

구 분	1	2	3	4	5	6	7	8	9	10	11	12
건축허가	■	■										
건축공사			■	■	■	■	■	■	■	■		
분 양							■	■	■	■	■	■

3. 분양계획안

(1) 인근지역에 있어서 대상예정건물과 유사한 규모와 구조를 갖는 건물의 분양사례를 조사한 결과 최근에 정상적인 분양사례의 1층이 4,150,000원/m²에 분양되었음이 확인되었으며 이를 "대상의 정상적인 분양가격"으로 사용하기로 함.

(2) 분양판매금은 분양시작시점에서 분양총액의 20%가, 분양시작으로부터 3개월 후에 30%가, 분양시작으로부터 6개월 후에 50%가 회수될 것으로 판단됨.

(3) 층별분양가는 지역의 표준적인 층별효용비를 적용하여 결정함.

$$각\ 층별\ 단가 = 기준층(1층)\ 단가 \times \frac{해당층\ 층별효용비}{기준층\ 층별효용비}$$

4. 기타

(1) 판매관리비는 분양총액의 6.5%이며 분양개시시점과 분양완료시점에 각각 50%가 지출됨.

(2) 건축공사비는 총액 1,526,568,000원으로 예상되며, 공사착수시에 20%를 지불하고, 그로부터 4개월 후 30%, 그리고 준공시점에 잔액을 지불함.

(3) 투하자본수익률은 월 1%로 함.

〈자료 6〉 인근지역의 층별효용비

(단위 : 원/m²)

층	1층	2층	3층	4층	5층
효용비	100	67	56	53	53

〈자료 7〉 지가변동률(S시 K구 상업지역)

(단위 : %)

2024년												
1월	2월	3월	4월	5월	6월	7월	8월	9월	10월	11월	12월	누계
0.101	0.232	0.555	0.666	0.777	0.888	0.999	1.012	1.084	1.222	1.323	0.984	10.291

2025년							
1월	2월	3월	4월	5월	6월	7월	누계
0.101	0.232	0.555	0.666	0.777	0.888	0.999	4.292

〈자료 8〉 요인비교자료

1. 지역요인자료 : A동은 상업지역으로서의 성숙도 등에 있어서 B동보다 5% 우세함.

2. 개별요인자료

   (1) 토지의 개별요인(도로조건 제외)

대상	공-1	공-2	공-3	공-4
100	100	95	98	95

   (2) 도로조건

세로(불)	세로(가)	소로한면	소로각지	중로한면	중로각지
60	75	83	86	100	104

재조달원가

연습문제 4 감정평가에 관한 규칙 등에 의하면 건물의 평가는 원가법의 적용을 원칙으로 하고 있다. 제시된 건물경비내역 등을 바탕으로 평가대상 건물의 기준시점(2025. 6. 1) 현재의 재조달원가를 구하되 주체부분과 부대부분의 비율을 산정시오. (5점)

〈자료 1〉 대상건물의 건축비 내역 등

내 용	원가(원)	내 용	원가(원)
1. 직접비		• 배관	13,500,000
• 터파기 및 정지	2,400,000	• 배관설비 *	5,600,000
• 기초	9,000,000	• 전기배선 *	11,200,000
• 외벽	113,000,000	• 전기설비 *	6,300,000
• 지붕틀	15,000,000	• 난방장치 *	27,000,000
• 지붕마감 *	10,100,000	• 울타리	1,050,000
• 골조(frame)	41,000,000	• 조경	2,000,000
• 바닥틀	28,000,000		Tot. : 379,450,000
• 바닥마감 *	7,200,000		◦ 주체 : 297,950,000
• 천장 *	11,000,000		◦ 부대 : 81,500,000
• 내벽	73,000,000		
• 도장(내 · 외부)	3,100,000	2.간접비 · 이윤	직접공사비의 30%

* 표시는 단기항목(부대설비)

〈자료 2〉 기타 사항

1. 내용년수는 주체부분이 50년이고 부대설비부분이 15년이다.
2. 본 원가자료는 대상건물의 건축당시(2021.06.01) 건축업자가 직접 작성한 것이나, 감정평가의 자료로서 적정한 자료인지 여부에 대한 구성내역별 판단이 추가적으로 요구된다(대상건물의 재조달원가산정시 불필요한 항목은 제외할 것).
3. 건축시점부터 현재시점까지의 연간 건축비상승률은 3%로 이러한 변동추세는 건축비 구성의 개별항목에도 대체적으로 균일하게 적용되는 것으로 조사되었다.

재조달원가 (부대설비 보정)

연습문제 5 감정평가사 K씨는 DY㈜로부터 자회사 법인이 소유하고 있는 건물에 대한 자산가치 산정을 의뢰받았다. 다음 물음에 답하시오. (15점)

> (물음 1) 직접법에 의한 재조달원가를 산정하시오.
>
> (물음 2) "부대설비보정단가 산출내역서" 서식 예시를 참고하여 부대설비보정을 통해 간접법에 의한 재조달원가를 결정하시오.

〈자료 1〉 대상건물 조사사항 Ⅰ : 기본사항

1. 건물의 구조 등

   철골철근콘크리트조 평슬래브지붕 9층건으로서, 연면적 13,000.0m²이며 외벽은 화강석 및 페어그래스로 마감되었음.

2. 이용상태

   업무시설로서 지하1층 이상은 사무실로, 지하2층 이하는 주차장, 창고, 전기 · 기계실로 이용 중임.

〈자료 2〉 대상건물 조사사항 Ⅱ : 부대설비 관련

1. 대상건물은 일반적인 업무용 빌딩에 준하는 위생설비(①), 방송설비(②) 및 TV공시청설비 (③)를 갖추고 있음.

2. 건물소방방재시스템으로 화재탐지설비(④)를 비롯하여 각층 2개 이상으로 전체 30개소의 옥내 소화전(⑤)이, 1,600헤드의 스프링클러(⑥)가 설치되어 있음.

3. 대상건물 전체에서 사용하는 전력은 1,400KVA로서 이에 부합하는 수변전설비(⑦)가 전기 실에서 정상 가동 중이고, 비상시를 대비하여 320Kw 가스발전기(⑧)를 준비하고 있음.

4. 건물에는 15인승(1,000kg)의 엘리베이터(⑨) 3대가 운행 중에 있음.

5. 냉난방설비(⑩)는 닥트 및 팬코일 방식을 사용하고 있음.

〈자료 3〉 대상빌딩 공사도급계약서

공사도급계약서상 내용

제3조 [공사계약금액]

① 공사 도급금액은 다음과 같이 적용한 금액으로 한다.

구 분	면적(m²)	단가(원/m²)	도급금액	비고
지상층	××××.××	–		– 2024년 9월 기준
지하층	××××.××	–		– 건축허가조건 공사
계	××××.××	1,600,000	××,×××,×××	– 설계감리비 등 관련 비용 포함

〈의뢰인 제시 'D동 업무용 빌딩 공사도급계약서'에서 발췌〉

〈자료 4〉 건물신축단가표(사무실(8-1-7-8, 2급수))

분류번호	용도	구 조	급수	표준단위 (원/m²)	내용년수
8-1-7-8	사무실	철골철근콘크리트조 슬래브지붕	2	1,380,000	55 (50~60)

〈자료 5〉 부대설비 보정단가

1. 전기설비

　가. 기본설비

건물용도	단위	화재탐지설비	방송설비	TV공시청설비
점포상가	원/m²	8,000	3,500	4,000
사무실, 오피스텔	원/m²	12,000	6,000	6,000

　나. 기타

설비명	규격		단위	보정단가
발전설비	디젤엔진발전기		원/Kw	200,000
	가스발전기		원/Kw	750,000
수변전설비	특고압(정식) 22KV, 22.9KV	1,000KVA~ 3,000KVA	원/KVA	200,000
	특고압(간이수전) 22KV, 22.9KV	500KVA 이하	원/KVA	150,000
		1,000KVA 이하	원/KVA	120,000

2. 위생설비

건물용도	단위	보정단가	비고
점포상가, 예식장, 사무실(5층 이하)	원/m²	40,000	
사무실(6층 이상), 오피스텔	원/m²	50,000	

3. 냉난방설비

건물용도	단위	팬코일	닥트	닥트 및 팬코일
사무실, 교회	원/m²	110,000	140,000	170,000
콘도미니엄, 호텔, 오피스텔	원/m²	100,000	140,000	170,000

4. 소화설비

설비명	단위	보정단가	비고
옥내소화전설비	원/개소	4,000,000	
스프링클러설비	원/헤드	170,000	

5. 승강기설비

용 량		단위	보정단가	비고
13인승	900kg	천원/대	67,000	
15인승	1,000kg	천원/대	69,000	

〈자료 6〉 대상건물에 관한 추가 고려 사항

1. 건축비의 시점수정치는 보합세로 봄.

2. 표준단가는 순수 건축공사비에 제경비, 설계감리비 등이 포함된 금액이며, 부대설비는 별도 보정하여야 함.

〈자료 7〉 '부대설비 보정단가 산출내역서' 서식 예시

일련번호	설비명	단가(원/m²)	산출내역
①	위생설비		
②	방송설비		
③	TV공시청설비		
④	화재탐지설비		
⑤	옥내소화전		총액으로 산정되는 설비항목의 경우
⑥	스프링클러		연면적당 단가를 산정할 것.
⑦	수변전설비		
⑧	가스발전기		
⑨	엘리베이터		
⑩	냉난방설비		
합계			×××,×××

건물원가법 (정액법, 정률법)

연습문제 6 감정평가사 K씨는 DY㈜로부터 자회사 법인이 소유하고 있는 건물에 대한 시장가치 산정을 의뢰받았다. 다음 물음에 답하시오. (15점)

> (물음 1) 대상건물의 재조달원가를 산정하시오.
>
> (물음 2) 정액법에 의한 대상건물의 가액을 산정하시오.
>
> (물음 3) 정률법에 의한 대상건물의 가액을 산정하시오.

〈자료 1〉 대상건물 개요

소재지	지번	용도	구조	연면적	사용승인일
A구B동	100번지	근린생활시설 (상가)	철근콘크리트조	지상 1,200m²	2020.10.11

〈자료 2〉 건물신축단가표

분류번호	용도	구조	급수	표준단가 (원/m²)
4-1-5-7	점포및상가	철근콘크리트조	2	1,470,000
4-1-1-1	점포및상가	목조	3	1,246,000
1-1-5-8	일반주택	철근콘크리트조	2	1,978,000
1-1-1-2	일반주택	목조	2	1,789,000

〈자료 3〉 부대설비 보정단가

건물용도	단위	전기설비	위생설비	냉난방설비
점포 및 상가	원/m²	20,000	30,000	50,000
일반주택	원/m²	30,000	50,000	70,000

〈자료 4〉 정액법 관련 자료

1. 경제적 내용년수 : 50년

2. 내용년수 만료 후 최종잔가율 : 10%

〈자료 5〉 정률법 관련 자료

대상건물의 매년 감가율은 10%임.

〈자료 6〉 기타사항

1. 감가수정과 관련한 〈자료4〉, 〈자료5〉는 각각 독립적인 자료임.

2. 대상건물의 가격조사 기간은 2025.06.12. ~ 2025.06.13.임.

분해법

연습문제 7 일반거래(시장가치) 목적평가로 다음 건물의 가격을 산출하시오. (20점)

〈자료 1〉 평가의뢰내용

1. 기준시점 : 2025년 8월 1일

2. 건물내역 : S시 K구 B동 100번지 지상 철근콘크리트조 슬래브즙 3층건,
연 960m²(지층 300m², 1~3층 각 220m²)

3. 임대가능면적 : 750m²(지층 200m², 1층 170m², 2~3층 각 190m²)

〈자료 2〉 대상건물의 건축비 내역

1. 신축시점 : 2022. 8. 1

2. 내용년수 등 : 주체부분 50년, 정액법 만년감가함.

3. 공사비내역

구 분	원 가	비 고
1. 직접비		
터파기 및 정지	1,390,000	
기초	4,680,000	〈직접공사비의 내용〉
외벽	53,270,000	
지붕틀	7,900,000	• 주체 : 143,110,000원
* 지붕마감	5,050,000	• 부대 : 41,120,000원
골조	19,900,000	• 계 : 184,230,000원
바닥틀	13,000,000	
* 바닥마감	3,590,000	
* 천정	5,500,000	* 표는 단기내용년수
내벽	36,400,000	항목임(부대설비)
* 도장(내외부)	1,520,000	
배관	6,570,000	

구 분	원 가	비 고
* 배관설비	2,860,000	
* 전기배선	5,600,000	
* 전기설비	3,150,000	
* 난방 및 공기조절장치	13,850,000	
계	184,230,000	
2. 간접비 및 기업이윤	직접공사비의 27%	

〈자료 3〉 기준시점 현재 대상 건물의 현장조사 결과

1. 물리적 사항

구 분	재조달원가	경제적내용년수
배관설비	4,023,000	20
전기배선	7,878,000	25
기타 단기내용년수 항목		15

※ 상기 표는 대상 건물의 단기 내용년수 항목에 대한 비용자료임.

※ 본 건물은 관리상태가 소홀하여 내부 도장상태가 불량하고 이에 따른 재도장이 요구되며, 그 비용은 900,000원으로 추정된다.

2. 기능적 및 경제적 사항

⑴ 건물의 전기설비 중 일부는 구식설비로서 이를 현대식으로 교체하기 위한 비용은 1,250,000원으로 추정되며, 이러한 설비를 교체하는 경우 연 187,000원의 절감효과가 예상된다.(신축당시 설치했더라면 설치비용은 기준시점 현재 790,000원이 들었을 것이다. 구식설비의 기준시점에서의 재조달원가는 800,000원이며 폐재가치는 100,000원이다)

⑵ 본 건물의 층고는 4m로 인근의 표준층고인 3.5m에 비해 높다. 이로 인하여 인근의 표준적인 부동산보다 난방비가 매년 500,000원이 더 소요된다. 대상 건물은 층고가 3.5m인 건물의 건축단가보다 m²당 2,000원이 더 소요된다.

⑶ 본 건물은 냉방시설이 없으며, 냉방시설을 설치함으로써 매년 1,000,000원씩 총임대료를 올릴 수 있다. 냉방시설의 설치비용은 현재 6,000,000원이다. 만일 건축당시에 설치했더라면 4,000,000원이 들었을 것이다.(단 전형적인 GRM은 7임)

⑷ 본 건물의 인접 건물은 신축된 지 30년이 지났으며 관리소홀로 인하여 매우 노후화되어 본건 부동산에 불리한 영향을 주고 있다. 이로 인하여 본건 부동산의 실질임대료 수준은 인근 유사부동산에 비해 연간 121,000원 정도 낮게 형성되고 있다.

〈자료 4〉 환원율 등

1. 건물의 환원율(상각 전) : 12.5%

2. 토지의 환원율 : 6%

3. 정기예금이자율(할인율) : 10%

4. 운영경비 등 : 실질임대료의 45%

5. 부동산의 표준적인 가격구성비(토지건물비) : 6 : 4

〈자료 5〉 건축비지수

2022. 7.	2022. 8.	2025. 7.	2025. 8.
100	105	111	117

감가율 (시장추출법)

연습문제 8 감정평가사 S씨는 2025년 6월 1일 주거용 부동산에 대한 감정의뢰를 받고 사례조사를 한 결과 유사지역 안에 소재한 동 유형의 거래사례를 수집하였다. 다음 자료를 참고로 하여 대상부동산 중 건물의 연간감가액과 연간감가율을 시장추출법으로 산정하시오. (10점)

〈자료 1〉 사례부동산

1. 소재지 : B동 175번지

2. 매매일자 : 2025.5.1

3. 매매가격 : 540,000,000원

4. 토지면적 : 360m²

5. 건물면적 : 300m²

6. 기타 : 도로접면은 세로각지, 향은 남향임

〈자료 2〉 사례부동산 가격자료

사례부동산의 토지가격은 700,000원/m²으로 평가하여 거래하였고 현재시점에서 건물의 총 재조달원가는 420,000,000원으로 파악되었다.

〈자료 3〉 현장조사사항

사례부동산은 대상부동산과 동일한 건축업자가 2015년 4월 1일 동시에 준공하였으며, 현재의 관리상태 등 제반현상은 양호한 편이다.

수익방식 연습

순수익의 산정

연습문제 1   대상의 순수익을 산정하시오. (10점)

⟨자료 1⟩ 임대수입(임대기간 3년)

(1) 지불임대료 : 20,000,000원/월

(2) 보증금 : 80,000,000원

(3) 권리금 : 40,000,000원

⟨자료 2⟩ 경비내역(원/년)

저당지불액	2,000,000	인출금계정	2,000,000
동산세금	1,000,000	부채충당금	500,000
종합토지세	15,000,000	개인적 업무비	1,450,000
건물세	9,500,000	연간 수선비	700,000
도시계획세	9,000,000	소유자 급여	10,000,000
소득세	2,000,000	비품 등 대체준비비	1,200,000
법인세	780,000	부가물 설치비용	8,000,000
전기사용료	5,000,000	보험료	3,500,000
난방 등 연료비용	4,000,000	개인적 잡비	600,000
수도사용료	3,500,000	지붕수선	3,000,000
공구 및 소모품비	800,000	페인트칠	1,500,000
유지관리비	1,600,000	청소용역비	900,000
감가상각비	15,000,000	정상운전자금이자	1,400,000
임차자교체비	200,000	자기자금이자상당액	2,700,000

※ 상기의 비용은 건물관리자협회의 표준경비에 따라 조정한 것이며 기타 수정사항은 이하를 참조한다.

〈자료 3〉 경비의 수정사항 등

1. 상기의 종합토지세는 대상토지분에 해당한다.

2. 보험료는 기초에 3년치를 일시에 지불한 금액이다.

3. 지붕수선은 향후 10년을 보장한다.

4. 페인트칠은 3년마다 행해진다.

5. 본 건물은 소유자가 직접 관리경영하고 있으나 만약 용역회사에 관리를 위탁하는 경우 총소
   득의 8%에 해당하는 관리비가 소요될 것으로 판단됨

6. 인근지역 내 일반적인 공실률은 총소득의 5%로 추정함.

7. 일시금의 운용이율, 시장이자율 : 12%

환원율의 산정

연습문제 2 아래 주어진 각 사례의 환원율을 산정하시오. (15점)

구 분	분석내용
사례1	교환부동산과 유사한 부동산으로서 토지와 건물의 가격구성비율이 7 : 3이다. 토지환원율은 9%이고, 건물의 환원율은 상각 후 환원율만 산정 가능한 바 11%로 분석되었다. 대상 건물의 경제적 내용년수는 45년임.
사례2	인근에 소재한 S은행에 의뢰한 결과 사례2 부동산의 경우 65%의 저당대출이 가능하며 연 이자율 10%, 저당기간 25년, 매월 원리금균등상환조건이 부가된다. 사례부동산의 분석결과 매년의 순영업소득은 87,000,000원, 매년의 저당원리금은 58,000,000원으로 분석된다.
사례3	기준시점 현재 건물이 준공된 사례로 인근의 임대시장을 분석한 결과 매년 118,000,000원의 임대료를 받을 수 있을 것으로 기대된다. 사례는 유지, 관리 등의 비용으로 유효조소득의 15%가 지출되며 (공실 및 대손충당금은 연 6,000,000원), 기준시점 현재 시장에서의 정상거래가격은 850,000,000원이다.
사례4	과거 투자분석이 이루어졌던 부동산으로서 대출은 60%가 가능하며 예상보유기간은 10년이다. 첫 번째 저당은 부당산가치의 40%를 20년간 연 9%로 매년 원리금을 균등상환하는 조건이고 두 번째 저당은 부동산가치의 20%를 15년간 연 12%로 균등상환하는 조건이다. 10년 후 부동산 가치는 현재보다 20% 정도 상승할 것으로 예상되며 자기자본수익률은 13%이다.
사례5	20%만 현금으로 지불하고 나머지는 이자율 10%로 30년간 매월 원리금 균등상환 조건으로 거래되었다. 이러한 거래는 타당성 분석을 통해 적정한 것으로 판단되며 매수인의 자기자본환원율은 12%이다.

상각전 환원율과 상각후 환원율

연습문제 3 아래 주어진 각 사례를 기준으로 대상의 환원율을 산정하시오. (10점)

〈자료 1〉 사례부동산의 내역

구 분	사례1	사례2	사례3
상각전 순수익	230,000	219,000	169,000
총수익	322,000	309,000	233,000
거래가격	2,100,000	2,000,000	1,500,000
토지건물 가격구성비	2 : 1	3 : 1	2 : 1

〈자료 2〉 각 부동산에 대한 투자성 판단요인별 비교표

투자성 판단요인	요인구성비 (%)	요인별 평점			
		사례1	사례2	사례3	대상부동산
예상수익성	20	100	95	80	90
환가성	20	85	90	100	95
가격안정성	15	80	80	100	90
시장성	20	90	80	100	100
증가성	25	100	100	90	90
계	100				

〈자료 3〉 사례부동산과 대상부동산의 잔존내용년수 45년으로 동일하며 대상부동산의 토지 건물 가격 구성비는 7 : 3이다.

환원율 (조성법)

연습문제 4 아래 자료를 기준으로 조성법에 의한 환원율을 산정하시오. (10점)

〈자료 1〉 순수이율 등

구 분	분석내용
순수이율 (무위험율)	국공채, 지방채, 금융채 및 정기예금 등의 이율을 고려 9%로 결정
비유동성	교환부동산이 속한 지역은 거래가 빈번하지 못하여 환금성이 떨어지는바 2%로 함
관리의 난이성	예금, 주식 등에 비해 징수나 유지수선 등 관리에 많은 시간과 비용이 소요되는 관계로 1.5%로 결정
자금의 안전성	도난, 멸실, 인플레이션 해지정도를 고려 3%로 결정
위험성	유사부동산의 매매사례를 분석한 결과 다음과 같은 내부수익과 각 매매사례별 주관적 판단에 따른 수익률의 범위를 아래와 같이 측정하였는바 각 부동산이 가지는 위험률의 단순 산술평균치를 위험률로 반영한다. 표 아래 참조

		수익률의 범위(%)		
부동산1	확률	75	15	10
	수익률	14.0	12.0	16.0
부동산2	확률	60	30	10
	수익률	16.0	14.0	18.0

토지잔여법

연습문제 5 감정평가사 P는 토지와 건물로 구성된 복합부동산에 대한 감정평가 의뢰를 받고 사전조사 및 현장조사를 한 후 자료를 수집하였다. 수익환원법에 의한 토지가격을 평가하시오. (15점)

〈자료 1〉 감정평가의뢰내용

1. 공부내용

　가. 토지 : S시 S구 B동 100번지, 대, 2,000m²

　나. 건물 : 철근콘크리트조 슬래브지붕 10층, 점포 및 사무실, 연면적 11,200m²

　다. 소유자 : N

2. 구하는 가격의 종류 : 시장가치

3. 감정평가목적 : 일반거래(매매)

4. 기준시점 : 2025.8.25

〈자료 2〉 대상부동산에 대한 자료

1. 본건의 용도지역은 제2종일반주거지역이고 기타 공법상 제한사항은 없음.

2. 현장조사결과 토지와 건물 모두 공부와 현황이 일치함.

3. 지목, 이용상황, 도로교통, 형상 및 지세 : 대, 상업용, 중로한면, 가장형, 평지

4. 대상물건은 최유효이용상태로 판단됨.

〈자료 3〉임대사례

1. 물건내용

① 토지 : S시 S구 B동 124번지, 대, 2,100m²

② 건물 : 철근콘크리트조 슬래브지붕 8층, 점포 및 사무실, 건축연면적 9,200m²

③ 지목, 이용상황, 도로교통, 형상 및 지세 : 대, 상업용, 소로한면, 정방형, 완경사

2. 최근 1년간 수지상황

필요제경비(연간)		임대수입(연간 및 월간)	
감가상각비	218,459,520원	보증금운용익(연간)	100,000,000원
유지관리비	50,000,000원	월임대료수입	85,000,000원
제세공과금	80,000,000원	주차장수입(월간)	15,000,000원
손해보험료	20,000,000원		
대손충당금	20,000,000원		
장기차입금이자	50,000,000원		
소득세	100,000,000원		

※ 주 1) 본건 사례물건은 100% 임대 중임

2) 손해보험료는 전액 소멸성임

〈자료 4〉건설사례

1. 수집된 건설사례는 표준적인 자료로 인정됨.

2. 기타사항은 〈자료 6〉을 참고하시오.

〈자료 5〉지가변동률 및 건축비지수

1. 지가변동률(S시 S구)

(단위 : %)

구 분	주거지역	상업지역	공업지역	녹지지역	관리지역
2025년 1/4분기	2.54	1.24	4.24	3.20	1.20
2025년 2/4분기	3.00	2.36	1.24	2.40	3.26

2. 건축비지수 : 보합세

〈자료 6〉 대상 및 사례건물개요

항목　　　　　　　　건물	대상건물	임대사례	건설사례
준공년월일	2020.8.24	2020.4.25	2025.8.25
건축연면적	11,200m²	9,200m²	9,300m²
부지면적	2,000m²	2,100m²	2,050m²
시공정도	보통	보통	보통
기준시점현재 잔존내용년수 주체부분 부대설비	45 10	45 10	50 15
도시계획사항	일반주거지역	일반주거지역	일반주거지역
건물과 부지와의 관계	최유효이용	최유효이용	최유효이용
기준시점 현재 신축단가의 개별요인비교치	98	97	100

※ 주 1) 주체부분과 부대설비부분의 가액비율은 75 : 25
　　　 2) 감가수정은 정액법에 의함
　　　 3) 건설사례의 재조달원가는 720,000원/m²임

〈자료 7〉 토지에 대한 지역요인 평점

구 분	대상물건	임대사례
평점	100	85

〈자료 8〉 토지특성에 따른 격차율

1. 도로접면

구 분	중로한면	소로한면	세로가
중로한면	1.00	0.83	0.69
소로한면	1.20	1.00	0.83
세로가	1.44	1.20	1.00

2. 형상

구 분	가장형	정방형	부정형
가장형	1.00	0.91	0.83
정방형	1.10	1.00	0.91
부정형	1.21	1.10	1.00

3. 지세

구 분	평지	완경사
평지	1.00	0.77
완경사	1.30	1.00

〈자료 9〉 기타사항

1. 2025년 2/4분기 이후의 지가변동률은 2025년 2/4분기 지가변동률을 유추적용한다.

2. S시 S구의 일반주거지역 상업용에 적용되는 토지의 환원율 : 연 10%

3. 건물의 환원율(상각 후 세공제 전) : 연 12%

4. 건물의 내용년수 만료시 잔가율 : 0

5. 건물의 감가는 만년감가를 한다.

건물잔여법

연습문제 6 부동산 투자자 甲은 금융기관의 저당대부를 이용하여 건물을 매입하고자 한다. 이하 자료를 근거하여 대상 건물의 가격을 구하시오. (10점)

〈자료 1〉 대상부동산에 관한 사항

1. 토지 : S시 A동 150번지, 대 300m² 제2종일반반주거지역

2. 건물 : 위지상 철근콘크리트조 3층건 업무시설 임대면적 600m²

3. 기준시점 : 2025년 8월 1일

〈자료 2〉 거래사례

1. 사례부동산
   (1) 토지 : S시 A동 87번지, 대 150m² 제2종일반주거지역
   (2) 건물 : 위지상 벽돌조슬레트즙 2층건, 근린생활시설 연면적 200m²

2. 거래가격 : 최근에 정상적으로 매매된 사례로서 거래가격은 200,000,000원

3. 기타
   (1) 지상건물의 가격은 50,000,000원으로 조사되었으며 토지는 최유효사용에 미달되는 관계로 최유효이용 대비 10%의 건부감가 요인이 있음.
   (2) 대상 토지와 사례토지는 지역요인은 동일하지만, 개별요인은 사례토지가 대상 토지보다 5% 정도 열세인 상태로 파악된다.

〈자료 3〉 투자자 甲의 계획

투자자 甲은 대상 건물을 월지불임대료 20,000원/m²에 10년 동안 장기임대차할 임차자를 확보하고 있다.

〈자료 4〉 기타사항

1. 토지환원율 : 10.51%, 건물환원율 : 17.91%

2. 운영경비비율 : 30%

3. 자기자본이자율 : 연 15%

DCF법

연습문제 7 감정평가사 K씨는 복합부동산에 대한 감정평가를 의뢰받고 사전조사와 현장조사를 통해 다음과 같은 자료를 수집하였다. 할인현금흐름분석법(DCF법)에 의하여 토지와 건물의 일괄평가 가격을 구하시오. (20점)

〈자료 1〉 평가대상물건 개요

1. 토지
   1) 소재지 : S시 K구 A동 100번지
   2) 용도지역 : 일반상업지역
   3) 토지특성 : 대, 820m², 가장형, 평지, 소로한면

2. 건물 : 철근콘크리트조 슬래브지붕 지하 1층 지상 5층

	면적(m²)	이용상황
지하 1층	287	점포 및 주차장
지상 1층	574	점포
2층	574	점포
3층	574	병원
4층	574	병원
5층	574	학원
계	3,157	

3. 조사기간 : 2025년 8월 24일~2025년 9월 1일

4. 감정평가목적 : 일반거래(매매참고용)

〈자료 2〉 대상부동산의 임대자료

1. 대상부동산은 현재 최유효이용상태이고, 대상부동산은 조사한 결과 최근에 계약갱신된 4층 (병원)의 임대자료가 포착되었으며 이는 적정한 것으로 판단됨.

2. 4층 임대자료

   1) 4층 전체의 연간 지불임대료는 165,000원/m²이며, 당해 지역의 일반적인 공실률은 3% 수준임.

   2) 부가사용료 및 공익비는 적정수준이며 지불임대료와는 별도로 징수하고 있음.

3. 4층 각종 지출내역

   지난 1년간 소유자가 4층 부분에 지출한 내역은 다음과 같고, 향후에도 동일한 수준에서 지출될 것으로 조사됨.

   1) 부가물설치비 : 10,000,000원

   2) 수도료 : 50,000원/월

   3) 전기료 : 150,000원/월

   4) 연료비 : 200,000원/월

   5) 소유자급여 : 1,500,000원/월

   6) 손해보험료 : 3,000,000원/년(보험료 중 2,500,000원은 비소멸성)

   7) 소득세 : 2,500,000원/년

   8) 수선비 : 1,500,000원/년

   9) 건물관리자 급여 : 1,300,000원/월

   10) 저당이자 : 2,500,000원/월

   11) 기타 영업경비 : 1,000,000원/월

〈자료 3〉 층별효용비 등

1. 저층시가지에 있어 본건과 유사한 건물의 층별효용비는 다음과 같음. 이는 건물가격과 토지 가격의 입체분포가 같은 것을 전제로 한 것임.

	지상1층	지상2층	지상3층	지상4층	지상5층
효용비	100	60	42	38	36

2. 임대면적과 층별면적은 동일한 것으로 하고, 지하층은 별도로 고려하지 아니함.

〈자료 4〉 수익변동자료 등

1. 순영업소득은 향후 5년간 매년 5%씩 상승하다 6년차부터는 매년 2%씩 상승할 것으로 추정 되며, 이는 적정한 것으로 판단됨.

2. 시장가치 도출을 위하여 보유기간을 5년으로 상정함.

〈자료 5〉 시장이자율 등

1. 보증금 및 지불임대료 운용이율 : 연 10%

2. 할인율 : 8%

3. 저당대부이자율 : 연 6%

4. 보험만기 약정이자율 : 연 4%

5. 5년 후 재매도시 적용할 환원율 : 12%

3방식 종합

📁 **목표**
선행 학습한 감정평가 3방식을 적용하여 대상물건의 시산가액을 산정하고, 최종 감정평가액을 결정하는 과정을 학습

[연관학습] 실무기준 [400]의 종합활용, 감칙 제7조

토지 3방식 (공부, 지역요인비교치, 시점수정)

종합문제 1 감정평가사 K씨는 소유자 LEE씨의 토지만의 감정평가 의뢰함에 따라 시장조사를 거쳐 아래의 자료를 수집하였다. 다음 물음에 따라 대상 토지의 평가액을 산정하시오. (30점)

> (물음 1) 본건에 대하여 감정평가에 관한 규칙에 근거 기본적 사항을 확정하고 감정평가를 하는데 비교표준지 및 거래사례자료로 채택하기가 적당하지 않은 것이 있으면 그 부호를 들고 이유를 기술하시오.
>
> (물음 2) 다음 자료를 근거로 감정평가방식을 적용하여 나지상정 토지의 각 시산가액을 산정하시오.
>
> (물음 3) 대상부동산(토지)의 감정평가액을 결정하시오.

〈자료 1〉 대상부동산 관련 공부

1. 토지대장

소재지	지번	지목	면적	소유자	기타
A구 B동	100번지	대	960m²	KIM	

2. 토지등기사항전부증명서

소재지	지번	지목	면적	소유자	기타
A구 B동	100번지	잡종지	950m²	LEE	

3. 토지이용계획확인서

소재지	지번	국토이용	도시계획사항
A구B동	100번지	도시지역 960m²	제2종일반주거지역, 주차장정비지구

4. 지적도

소재지	지번	토지의 형태	기타사항
A구B동	100번지	장방형, 평지	남측도로(인도 2m, 차도 6m) 서측도로(2m)에 접함

5. 건축물관리대장

소재지	지번	용도	구조	소유자	면적	기타
A구B동	100번지	주택	블록조	KIM	연면적 200m²	1992.1.1 신축

6. 건물등기사항전부증명서

갑구(소유권)				
순위	등기목적	접수	등기원인	권리자 및 기타사항
1번	보존	접수 2022. 1. 2. (제12344)		KIM의 주소 : A시 B구 C동 10-130
2번	소유권이전	접수 2023. 5. 3. (제14235)	매매	LEE의 주소 : A시 B구 C동 123

〈자료 2〉 지역분석 및 개별분석

대상지역은 A구 B동(인근지역)의 초등학교 북측 인근에 위치하는 근린생활시설 등의 이용지로서 본건 주위는 동측으로 대단지 아파트 단지와 인접 위치하고, 여타 주변은 단독주택, 연립주택 등이 혼재하고 있으며 그 주위환경은 보통으로 판단된다.

본 건은 토지위에 제1종근린생활시설로 2880m²의 규모 이용하는 것이 지역요인 및 개별요인의 판단에 따라 최유효이용이라 판단되며, 공부상 내용과 일치되는 것으로 판단된다. 지상 건축물은 철거함이 타당하다 판단된다.

또한 A구 B동(인근지역)은 P구 C동(유사지역)과 경계를 이루고 있으며 양 지역은 유사한 지역 특성을 갖는 지역으로 판단된다.

〈자료 3〉 공시지가 자료(공시기준일 : 2025. 1. 1)

일련 번호	소재지	면적 (m²)	지목	이용 상황	용도 지역	도로 교통	형상 지세	공시지가 (원/m²)
1	A구A동 100	850	대	상업용	2종 일주	소로 한면	정방형 완경사	2,300,000
2	A구B동 123	400	대	주거용	2종 일주	소로 한면	장방형 완경사	1,330,000
3	A구B동 산478	250	임야	상업용	2종 일주	세로 (각)	정방형 완경사	1,850,000
4	P구C동 150	300	잡	상업용	준주거	중로 한면	장방형 완경사	2,100,000

※ 기호 3은 건부감가요인이 존재하며, 그 정도는 20% 존재함.
※ 기호 4는 일부 도시계획도로에 저촉됨(저촉면적 : 30m²).
※ 공시지가는 인근 시세를 적정히 반영하고 있음.

〈자료 4〉 수집된 거래사례 및 임대사례 자료

연번	거래시점 (임대시점)	소재지	이용 상황	용도 지역	면적등 (m²)	부지의 형상 및 접면도로	거래가격 (천원)	기타
1	2024.4.1	A구 A동 117	상업	2종 일주	부지 : 950 건물 : 연 2,700	북측 9m, 남측 4m 정방형, 평지	4,750,000	
2	2024.4.1	A구 B동 225	상업 나지	2종 일주	부지 : 750	서측 16m 장방형, 평지	1,572,000	
3	2024.4.1	A구 B동 1145	상업	일반 상업	부지 : 550 건물 : 연 4,400	서측 22m 장방형, 평지	5,060,000	〈자료5〉 참조
4	2025.1.1	A구 B동 400	상업	2종 일주	건물 : 연 2,700	임대명세는 〈자료6〉 참조		임대사례
5	2025.1.1	P구 C동 250	상업	2종 일주	건물 : 연 2,400	임대명세는 〈자료6〉 참조		임대사례
6	2025.8.1	P구 C동 220	상업	2종 일주	부지 : 950 건물 : 연 2,850	동측 22m 장방형, 평지	임대명세는 〈자료6〉참조	임대사례

〈자료 5〉 거래사례 '사례3' 거래조건

1) 거래시점당시 대상부동산에는 2022. 12. 1자로 대부기간 15년, 연 12%, 매년 원리금 균등 상환조건의 2,000,000,000원이 이미 대출되어 있다.

2) 저당대부를 매수인이 인수하기로 하고 나머지는 현금으로 지불한다.

〈자료 6〉 임대사례 자료(임대면적 비율 : 80%)

(단위 : 천원)

구 분		〈사례 4〉	〈사례 5〉	〈사례 6〉
임대개시일(계약기간)		2025.1.1(2년)	2025.1.1(2년)	2025.8.1(2년)
임대 수입	임대료수입(매월)	28,503	33,220	28,500
	보증금	–	945,000	400,000
	선불적 성격의 일시금	270,000	–	150,000
지출 명세 (연)	유지수선비	33,000	29,000	35,000
	관리비	–	–	120,000
	손해보험료	5,000	5,000	8,000
	결손준비금	–	–	1,000
	공실손실상당액	3,000	3,000	4,000
	감가상각액	27,000	24,000	30,000

〈자료 7〉 건물에 대한 자료

구 분		대상	〈사례 1〉	〈사례 3〉	〈사례 4〉	〈사례 5〉	〈사례 6〉
준공일자		–	2024.8.1	2022.8.1	2025.1.1	2025.1.1	2023.5.1
건축연면적(m²)		–	2,700	4,400	2,700	2,400	2,850
부지면적(m²)		–	950	550	–	–	950
기준시점 잔존년수	주체	–	49	47	50	50	48
	부대	–	19	17	20	20	18
개별요인		최유효 이용시 100	98	96	100	100	98
최유효이용		최유효미달	최유효이용	최유효이용	최유효이용	최유효이용	최유효이용
건축비(원/m²)					860,000		

〈자료 8〉 시점수정 자료

1. 지가변동률(%)

　　1) A구 지가변동률

　　　- 2024.4.1.부터 2025.9.6. : 11.650%

　　　- 2025.1.1.부터 2025.9.6. : 5.273%

　　　- 2025.8.1.부터 2025.9.6. : 1.222%

　　2) P구 지가변동률

　　　- 2025.1.1.부터 2025.9.6. : 4.233%

　　　- 2025.4.1.부터 2025.9.6. : 7.550%

　　　- 2025.8.1.부터 2025.9.6. : 0.776%

2. 건축비변동률

　　2024년 1월 1일 이후 보합세.

〈자료 9〉 지역요인 및 개별요인 산정자료

1. 지역요인

　　대상부동산이 속한 인근지역(A구 B동)과 유사지역간(P구 C동)에는 일정한 지역격차가 존재한다. 이는 지역 간의 개발의 성숙도와 지역의 환경 등의 차이에 기인하는 것으로서 이는 비교대상지역(2025.1.1 기준)의 단위면적당 상각전 순수익에 기인하는 것으로 판단된다. 그 외 A구의 다른 동과는 지역격차 산정이 불가능하다.

2. 개별요인

　　1) 도로조건

세로(가)	소로한면	중로한면	대로한면
80	90	100	110

　　※ 각지는 10% 가산

　　2) 형상 및 지세

　　　형상은 정방형 > 장방형 > 부정형 순으로 정방형을 100으로 기준 5씩 감소하며, 지세는 평지를 기준 완경사는 5% 열세이다.

〈자료 10〉 기타사항

1. 보증금운용이율 및 시장이자율은 연 12%이다.

2. 토지환원율은 8%이며, 건물환원율(상각 전)은 10%이다.

3. 건물의 주체와 부대설비비율은 70 : 30이며, 정액법 감가상각한다. (잔가율 0%)

4. 도시계획도로 저촉 감가율은 30%이다.

5. 지역요인 분석시 적용된 사례는 대상토지의 감정평가액 산정시 제외할 것.

6. 가격조사기간 : 2025.8.1∼ 2025.9.6

7. 대상과 사례의 총액은 유효숫자 네 자리로 산정.

8. 대상 건물 철거비 @210,000원/m²

토지 (기본적사항의 확정, 지역분석)

종합문제 2 다음의 [자료 등]에 기재된 부동산(대상부동산)에 관하여 [지시사항] 및 [자료 등]에
근거한 감정평가의 기본적사항을 확정하고 그 내용을 서술하시오. 또한 지역분석에
따른 인근지역 및 유사지역을 결정하고 각 지역요인 평점을 결정하시오. (15점)

[지시사항]

지역분석에 관하여는 인근지역 유사지역을 결정하고 인근지역을(100) 기준, [자료 Ⅲ]을 활용하여
각 지역의 지역 평점을 결정하시오.

[자료 등]

Ⅰ. 의뢰내용

본건은 현재 공지로 이용 중인 대상부동산에 관하여 매매참고로서 2025년 8월 1일을 기준
시점으로 하여 현황으로써의 경제가치의 판정을 위해 전문가의 감정평가를 요청하였다. 대
상부동산은 매각준비를 위해 건물을 철거하고 현재 공지로 되어 있어 소유권 이외의 권리는
아무것도 설정되어 있지 않다.

Ⅱ. 대상부동산

1. 등기사항전부증명서

T도 S시 K동 1동 3-5   (토지)

【표제부】 (토지의 표시)		작성 200X O월O일	지도번호	여백
【소재지】	S시K동1동 3-5			
【지번】	【지목】		【면적】	
3의 5번지	택지		150.00m²	

2. 대상부동산의 실측면적은 등기사항전부증명서의 기재된 면적과 동일하다.

Ⅲ. S시 및 인근지역, 유사지역의 개황등

1. 인근지역 및 유사지역 등의 개요

지역	위치 및 지역의 개황	도로상황	공법상 제한	표준적 사용
인근지역	S역의 북서쪽 약 400~500m 시내는 비교적 오래전부터 발달한 주택지역으로 단독주택 가운데 아파트 등을 볼 수 있는 지역이다.	폭 6m 포장도로	제1종주거지역 건폐율 60% 용적률 200%	저층 주택지
A 지역	S역의 남서쪽 약 500~600m 인근지역과 특성이 유사하다.	폭 6m 포장도로	제1종주거지역 건폐율 60% 용적률 200%	저층 주택지
B 지역	S역의 남동쪽 약 200~300m 인근지역과 특성이 유사하나, 인근지역보다 약간 혼재의 정도가 높은 지역이다.	폭 5m 포장도로	제1종주거지역 건폐율 60% 용적률 200%	저층 주택지
C 지역	S역의 북동쪽 약 500~600m 토지구획정리사업이 행하여진 지역으로 정돈되어 있다. 지역특성은 대체로 인근지역과 유사하나 단독주택이 중심이 되는 지역이다.	폭 6m 포장도로	제1종주거지역 건폐율 50% 용적률 100%	단독 주택지
D 지역	S역의 서쪽 약 100~170m 역전상업지역에 속한 중고층점포, 사무소가 많은 상업지역이다.	폭 20m 포장도로	상업지역 건폐율 80% 용적률 400%	중고층 상업 업무 용지

2. 표준적 이용상황에 대한 사례 자료

본 자료는 A, B, C, D지역에 대한 지역적 가격수준을 파악하기 위하여 수집한 최근의 거래 사례로서 모든 금액은 직접 비교기준시점으로 적절히 시점 수정하였고, 각 사례별로 개별요인 격차 항목(이용상황, 도로조건, 형상, 지세 등)에 의한 금액 차이 또한 보정 완료하였음.

⑴ A 지역의 사례자료

	사례 1	사례 2	사례 3	사례 4
거래시점	2024년 4월 20일	2024년 5월 5일	2024년 4월 24일	2024년 1월 3일
거래금액	960,000원/m²	950,000원/m²	900,000원/m²	1,000,000원/m²
사례 부동산	토지 320m² 가장형 소로한면	토지 350m², 가장형 소로한면, 건물 150m² 벽돌조	토지 300m², 가장형, 소로한면	토지 300m², 가장형, 소로한면
이용상황	상업용	주거용	상업용	주거용
기타사항	당해 이용은 최유효이용임.	당해 이용은 최유효이용이며, 친인척간의 거래임.	당해 이용은 최유효 이용이며, 당해 거래는 계열회사 관계에 있는 Q㈜와 A㈜간 거래사례임.	당해 이용은 최유효이용임.

⑵ B 지역의 사례자료

	사례 5	사례 6	사례 7	사례 8
거래시점	2024년 4월 24일	2024년 7월 5일	2024년 4월 30일	2024년 2월 3일
거래금액	3,050,000원/m²	4,050,000원/m²	3억7천6백만원	4억8천1백만원
사례 부동산	토지 320m², 가장형, 중로한면 건물 200m², 철근콘크리트조	토지 350m², 정방형, 소로한면 건물 800m² 벽돌조	토지 400m², 정방형, 중로각지	토지 970m², 세장형, 소로한면
이용상황	상업용	상업용	상업용	상업용
기타사항	상기금액은 토지면적 당거래금액 (토지건물 합산가액)이며, 당해 이용은 최유효이용에 미달됨.	상기금액은 토지면적 당 거래금액(토지건물 합산가액)이며, 당해 이용은 최유효이용임.	당해 이용은 최유효이용임.	당해 이용은 최유효에 미달임

(3) C지역의 사례자료

	사례 9	사례 10
거래시점	2024년 4월 20일	2024년 5월 5일
거래금액	1,050,000원/m^2	1,100,000원/m^2
사례 부동산	토지 320m^2, 가장형 소로한면	토지 350m^2, 가장형, 소로한면 건물 150m^2, 벽돌조
이용상황	상업용	주거용
기타사항	당해 이용은 최유효이용임.	당해 이용은 최유효이용이며, 친인척간의 거래임.

(4) D지역의 사례자료

	사례 11	사례 12
거래시점	2024년 4월 24일	2024년 1월 3일
거래금액	1,900,000원/m^2	1,700,000원/m^2
사례 부동산	토지 300m^2, 가장형, 소로한면	토지 300m^2, 가장형, 소로한면
이용상황	상업용	주거용
기타사항	당해 이용은 최유효이용임.	당해 이용은 최유효이용임.

(5) 인근지역의 사례자료

	사례 13	사례 14
거래시점	2024년 4월 24일	2024년 1월 3일
거래금액	900,000원/m^2	1,100,000원/m^2
사례부동산	토지 300m^2, 가장형, 소로한면	토지 300m^2, 가장형, 소로한면
이용상황	상업용	주거용
기타사항	당해 이용은 최유효이용임.	당해 이용은 최유효이용임.

건물 3방식

종합문제 3 감정평가사 K씨는 건물에 대한 감정평가를 의뢰받고 사전조사와 현장조사를 통해 다음과 같은 자료를 수집하였다. 건물가격을 감정평가3방식을 적용하여 평가하시오. (25점)

〈자료 1〉 평가대상물건 개요

1. 토지
   1) 소재지 : S시 K구 A동 100번지
   2) 용도지역 : 일반상업지역
   3) 토지특성 : 대, 820m², 가장형, 평지, 소로한면

2. 건물 : 철근콘크리트조 슬래브지붕 지하 1층 지상 5층

	면적(m²)	이용상황
지하 1층	287	점포 및 주차장
지상 1층	574	점포
2층	574	전포
3층	574	병원
4층	574	병원
5층	574	학원
계	3,157	

3. 조사기간 : 2025년 8월 24일~2025년 9월 1일

4. 감정평가목적 : 일반거래(매매참고용)

〈자료 2〉 거래사례

1. 거래사례 1
    1) 토지 : S시 K구 C동 150번지, 대, 900m², 일반상업지역, 정방형, 평지, 세로(가)
    2) 건물 : 위 지상 철근콘크리트조 슬래브지붕 상업용 건물(지하 1층, 지상 5층),
        지하층 315m², 지상층 연면적 3,150m²
    3) 거래가격 : 48억원
    4) 거래일자 : 2024년 10월 5일
    5) 기타사항 : 매도자의 급한 사정으로 약 5% 저가로 거래되었음.

2. 거래사례 2
    1) 토지 : S시 K구 C동 250번지, 대, 780m², 일반상업지역, 세장형, 평지, 소로한면
    2) 거래가격 : 23억 5천만원
    3) 거래일자 : 2023년 8월 1일
    4) 기타사항 : 별도의 사정보정 요인이 없는 정상적인 거래임.

3. 거래사례 3
    1) 토지 : S시 K구 D동 240번지, 대, 750m², 일반상업지역, 사다리, 평지, 중로한면
    2) 거래가격 : 16억원
    3) 거래일자 : 2025년 5월 10일
    4) 기타사항 : 별도의 사정보정 요인이 없는 정상적인 거래임.

〈자료 3〉 최근 임대사례

1. 토지
    1) 소재지 : S시 K구 D동 70번지
    2) 용도지역 : 일반상업지역
    3) 토지특성 : 대, 920m², 사다리, 평지, 소로한면

2. 건물
    철근콘크리트조 슬래브지붕 지하 1층 지상 6층, 상업용 건물 연면적 3,400m²

3. 임대수입자료

   1) 보증금 : 3,000,000,000원

   2) 지불임대료 : 660,000,000원(3년분이며 임대개시시점에 일시불로 지불하는 조건임)

4. 영업경비자료

   1) 손해보험료 : 30,000,000원(3년분이며 일시불로 기초에 지불하고, 그 중 40%는 비소멸성이며 보험만료기간은 3년임)

   2) 공조공과 : 20,000,000원/년

   3) 공실손실상당액 : 2,500,000원/월

   4) 유지관리비 : 50,000,000원/년

5. 순수익과 가격의 배수(환원율의 역수) : 9.95배

〈자료4〉 지가변동률 등

1. 지가변동률

	평균	용도지역별(%)			
		주거	상업	공업	녹지
2022년	2.10	1.87	1.76	2.73	1.28
2023년	1.84	2.15	1.71	1.19	0.27
2024년	3.88	4.20	3.30	4.00	3.20
2025년 1/4분기	1.21	1.20	1.36	0.50	0.84
2025년 2/4분기	1.12	1.15	1.22	0.60	0.76

주) 2025년 3/4분기 지가변동률은 미고시 상태임.

2. 생산자물가지수

시점	2024.9	2024.10	2025.6	2025.7
지수	130	132	139	141

3. 건축비지수

시점	2024.9	2024.10	2025.6	2025.7
지수	102	109	111	114

〈자료 5〉 지역요인 비교자료

1. K구 같은 동의 사례는 지역요인이 동일함.

2. K구 A동과 B동은 인근지역으로서 지역요인 동일하나, A동 또는 B동을 기준으로 한 C동과 D동은 동일수급권 내 유사지역으로서 지역요인이 상이하고 그 격차를 알 수 없음.

3. 건물의 경우에는 지역격차를 별도로 고려하지 아니함.

〈자료 6〉 개별요인비교자료

1. 도로접면

	광대한면	중로한면	소로한면	세로(가)
광대한면	1.00	0.93	0.86	0.83
중로한면	1.07	1.00	0.92	0.89
소로한면	1.16	1.09	1.00	0.96
세로(가)	1.20	1.12	1.04	1.00

2. 형상

	정방형	가장형	세장형	사다리형	부정형	자루형
정방형	1.00	1.05	0.99	0.98	0.95	0.90
가장형	0.95	1.00	0.94	0.93	0.90	0.86
세장형	1.01	1.06	1.00	0.99	0.96	0.91
사다리형	1.02	1.08	1.01	1.00	0.97	0.92
부정형	1.05	1.11	1.04	1.03	1.00	0.95
자루형	1.11	1.16	1.10	1.09	1.05	1.00

3. 지세

	평지	완경사	급경사	고지	저지
평점	1.00	0.97	0.92	0.90	0.96

〈자료 7〉 표준건축비 등

1. 표준건축비와 내용년수

	목조	조적조	철골조	철근콘크리트조
지상층 건축비(원/평)	1,800,000	2,000,000	1,700,000	2,500,000
물리적 내용년수	60	60	60	100
경제적 내용년수	45	45	40	50

주) 지하층의 표준건축비(재조달원가)는 지상층의 70% 수준임.

2. 건물의 개별격차 등

	거래사례1 건물	임대사례 건물	대상 건물
사용승인일자	2023.5.10	2022.12.5	2022.10.20
개별요인비교	97	105	100

주) 건물개별요인은 지하층과 지상층을 포함한 것이고, 잔가율은 미반영된 것임.

〈자료 8〉 기타사항

1. 보증금 및 지불임대료 운용이율 : 연 10%

2. 시장이자율 : 연 8%(분기당 2% 별도 적용 가능)

3. 자본수익률 : 8%

4. 저당대부이자율 : 연 6%

5. 보험만기 약정이자율 : 연 4%

6. 윤년으로 인한 1년의 일수 차이는 고려하지 않음

복합부동산 (개별물건기준) 1

종합문제 4 감정평가사 P는 토지와 건물로 구성된 복합부동산에 대한 감정평가 의뢰를 받고 사전조사 및 현장조사를 한 후 〈자료 1〉~〈자료 10〉을 수집하였다. 주어진 자료를 활용하여 순서에 따라 다음 물음에 답하시오. (20점)

> (물음 1) 공시지가를 기준으로 감정평가할 경우 비교표준지의 선정원칙을 설명하고 대상토지의 가격결정에 있어 비교표준지의 선정이유를 설명하시오.
>
> (물음 2) 감정평가가격을 다음 순서에 따라 구하시오.
> 가. 토지가격의 산정
>   (1) 공시지가를 기준한 가격
>   (2) 거래사례비교법에 의한 비준가액
>   (3) 토지가격의 결정 및 그 이유
> 나. 건물가격의 산정
> 다. 대상부동산의 토지와 건물가격

〈자료 1〉 감정평가의뢰내용

1. 공부내용
   가. 토지 : S시 S구 B동 100번지, 대, 2,000m²
   나. 건물 : 철근콘크리트조 슬래브지붕 10층, 점포 및 사무실, 건물연면적 11,200m²
   다. 소유자 : N

2. 구하는 가격의 종류 : 시장가치

3. 감정평가목적 : 일반거래(매매)

4. 기준시점 : 2025.8.25

5. 감정평가의뢰인 : N(소유자)

6. 접수일자 : 2025.8.22.

7. 작성일자 : 2025.8.26.

〈자료 2〉 대상부동산에 대한 자료

1. 본건의 용도지역은 제2종일반주거지역이고 기타 공법상 제한사항은 없음

2. 현장조사결과 토지와 건물 모두 공부와 현황이 일치함

3. 지목, 이용상황, 도로교통, 형상 및 지세 : 대, 상업용, 중로한면, 가장형, 평지

4. 대상물건은 최유효이용상태로 판단됨.

5. 건물은 5년 전 준공되었으며 총공사비가 6,840,000,000원이 투입되었으나, 공사 중에 설계
   변경이 있어 정상적인 공사비보다 다소 과다한 것으로 조사됨

〈자료 3〉 인근의 표준지공시지가 현황

(공시기준일 : 2025.1.1)

일련 번호	소재지	면적 (m²)	지목	이용 상황	용도 지역	도로 교통	형상 지세	공시지가 (원/m²)
1	S구B동101	2,000	대	상업용	일반 상업	중로 한면	정방형 평지	3,500,000
2	S구B동105	2,200	대	상업용	2종 일주	중로 한면	가장형 평지	3,000,000
3	S구B동110	1,800	대	단독 주택	2종 일주	소로 한면	가장형 완경사	2,000,000

※ 공시지가는 인근 시세를 적정히 반영하고 있음.

〈자료 4〉 거래사례

1. 물건 내용
   ① 토지 : S시 S구 B동 113번지, 대, 1,980m²
   ② 건물 : 철근콘크리트조 슬래브지붕 7층, 사무실 / 건축연면적 8,100m²
   ③ 지목, 이용상황, 도로교통, 형상 및 지세 : 대, 상업용, 중로한면, 정방형, 평지

2. 거래가격 : 11,205,000,000원

3. 거래일자 : 2025.4.1

〈자료 5〉 건설사례

수집된 건설사례는 표준적인 자료로 인정됨. 기타사항은 〈자료 9〉을 참고하시오

〈자료 6〉 지가변동률 및 건축비지수

1. 지가변동률(S시 S구)

　가. 용도지역별

(단위 : %)

구 분	주거지역	상업지역	공업지역	녹지지역	관리지역
2025년 1/4분기	2.54	1.24	4.24	3.20	1.20
2025년 2/4분기	3.00	2.36	1.24	2.40	3.26

2. 건축비지수

연월	2020.4	2020.8	2022.4	2025.4	2025.8
건축비지수	100	105	120	125	130

〈자료 7〉 토지에 대한 지역요인 평점

구 분	대상물건	거래사례
평점	100	102

〈자료 8〉 토지특성에 따른 격차율

1. 도로접면

구 분	중로한면	소로한면	세로가
중로한면	1.00	0.83	0.69
소로한면	1.20	1.00	0.83
세로가	1.44	1.20	1.00

2. 형상

구 분	가장형	정방형	부정형
가장형	1.00	0.91	0.83
정방형	1.10	1.00	0.91
부정형	1.21	1.10	1.00

3. 지세

구 분	평지	완경사
평지	1.00	0.77
완경사	1.30	1.00

〈자료 9〉 대상 및 사례건물개요

항목　　　　　건물	대상건물	거래사례	건설사례
준공년월일	2020.8.24	2022.4.25	2025.8.25
건축연면적	11,200m²	8,100m²	9,300m²
부지면적	2,000m²	1,980m²	2,050m²
시공정도	보통	보통	보통
기준시점현재 잔존내용년수 주체부분 부대설비	45 10	48 13	50 15
도시계획사항	2종일주	2종일주	2종일주
건물과 부지와의 관계	최유효이용	최유효이용	최유효이용
기준시점 신축단가의 개별요인	98	100	100

※ 주 1) 주체부분과 부대설비부분의 가액비율은 75 : 25
　　주 2) 감가수정은 정액법에 의함
　　주 3) 건설사례의 재조달원가는 720,000원/m²임

〈자료 10〉 기타사항

1. 2025년 2/4분기 이후의 지가변동률은 2025년 2/4분기 지가변동률을 유추 적용한다.
2. 건물의 내용년수 만료시 잔가율 : 0
3. 건물의 감가는 만년감가를 한다.

복합부동산 (개별물건기준) 2

종합문제 5 감정평가사 홍길동은 의뢰인 벽계수씨로부터 부동산 매입타당성 검토를 의뢰받고 예비조사와 실질조사를 통하여 자료를 수집하였다. 개별물건기준 원칙에 따른 토지 및 건물의 감정평가액을 산정하시오. (25점)

〈자료 1〉 대상부동산의 기본자료

1. 소재지 : A시 B구 C동 100번지

2. 토지 : 지목 : 대, 면적 : 600m²

3. 건물
   - 구조 및 용도 : 철근콘크리트조 슬래브 지붕 7층 점포 및 사무실(상업용), 건축연면적 : 3,200m²
   - 건물은 2020.8.31에 준공되었으며, 총공사비는 2,000,000,000원이 투입되었으나 시공회사와 건축주의 분쟁으로 정상적인 공사비보다 다소 과다한 것으로 조사됨.
   - 건물의 물리적 내용년수는 55년이며 경제적 내용년수는 50년으로 판단됨.

4. 토지이용계획확인서상의 도시계획사항
   - 일반상업지역, 도시계획도로에 접함

5. 가격조사 완료일 : 2025.8.25

6. 기준시점은 의뢰인이 제시한 2025.8.31임.

〈자료 2〉 인근의 표준지공시지가 현황

(공시기준일 : 2025.1.1)

일련 번호	소재지	면적 (m²)	지목	이용 상황	용도 지역	주위환경	도로 교통	형상지세	공시지가 (원/m²)
1	A시B구C동103	500	대	상업용	일반 상업	상가지대	중로 한면	정방형 평지	3,800,000
2	A시B구C동107	550	대	상업용	2종 일주	주택 및 상가지대	중로 한면	가장형 평지	2,900,000
3	A시B구C동109	600	대	단독 주택	2종 일주	주택 및 상가지대	소로 한면	정방형 평지	2,200,000

※ 공시지가는 인근 시세를 적정히 반영하고 있음.

〈자료 3〉 거래사례(㉮)

1. 물건내용

　가. 토지 : A시 B구 D동 98 대 580m², 일반상업지역

　나. 건물 : 철근콘크리트조 슬래브 지붕 2층 점포 및 사무실, 건축연면적 700m²

2. 거래가격 : 2,100,000,000원

3. 거래일자 : 2024.4.1

4. 기타사항

　가. 위 건물은 1985년에 준공된 노후 건물로 최유효이용상태에 미달하여 매입 직후 철거되고 현장조사일 현재 6층 건물을 신축중임.

　나. 계약당시 매수인은 건물의 잔재(폐재)가치를 20,000,000원, 건물의 철거 및 잔재처리비를 50,000,000원으로 예상하고 이를 매입하였음.

　다. 건축업자가 건물신축 후 분양을 위해 신속한 명도조건으로 시장가치보다 5% 높게 매매한 것임.

〈자료 4〉 임대사례(㉯)

1. 물건내용

　가. 토지 : A시 B구 D동 115 대 550m², 일반상업지역

　나. 건물 : 철근콘크리트조 슬래브 지붕 6층 점포 및 사무실, 건축연면적 2,700m²

2. 임대시점 및 기간 : 2025.1.1부터 2년간

3. 임대수지 내역

가. 총 임대수입(연간) : 430,000,000원

나. 필요제경비 : 총 임대수입의 20%임(감가상각비 포함)

4. 기타

본건 사례물건은 100% 임대 중임

〈자료 5〉 건설사례(㉓)

1. 인근지역에서 대상물건과 시공재료·구조 등 제반 물적 사항이 유사한 상업용 건물의 건설 사례를 조사한 결과 기준시점 현재 표준적인 건축비용은 평당 2,500,000원으로 파악되었음.

2. 기타사항은 〈자료 6〉을 참고할 것

〈자료 6〉 대상 및 사례건물 개요

항목 \ 건물	대상건물	임대사례(㉯)	건설사례
준공일자	2020.8.31	2021.6.30	2025.8.31
대지면적	600m²	550m²	520m²
건축연면적	3,200m²	2,700m²	2,200m²
시공정도	보통	보통	보통
기준시점 현재 잔존내용년수	45	47	50
도시계획사항	일반상업지역	일반상업지역	일반상업지역
건물과 부지와의 관계	최유효이용	최유효이용	최유효이용
기준시점 재조달원가 개별요인비교	98	100	100 (2,500,000원/평)

※ 감가수정은 정액법에 의하며 만년 감가함.(잔가율 = 0)

〈자료 7〉 지역요인 비교

비교표준지	대상물건	거래사례(㉮)	임대사례(㉯)
100	100	102	110

〈자료 8〉 개별요인 비교

비교표준지	대상물건	거래사례(㉮)	임대사례(㉯)
100	90	100	100

〈자료 9〉 지가변동률, 임대료지수, 건축비지수

1. 임대료지수

연월일	2023.01.01	2024.01.01	2024.07.01	2025.01.01	2025.08.31
임대료지수	100	110	115	120	127

2. 건축비지수

연월	2022.01	2024.01	2024.07	2025.01	2025.08
건축비지수	100	129	133	137	141

3. 지가변동률〈A시 B구〉

(단위 : %)

구 분	주거지역	상입지역	대		기타
			주거용	상업용	
2024년 1/4분기	5.12	3.12	5.10	5.50	3.12
2024년 2/4분기	2.35	3.26	2.20	3.30	1.56
2024년 3/4분기	9.01	7.91	7.0	10.10	5.95
2024년 4/4분기	6.23	3.28	5.30	7.15	2.01
2025년 1/4분기	2.25	2.50	2.80	3.10	2.10
2025년 2/4분기	2.00	2.20	2.12	2.15	1.60

〈자료 10〉 보증금운용이율 및 환원율

보증금 운용이율	B구 상업지역 상업용 토지의 환원율	상각 후 세공제 전 건물 환원율
5%/년	8%/년	10%/년

복합부동산 (개별물건기준) 3

종합문제 6 감정평가사 K씨는 복합부동산에 대한 감정평가를 의뢰받고 사전조사와 현장조사를 통해 다음과 같은 자료를 수집하였다. 토지와 건물 각각의 가격을 산출하여 복합 부동산의 가격을 구하시오. (25점)

〈자료 1〉 평가대상물건 개요

1. 토지 : S시 K구 A동 100번지, 일반상업지역, 대, 820㎡, 가장형, 평지, 소로한면

2. 건물 : 철근콘크리트조 슬래브지붕 지하 1층 지상 5층, 사용승인 2023년 1월 5일

	면적(㎡)	이용상황
지하 1층	287	점포 및 주차장
지상 1층, 2층	각 574	점포
3층, 4층, 5층	각 574	병원
계	3,157	

3. 조사기간 : 2025년 8월 24일~2025년 9월 1일

〈자료 2〉 표준지공시지가 내역(2025.1.1)

번호	소재지 지번	면적 (㎡)	지목	이용 상황	용도 지역	도로 교통	형상 지세	공시지가 (원/㎡)
1	A동 80	89	대	상업용	일반상업	중로한면	사다리 평지	3,200,000
2	A동 90	800	대	상업용	일반상업	세로(가)	정방형 평지	2,100,000
3	B동 70	120	대	주상용	준주거	세로(가)	정방형 평지	2,100,000
4	B동 75-1	750	대	주상용	준주거	소로한면	가장형 평지	1,800,000
5	B동 90-2	900	대	상업용	일반상업	세로(가)	사다리 평지	2,500,000

※ 2번 표준지는 일부(30%)가 도시계획시설(도로)에 저촉되고 있음.

〈자료 3〉 거래사례

1. 거래사례 1

   1) 토지 : S시 K구 B동 200번지, 대, 750m², 일반상업지역, 사다리, 평지, 소로한면

   2) 건물 : 위 지상 조적조 기와지붕 단층 창고, 면적 180m²

   3) 거래일자 : 2025년 6월 1일

   4) 거래금액, 거래조건 등

   ① 채권최고액을 7억5천만원으로 하는 근저당권이 설정되어 있으며, 매수인이 미상환 대부액 4억원을 인수하는 조건으로 18억3천만원을 현금으로 지급함.

   ② 저당대출조건

   • 대출기간 : 2023.6.1.~ 2033.5.31

   • 원리금 상환방법 : 매년 원리금 균등상환

   5) 기타사항

   거래 당시 지상에 소재하는 창고의 철거에 따른 비용 12,000,000원은 매도인이 철거 용역 회사에 지불하기로 함.

2. 거래사례 2

   1) 토지 : S시 K구 C동 150번지, 대, 900m², 일반상업지역, 정방형, 평지, 세로(가)

   2) 건물 : 위 지상 철근콘크리트조 슬래브지붕 상업용 건물(지하 1층, 지상 5층), 지하층 315m², 지상층 연면적 3,150m²

   3) 거래가격 : 48억원

   4) 거래일자 : 2024년 10월 5일

   5) 기타사항 : 매도자의 급한 사정으로 약 5% 저가로 거래되었음.

〈자료 4〉 조성사례

1. 소재지 등 : S시 K구 B동 50번지, 대, 700m², 일반상업지역, 세장형, 평지, 소로한면

2. 조성 전 토지매입가격 : 2,000,000원/m²(토지매입시 지상에 철거를 요하는 조적조 슬래브지붕 2층 건물 연 240m²가 소재하여 이를 매수자가 철거하는 조건으로 거래하였으며, 매입당시 예상 철거비는 50,000원/m², 예상폐재가치는 5,000,000원이었으나 실제 철거비는 60,000원/m², 실제 폐재가치는 4,000,000원이 발생된 것으로 조사됨)

3. 조성공사비 : 4억5천만원(매분기초에 균등분할지급)

4. 일반관리비 : 조성공사비 상당액의 10%(공사 준공시 일괄 지급)

5. 적정이윤 : 조성공사비 상당액과 일반관리비 합계액의 8%(공사 준공시 일괄 지급)

6. 공사일정 등

    1) 조성 전 토지 매입시점 : 2023년 8월 1일

    2) 공사착공시점 : 2024년 1월 1일

    3) 공사준공시점 : 2025년 1월 1일

    4) 토지매입비는 공사착공시의 조성원가로 함.

〈자료 5〉 지가변동률 등

1. 지가변동률

	평균	용도지역별(%)			
		주거	상업	공업	녹지
2022년	2.10	1.87	1.76	2.73	1.28
2023년	1.84	2.15	1.71	1.19	0.27
2024년	3.88	4.20	3.30	4.00	3.20
2025년 1/4분기	1.21	1.20	1.36	0.50	0.84
2025년 2/4분기	1.12	1.15	1.22	0.60	0.76

주) 2025년 3/4분기 지가변동률은 미고시 상태임.

2. 생산자물가지수

시점	2023.1	2024.1	2025.1	2025.7
지수	130	132	139	141

3. 건축비지수

시점	2023.1	2024.1	2025.1	2025.7
지수	102	109	114	117

〈자료 6〉 지역요인 비교자료

1. K구 같은 동의 사례는 지역요인이 동일함.

2. K구 A동과 B동은 인근지역으로서 지역요인 동일하나, A동 또는 B동을 기준으로 한 C동과 D동은 동일수급권 내 유사지역으로서 지역요인이 상이하고 그 격차를 알 수 없음.

〈자료 7〉 개별요인비교자료

1. 도로접면

	광대한면	중로한면	소로한면	세로(가)
광대한면	1.00	0.93	0.86	0.83
중로한면	1.07	1.00	0.92	0.89
소로한면	1.16	1.09	1.00	0.96
세로(가)	1.20	1.12	1.04	1.00

2. 형상

	정방형	가장형	세장형	사다리형	부정형	자루형
정방형	1.00	1.05	0.99	0.98	0.95	0.90
가장형	0.95	1.00	0.94	0.93	0.90	0.86
세장형	1.01	1.06	1.00	0.99	0.96	0.91
사다리형	1.02	1.08	1.01	1.00	0.97	0.92
부정형	1.05	1.11	1.04	1.03	1.00	0.95
자루형	1.11	1.16	1.10	1.09	1.05	1.00

3. 지세

	평지	완경사	급경사	고지	저지
평점	1.00	0.97	0.92	0.90	0.96

〈자료 8〉 표준건축비 및 기타사항

1. 표준건축비와 내용년수 : 2,500,000원/평, 경제적내용년수 50년, 지하층은 지상층의 70% 수준.

2. 시장이자율 : 연 8%(분기당 2% 별도 적용 가능)

3. 자본수익률 : 8%

4. 저당대부이자율 : 연 6%

5. 표준지공시지가는 인근 시세를 적정히 반영하고 있음.

복합부동산 (개별물건기준) 4

종합문제 7　감정평가사인 당신은 토지와 건물로 구성된 복합부동산의 평가를 의뢰받고 예비조사 및 실지조사를 거쳐 다음의 자료를 수집하였다. 개별물건 기준에 의한 감정평가액을 결정하시오. (25점)

〈자료 1〉 기본적 사항

1. 대상물건

　　(1) 토지 : 서울시 관악구 신림동 255-112번지 대 520m²

　　(2) 건물 : 위 지상 철근콘크리트조 슬래브즙 9층건 사무실건축연면적 - 2,460m²

　　　　　　 (1층 200m², 2~9층 248m², 지하 276m²)

　　(3) 기준가치 : 시장가치

　　(4) 평가목적 : 일반거래

　　(5) 기준시점 : 2025년 8월 31일

〈자료 2〉 대상부동산의 현황

1. 토지 : 일반상업지역에 속하고, 기타 제한사항은 없음.

2. 건물

　　(1) 물리적 감가

　　　① 기준시점 현재 건물의 외벽에 페인트칠이 요구되며, 수선비는 2,100,000원이 소요된다. 동 수선에 따른 효용은 비용보다 적지만, 다른 항목의 가치하락을 비용 이상으로 방지가 가능하다. 건축 당시 페인트칠(주체항목)의 재조달원가는 1,000,000원이다.

　　　② 관리소홀로 대상건물의 경제적 잔존내용년수는 주체시설은 42년, 부대시설은 12년으로 추정된다.

　　(2) 기능적 감가 및 경제적 감가는 없는 것으로 본다.

〈자료 3〉 거래사례

1. 토지 : 서울시 관악구 신림동 255-340번지 대 470m²

2. 건물 : 위 지상 슬레트즙 1층건 연면적 250m²

3. 거래가격 : 517,000,000원

4. 거래일자 : 2024. 6. 20

5. 기타 : 건물의 노후화로 최유효사용에 현저히 미달하여 매수자가 철거를 전제로 구입한 사례로서, 약 10% 정도 고가로 거래되었으며, 철거비는 거래시 인근의 적정한 철거사례를 바탕으로 12,000,000원을 예상하였으나, 15,000,000원이 소요되었음.

〈자료 4〉 공시지가 자료(2025년 1월 1일)

기호	소재지	지목	이용상황	공시지가 (원/m²)
1	관악구 신림동	대	업무용	1,020,000
2	상동	대	단독주택	800,000
3	상동	대	아파트	900,000
4	상동	대	아파트	950,000

※ 공시지가는 인근 시세를 적정히 반영하고 있음.

〈자료 5〉 임대사례

1. 사례의 기본적 사항
   (1) 토지 : 서울시 관악구 봉천동 600번지, 대 520m²
   (2) 건물 : 위 지상 철근콘크리트조 슬래브즙 8층건 점포 및 사무실 1동 건축연면적 2,700m²

2. 임대개시시점 : 2024년 8월 31일

3. 임대수입

(1) 보증금 : 160,000,000원

(2) 지불임대료 : 23,500,000원/월

(3) 주차장수입 : 연지불임대료의 2%

(4) 권리금 : 80,000,000원

4. 필요제경비(손해보험료 및 감가상각비 제외) : 147,500,000원

5. 기타사항

(1) 손해보험료는 매년 5,500,000원을 지불하기로 약정계약을 체결하였으며, 5년 후, 이자율 5% 복리로 계산하여 환급하는 약관이 부가되어 있다.

(2) 임대기간은 5년, 사례부동산은 100% 임대 중이며 최유효사용상태에 있음.

〈자료 6〉 건물관련 자료

구 분	대상	임대사례	건설사례
준공연월일	2020년 7월 10일	2021년 8월 15일	2024년 8월 1일
건축연면적	2,460	2,700	2,550
재조달원가 평점	95	97	100

※ 주체 및 부대시설의 가격구성비는 8 : 2이다.
※ 임대사례 철근콘크리트조의 내용년수는 주체 55년, 부대 20년임.
※ 건설사례의 신축당시 건축비는 636,000,000원임.

〈자료 7〉 시점수정 및 요인비교

1. 지가변동률(%)

2020년	2021년	2022년	2023년	2024년	2025. 1. 1~ 2025. 7. 31
11.11	12.24	10.59	12.01	9.87	6.75

2. 건축비지수

2020.6	2020.7	2024.7	2024.8	2025.1	2024.6	2025.7	2025.8
67	70	112	114	121	128	129	131

3. 요인비교자료

구 분	대상토지	거래사례	임대사례	표준지
지역요인	100	100	99	100
개별요인	97	105	100	97

〈자료 8〉 기타 참고사항

1. 서울시 상업지역의 환원율 : 토지 12%, 건물 18%(상각 전)

2. 일시금의 운용이율 : 연 12%

3. 윤년으로 인한 1년의 일수 차이는 고려하지 않음

오피스 3방식

종합문제 8 감정평가사 甲은 S시에 소재하는 대상 부동산에 대하여 일반거래(시가참고) 목적의 감정평가를 의뢰받았다. 관련법규 및 이론을 참작하고 제시된 자료를 활용하여 다음 각 물음에 답하시오. (25점)

> (물음 1) 토지는 공시지가기준법을 적용하고, 건물은 원가법을 적용하여 대상 부동산의 시산가액을 산정하시오.
>
> (물음 2) 일괄 거래사례비교법에 의한 시산가액을 산정하시오.
>
> (물음 3) 일괄 수익환원법에 의한 시산가액을 산정하시오.
>
> (물음 4) 시산가액 조정을 통하여 감정평가액을 산정하시오.

〈자료 1〉 기본적 사항

1. 기준가치 : 시장가치

2. 기준시점 : 2025년 8월 7일

3. 대상물건의 개황

   1) 토지

소재지 지번	지목	면적 (m²)	용도 지역	이용 상황	도로 접면	형상 지세	주위환경
J구 M동 120	대	1,500	일반상업	업무용	광대 세각	가장형 평지	일반 업무지대

   2) 건물

      ⑴ 건물 개황

소재지 지번	구조	층수	면적 (m²)	용도	급수	비 고
J구 M동 120	철근 콘크리트조	지하 4층 지상 10층	13,800	업무용	3	허가일 : 2019. 07. 15. 사용승인일 : 2020. 07. 15.

〈자료 2〉 공시지가표준지

(공시기준일 : 2025.01.01.)

기호	소재지 지번	지목	면적 (m²)	용도 지역	이용 상황	도로 접면	형상 지세	주위환경	공시지가 (원/m²)
1	J구 M동 60	대	450	3종일주	상업용	중로 한면	세장형 평지	후면 상가지대	22,000,000
2	J구 M동 110	대	1,400	일반상업	업무용	광대 한면	세장형 평지	일반 업무지대	41,000,000
3	J구 M동 210	대	1,050	일반상업	업무용	소로 한면	가장형 평지	후면 상가지대	30,000,000

〈자료 3〉 인근지역 거래사례 등

1. 평가사례 : 인근지역 내 평가사례 등을 고려할 때 공시지가 시세 반영을 위한 그 밖의 요인 보정치는 1.50을 적용하는 것이 타당한 것으로 사료됨.

2. 거래사례

   ⑴ 거래사례 #1

   - 소재지 : J구 M동 109

   - 총 거래가격 : 67,000,000,000원

   - 거래시점 : 2025년 3월 1일

   - 토지 : 일반상업, 주상용, 900m², 광대한면, 세장형, 평지

   - 건물

구 조	급수	연면적 (m²)	허가일 / 사용승인일	부대설비 내역
철근콘크리트조	4	12,500	2021. 02. 23. / 2022. 02. 20.	전기설비, 소방설비, 위생설비, 냉난방설비, 승강기설비

   - 기타사항 : 일반 업무지대에 위치하며, 정상 거래사례임.

(2) 거래사례 #2

- 소재지 : J구 M동 129

- 총 거래가격 : 99,000,000,000원

- 거래시점 : 2025년 2월 1일

- 토지 : 일반상업, 업무용, 1,600m², 광대세각, 세장형, 평지

- 건물

구 조	급수	연면적 (m²)	허가일 / 사용승인일	부대설비 내역
철근콘크리트조	3	5,000	1984. 01. 20. / 1985. 01. 25.	전기설비, 소방설비, 위생설비, 냉난방설비

- 기타사항 : 일반 업무지대에 위치하는 정상적인 거래사례로, 매수자는 대상 부동산을 매입하여 지하4층, 지상10층 규모의 업무시설을 신축할 예정임(철거비는 감안하지 않는 것으로 함)

(3) 거래사례 #3

- 소재지 : J구 M동 139

- 총 거래가격 : 99,600,000,000원

- 거래시점 : 2025년 3월 1일

- 토지 : 일반상업, 업무용, 1,500m², 광대한면, 가장형, 평지

- 건물

구 조	급수	연면적 (m²)	허가일 / 사용승인일	부대설비 내역
철근콘크리트조	3	13,600	2019. 02. 16. / 2020. 02. 19.	전기설비, 소방설비, 위생설비, 냉난방설비, 승강기설비

- 기타사항 : 일반 업무지대에 위치하며, 매도자의 사정으로 인해 급매된 사례임

⑷ 거래사례 #4

    - 소재지 : J구 M동 153

    - 총 거래가격 : 115,000,000,000원

    - 거래시점 : 2024년 10월 1일

    - 토지 : 일반상업, 업무용, 1,600m², 광대한면, 가장형, 평지

    - 건물

구 조	급수	연면적 (m²)	허가일 / 사용승인일	부대설비 내역
철근콘크리트조	3	14,000	2019. 08. 20. / 2020. 09. 20.	전기설비, 소방설비, 위생설비, 냉난방설비, 승강기설비

    - 기타사항 : 일반 업무지대에 위치하는 정상 거래사례임

〈자료 4〉 재조달원가 및 감가수정 관련 자료

1. 표준단가

용 도	구 조	급수	표준단가(원/m²)	내용연수
업무시설	철근콘크리트조 (6층~15층 이하)	1	1,600,000	50
업무시설	철근콘크리트조 (6층~15층 이하)	2	1,500,000	50
업무시설	철근콘크리트조 (6층~15층 이하)	3	1,400,000	50
업무시설	철근콘크리트조 (6층~15층 이하)	4	1,300,000	50
업무시설	철근콘크리트조 (6층~15층 이하)	5	1,200,000	50

    - 지상·지하 구분 없이 적용 가능함

3. 건물 잔가율은 0%임

4. 건물의 감가수정은 정액법(만년감가)를 적용함

〈자료 5〉 시점수정 자료

1. 지가변동률(S시 J구)

구 분	주거지역	상업지역
2022. 06. 01~2025. 06. 30.(누계)	12.825	12.846
2024. 09. 01~2025. 06. 30.(누계)	4.057	4.036
2024. 10. 01~2025. 06. 30.(누계)	3.715	3.694
2024. 11. 01~2025. 06. 30.(누계)	3.376	3.355
2024. 12. 01~2025. 06. 30.(누계)	3.018	2.997
2025. 01. 01~2025. 06. 30.(누계)	2.624	2.645
2025. 02. 01~2025. 06. 30.(누계)	2.265	2.285
2025. 03. 01~2025. 06. 30.(누계)	1.827	1.845
2025. 04. 01~2025. 06. 30.(누계)	1.278	1.293
2025. 05. 01~2025. 06. 30.(누계)	0.795	0.806
2025. 06. 01~2025. 06. 30.	0.414	0.420

- 2025년 7월 이후 지가변동률은 미고시 되었음

2. 오피스빌딩 자본수익률(S시 J구) : 보합세임.

구 분	2024. 3분기	2024. 4분기	2025. 1분기	2025. 2분기
자본수익률(%)	0.42	0.46	0.50	0.54

3. 건축비지수 : 보합세임.

〈자료 6〉 지역요인

대상과 공시지가표준지 및 사례는 인근지역에 소재하여 지역요인은 유사함

〈자료 7〉 토지 및 토지·건물 일괄 개별요인

대상과 공시지가표준지 및 사례의 개별요인은 대체로 유사함

〈자료 8〉 대상부동산 임대 현황

구 분	임대면적 (m²)	월임대료 (원/m²)	보증금 (원/m²)
지상1층	1,000	50,000	500,000
지상2층~지상10층(각)	1,000	40,000	400,000

- 대상부동산의 임대료는 인근지역의 표준적 임대 수준임.

〈자료 9〉 수익환원법 적용 자료

1. 인근지역 시장조사 결과 월임대료는 보증금의 10% 수준으로 조사됨

2. 보증금 운용이율은 연 3%임

3. 인근지역 건물의 전형적인 공실률은 5%임

4. 인근지역의 전형적인 운영경비는 유효총수입의 10%임

5. 인근지역 오피스의 적정한 환원율은 3.8%임.

〈자료 10〉 기타사항

1. 일괄 거래사례비교법 적용시 건물 연면적을 기준으로 함

2. 일괄 수익환원법 적용시 임대면적을 기준으로 함

골프장

종합문제 9 감정평가사 K씨는 A도 XX면에 소재하고 있는 SC컨트리클럽(18홀 규모의 골프장)의 일반거래 시가 참고목적의 감정평가액을 결정하시오. (25점)

〈자료 1〉 대상부동산 및 의뢰내역 등

1. 소재지 : A도 OO시 XX면 A리 산 22번지 외 2필지

2. 소유자 제시 토지 목록

구 분	소재지	지번	용도지역 이용상황	매입 면적(m²)	골프장 등록 면적(m²)
1	XX면 A리	산22	보전관리 임야	1,000,000	947,000
2	XX면 B리	200	계획관리 전	50,000	50,000
3	XX면 B리	300	계획관리 전	3,000	3,000
계				1,053,000	1,000,000

3. 골프장 개요

구 분	내용
골프장명	SC 컨트리클럽(C.C)-회원제 골프장
규모	18홀(72파)

4. 시설규모 현황

(1) 조성공사비

조성사례 골프장면적	1,776,388(m²)
m²당 공사비	20,000

※ 취득세는 조성공사비의 11% 소요됨.

⑵ 건축물(최근 완공)

용도	구조	면적(m²)
클럽하우스	철근콘크리트조 아스팔트슁클지붕	5,000
휴게소		500
관리동		1,000

5. 기준시점 : 2025. 9. 1.

6. 현장조사 사항

대상은 A도 OO시 XX면 A리 및 B리에 걸쳐 소재하고 있으며 동일 XX면 C리에 대상과 유사한 골프장이 소재하며, 골프장 공사가 완료된 상태로 정상영업 중이었음. 아울러, 대상 토지는 1년전 골프장을 개발하기 위하여 임야는 5,000원/m², 전은 12,000원/m²으로 매입 하였고 현 시점에도 적정한 소지가격으로 판단됨.

〈자료 2〉 2025년 공시지가 자료

1. A도 소재 골프장 표준지공시지가

기호	소재지 지번	면적(m²)	이용상황	용도 지역	형상 지세	도로 교통	공시지가 (원/m²)
1	OO시 XX면 A리 산22	947,000 (일단지)	골프장	계획 관리	부정형 완경사	세로 (가)	31,000

2. B도 소재 골프장 표준지공시지가

기호	소재지	면적 (m²)	이용 상황	용도 지역	형상 지세	도로 교통	공시지가 (원/m²)
2	△△시 다동 산22	8,064.0 (일단지)	골프장	계획 관리	부정형 완경사	세로 (가)	35,000

〈자료 3〉 그 밖의 요인 보정자료

본건 인근 골프장의 호가수준 및 공시지가와 평가전례와의 가격격차율 등을 고려하여 그 밖의 요인 보정치를 1.30로 적용 결정

〈자료 4〉 재조달 원가등

1. 한국감정원 발행 건축물 신축단가표를 근거로 본건과 유사한 구조 및 용도의 건물 표준단가에 부대설비를 보정한 대상의 재조달 원가는 다음과 같다.

2. 철근콘크리트조 아스팔트슁글지붕 구조
   클럽하우스의 경우 1,000,000원/m², 휴게소는 클럽하우스의 3/5 수준, 관리동은 클럽하우스의 1/2수준으로 한다.

〈자료 5〉 골프장 거래사례자료

구 분	사례A	사례B
소재지	B도 OO군 B리 산 153번지	A도 OO군 C리 산 121번지
홀수	18홀	9홀(퍼블릭)
면적(m²)	942,066	862,626
코스전장(m)	6,142	6,260
회원수(명)	597	307
개장일	2024.03	2019.10
매매시점	2025.08.01	2025.01.07
매매금액	52,000,000,000	54,964,707,900

〈자료 6〉 시점수정 자료

1. 토지에 대한 지가변동률은 보합세로 본다.

2. 골프장 회원권 시세변동률(%)

2024년 누계	2025.1.1~2025.07.31	2025.08.01~2025.08.31
8	5	2

〈자료 7〉 요인비교자료 등

1. 지역요인

골프장은 같은 광역시·도에 소재하는 경우 지역요인이 동일하나, 다른 광역시·도에 소재하는 경우 차이가 있으며 A도가 B도 대비 9.2% 열세함.

2. 개별요인

(1) 골프장용지(토지)의 개별요인은 표준지공시지가와 대등한 것으로 본다.

(2) 골프장 개별요인

항목	세부항목	대상	사례
골프장이용	골프장이용의 용이도	105	100
	회원권의 가격 이용요금		
	이용형태(회원제, 대중제)		
	회원권의 조건		
	골프장 회원수		
골프장입지	도로 등과의 접근성	97	100
	골프장의 주변환경		
골프장개발특성	골프장의 전체규모	100	100
	골프장의 형상·지도·사도		
	지형정 입지특성, 관리상태		
	개발지와 원형보전지 비중		
골프장질적특성	골프코스 설계의 우수성	98	100
	골프장의 전체적인 관리상태		
골프장시설물특성	클럽하우스·티하우스 등 개량물의 상태	100	100
	기계기구등의 상태		

3. 골프장의 거래가격은 회원권 시세 동향과 일치하는 것으로 본다.

물류창고

종합문제 10 경기도 A시에 소재하는 물류창고의 일반거래 시가참고 목적의 감정평가를 의뢰받았다. 대상부동산의 시장가치를 결정하시오. (25점)

〈자료 1〉 기본적 사항

1) 소재지 : 경기도 A시 ○○면 방초리 221-5외 소재 토지

2) 조사기간 : 2025. 08. 07~2025. 09. 01

3) 평가대상

(1) 토지

순번	지번	지목	면적(m²)
1	221-5	전	27,000
2	227-1	전	21,000
3	233	전	300
소계			48,300

(2) 용도지역 등 : 계획관리지역, 자연보전권역〈수도권정비계획법〉

(3) 신축 건물 내역

위 치	경기도 A시 일죽면 방초리 221-5 외
건축면적	15,000.0m²
연면적	50,000.0m²
지상연면적	50,000.0m²
건물용도	냉장/냉동 창고
건물구조	프리케스트콘트리트(PC)구조

4) 현장조사 사항

　물류창고는 입지적 요인, IC와 접근성 등을 고려할 때 대상 물건의 접근성은 양호한 편으로 접근성의 차이가 있는 경우 그 격차를 알 수 없음.

〈자료 2〉 표준지공시지가(2025.1.1)

기호	소재지	면적 (m²)	지목	이용 상황	용도 지역	도로 교통	형상 및 지세	공시지가 (원/m²)
1	방초리 87-4	1,164	장	공업용	계획 관리	소로 한면	가장형 평지	115,000
2	방초리 122	810	전	전	계획 관리	세로(가)	가장형 평지	50,000
3	방초리 322	590	전	전창고	관리 지역	세로(가)	가장형 평지	80,000

〈자료 3〉 감정평가사례 검토

기호	소재지	평가 목적	기준시점	용도 지역	평가가격 (원/m², a)	개별지가 (원/m², b)	격차율 (a/b)
1	방초리 221-5	담보	2024.04.21	계획관리	124,000	100,000	1.24
2	방초리 221	담보	2024.02.01	계획관리	186,000	130,000	1.43

상기 평가 전례를 검토한 결과 표준지공시지가와 가격격차율 산정치는 1.403로 인근지역 유사 평가사례와 인근지가수준, 경매시장 동향 및 지가동향 등을 종합하여 그 밖의 요인으로 40% 증액 보정함.

〈자료 4〉 토지 요인비교치 등

1) 토지의 지가변동률은 보합세로 적용하기로 함.

2) 토지의 개별요인은 모두 대등함.

〈자료 5〉 표준단가(건물신축단가표 : 2025년도 한국부동산연구원)

용 도	구 조	급수	표준단가 (원/m²)	내용년수
냉동창고	철근콘크리트조 슬래브지붕	1	600,000	45(40~50)
일반창고	철근콘크리트조 슬래브지붕	2	550,000	45(40~50)

〈자료 6〉 물류창고 거래 사례

1) 물류창고 건물 내역

구 분	사례명	접근성	대지면적	연면적	창고 용도
사례 1	A물류센터	양호	22,704m²	16,800m²	상온
사례 2	B물류센터	불량	19,501m²	16,400m²	냉장/냉동
사례 3	C물류센터	양호	32,194m²	10,000m²	냉장/냉동

2) 물류창고 거래사례 내역

구 분	용도지역	지목	거래시점	거래가격(원)
사례 1	계획관리	대	2023.05.25	18,984,000,000
사례 2	계획관리	창	2024.06.01	16,006,400,000
사례 3	계획관리	잡	2024.06.01	7,000,000,000

3) 경기도 물류창고 거래 추세 : 물류창고의 일괄 거래의 경우 매년 5% 상승

4) 개별요인 비교 : 대상은 사례 물류창고대비 7.0% 우세함.

〈자료 7〉 대상부동산 임대료 등

1) 대상의 경우 연면적 m²당 월 10,000원의 임대료를 받고 있으며 적정 수준임.

2) 관리비 : 관리비는 물류센타 운영에 소요되는 제세공과, 수선유지비 등의 비용으로 상기 임대료에 포함하여 징수하고 있음.

3) 공실률 : 대상이 속한 시의 경우 현 상태의 공실률(10%)를 유지함.

4) 영업경비 : 고정경비가 PGI의 20%, 변동경비가 EGI의 20% 임.

5) 대상 환원율 적용시 고려사항 : 최근 물류센터의 연간 Income Rate는 8%, Capital Rate는 5% 수준임.

호텔

종합문제 11 ㈜K자산운용은 호텔 건축 완공과 동시에 호텔의 투자자로부터 자금유치에 성공했다. ㈜A감정평가법인 甲평가사는 ㈜K자산운용으로부터 자산편입 등을 위한 감정평가를 의뢰 받았다. 대상 호텔의 감정평가액을 결정하시오. (25점)

〈자료 1〉 대상물건의 개요

1. 토지 내역 : 서울특별시 G구 ○○동 22번지, 일반상업지역, 1,800m²

2. 건물개요 (사용승인 2025.03.03)

	구 조	철골철근콘크리트조 (철근)콘크리트지붕
	용 도	숙박시설 및 근린생활시설
건물	건축면적	1,051.96m²
	연면적	25,240.46m²
	층 수	지상 25층/지하5층
호텔 등급		특1급 호텔
객실 구 분 (객실수)	Standard	250 개실
	Suite	20 개실
	합계	270 개실

〈자료 2〉 비교표준지 등

1. 표준지 공시지가

기호	소재지	용도 지역	지목	이용 상황	도로 접면	형상 · 지세	공시지가(원/m²) 2025.01.01
A	○○동 10-15	일반 상업	대	상업용	소로 한면	세장형 평지	11,800,000
B	○○동 22	일반 상업	대	상업용	광대 소각	세장형 평지	25,900,000

※ 비교표준지와 평가선례 등을 비교한 결과 인근지역의 공시지가는 적정시세를 충분히 반영하지 못하여 그밖의 요인 보정치 2.1을 적용할 필요성이 있음.

2. 시점수정치는 보합세로 가정함.

3. 재조달 원가

(1) 표준단가

분류번호	용도	구조	급수	표준단가(원/m²)	내용연수
7-2-7-2	호텔	철골철근콘크리트조 슬래브지붕	1	1,800,000	50 (45~55)
7-2-5-1	근린생활 시설	철근콘크리트조 슬래브지붕	1	1,000,000	50 (45~55)

(2) 부대설비 보정단가

호텔의 경우 동종 유사 등급 호텔의 일반적인 부대설비 및 직접비용 등을 감안하여 부대설비 보정단가를 400,000원/m으로 결정함.

〈자료 3〉 거래사례 등

1. 거래사례 내역

건물명	사례① A호텔	사례② B호텔
거래시기	2024.05.31	2024.05.31
거래금액(원)	63,500,000,000	149,550,000,000
연면적(m²)	15,000.0.	25,000.0
용도지역	1종일반주거지역	일반상업지역
거래단가(원/m²)	6,290,477	5,982,000

2. 시점수정

최근 5년간 ADR, 소비자물가지수, 서울지역오피스 임대료변동률을 분석한 결과 최근 1년은 연 3.0%의 증가율을 적용하여 시점수정치를 산정하도록 함.

3. 거래사례 개별요인비교 평점

대상	사례①	사례②
103.5	95.0	100.0

〈자료 4〉 SW호텔 예상 수익 관련 자료

1. PGI(Potential Gross Income) 산정 산식

> 가능조소득(PGI) = 객실매출 + 식음료매출 + 기타매출

2. 객실당 평균단가(ADR)추정 자료
   - 서울 및 G구 지역 평균판매요금

구 분	평균판매요금(원)	
	서울	G구
특1등급	130,000	120,000
특2등급	100,000	70,000

3. 식음료 매출 추정자료

   식음료 매출은 좌석수, 회전율, 연간이용객수, 식음료 단가를 추정하여 산정한 결과 초년도 532,000,000원으로 추정되며, 객실단가 상승률에 연동하여 매출이 증가할 것으로 판단된다.

4. 기타 매출 추정자료

   기타매출 비율을 객실매출의 〈15%〉로 결정하였음.

5. 매출 상승률

   연간 예상 매출의 상승률은 2.0%로 적용하는 것이 타당할 것으로 판단된다.

6. 객실이용률
   - G구 지역 객실이용률(OCC)

구 분	판매가능 객실수	판매 객실수	이용률(%)
특1등급	372,665	297,343	85
특2등급	495,305	366,734	80

7. 영업경비비율(임대료 비율)

   대상 호텔이 창출할 것으로 예상되는 매출액을 기준으로, 임대차 계약 내용을 반영하여 종합적으로 영업경비비율(임대료 비율)을 〈50%〉 수준으로 추정하는 것이 적정하다고 판단됨.

〈자료 5〉 기타

1. 할인율(Discount Rate)

   가중평균자본비용(WACC; Weighted Average Cost of Capital) 인 6.9% 적용

2. 기출환원율(Terminal Cap Rate) : 5.0%

3. 보유기간 및 복귀가격

   보유기간은 5년으로 하고, 재매도비용은 없는 것으로 가정한다. 복귀가격 결정을 위한 PGI 등은 5년차의 PGI 등에 매출 상승률 2%를 적용하여 6년차의 순영업소득(NOI : Net Operating Income)을 기준으로 결정한다.

4. 각 시산가액은 백만원 미만 절사

5. 기준시점은 2025.05.31.으로 함.

Chapter

06

비가치추계 연습

📁 **목표** 타당성분석 및 최유효이용 분석에 대한 이해와 적용

[연관학습] 감정평가 이론의 [가치, 가격제원칙, 최유효이용] 부분과 연계학습

토지 최고최선의 이용 판정

연습문제 1 감정평가사인 당신은 부동산개발회사 ㈜K로부터 토지에 대한 최유효이용(최고최선의 이용) 판정을 의뢰받고 제 자료를 수집하였다. 다음 물음에 답하시오. [20점]

> (물음 1) 최유효이용의 판정기준에 대하여 설명하시오.
>
> (물음 2) 제시된 자료를 바탕으로 대상토지의 최유효이용을 판정하시오.
> (문제풀이상 1층을 상정한 용도에 따른 최유효이용을 판정하시오)

〈자료 1〉 대상부동산에 대한 자료

1. 소재지 : S시 P구 P동 101-1번지

2. 면적 : 30m×50m

3. 이용상황 : 나지

4. 도시계획법상
   ⑴ 용도지역 : 일반상업지역
   ⑵ 용도지구 : 인근에 중요문화재가 있어, 3층으로 고도제한에 걸려 있음.

〈자료 2〉 인근지역 개황

대상부동산의 인근지역은 최근 상업용 건물과 업무용 건물에 대한 개발붐이 일고 있으며, 이는 장래의 수요를 예측하여 합리적으로 개발되는 것으로 판단됨.

〈자료 3〉 대안A(업무용)에 대한 자료

1. 수익 및 비용자료(1층기준)

   ⑴ 보증금 : 월 지불임대료의 12배

   ⑵ 월 지불임대료 : 8,000원/m²

   ⑶ 공실 및 대손충당금 : PGI의 10%

   ⑷ 필요제경비 : PGI의 10%

2. 전용면적 및 건축비용

   각 층의 바닥면적은 동일하며, 전용면적은 바닥면적의 80%로 한다.

〈자료 4〉 대안B(상업용)에 대한 자료

1. 수익 및 비용자료(1층기준)

   ⑴ 보증금 : 월 지불임대료의 12배

   ⑵ 월 지불임대료 : 8,500원/m²

   ⑶ 공실 및 대손충당금 : PGI의 10%

   ⑷ 필요제경비 : PGI의 10%

2. 전용면적

   각 층의 바닥면적은 동일하며, 전용면적은 바닥면적의 95%로 한다.

〈자료 5〉 1층 건축시의 건축비용(연면적 25m×50m)

⑴ 대안A(업무용) : 270,000원/m²

⑵ 대안B(상업용) : 330,000원/m²

〈자료 6〉 환원율 등

⑴ 자본수익율 : 8%

⑵ 건물의 내용년수 : 50년(감가상각은 정액법에 의한다.)

⑶ 보증금의 운용이율 : 12%

토지 최고최선의 이용 및 시장가치

연습문제 2 "토지이용분석(Land use studies)이란, 주어진 토지에 대한 여러 가지 대안적 이용을 분석하고, 어떤 이용이 대상토지의 최고최선의 이용(highest and best use)인지를 판단하는 것"을 말한다. 감정평가사인 당신은 K시 A동에 소재한 다음 토지에 대하여 투자자문을 의뢰받고 아래의 자료를 수집하였다. 다음 물음에 답하시오. (20점)

> (물음 1) 대상토지에 관한 "토지이용분석"을 행하여 최고최선의 이용을 판단하시오.
>
> (물음 2) 최고최선의 이용을 상정한 "대상토지의 시장가치"를 추계하시오.

〈자료 1〉 대상 부동산에 관한 자료

1. 소재지 : K시 A동 200번지

2. 도시계획사항 : 일반상업지역 내 나지

3. 면적 등 개별요인 : 1,000m², 소로한면, 장방형평지

4. 기준시점 : 2025. 9. 1

5. 인근지역의 개황

　대상토지가 속해있는 인근지역은 신도시 중심의 일반상업지역이며 상업용건물과 업무용건물이 혼재하는 지역으로서 개발이 가속화되고 있다.

〈자료 2〉 표준지공시지가 자료

(공시기준일 : 2025. 1. 1)

번호	소재지	면적(m²)	지목	용도지역	이용상황	도로교통	공시지가(원/m²)
1	K시 A동 120	1,200	대	일반상업	업무용	소로각지	1,250,000
2	K시 A동 250	1,100	대	일반상업	상업용	소로한면	1,300,000
3	K시 B동 300	800	대	일반상업	주상복합	소로한면	950,000
4	K시 B동 170	850	대	일반상업	업무용	소로한면	1,000,000
5	K시 B동 220	2,000	대	일반상업	골프연습장	중로한면	990,000
6	K시 C동 100	1,200	대	준주거	주상복합	소로한면	810,000

※ 공시지가는 인근 시세 및 거래시세를 적정하게 반영하고 있음.

〈자료 3〉 거래사례자료

1. 거래사례 - 1

　(1) 토지 : K구 B동 140 대 1,100m²

　(2) 건물 : 위 지상 철근콘크리트조 슬래브즙 건물. 업무용. 지하1층 지상 4층

　(3) 거래시점 : 2025. 7. 5

　(4) 거래가격 : 1,244,000,000원

　(5) 거래조건 : 인근지역 내 정상거래사례로서 거래가격은 계약시 60%를 지급하고 나머지 잔액을 6개월 후 지급한다.

2. 거래사례 - 2

　(1) 토지 : K구 B동 50 대 1,050m²

　(2) 건물 : 위 지상 철근콘크리트조 슬래브즙 건물. 상업용. 지하1층 지상 4층

　(3) 거래시점 : 2025. 2. 1

　(4) 거래가격 : 2,700,000,000원(토지, 건물의 정상적인 거래가격임)

3. 거래사례-3

   (1) 토지 : K구 B동 70 대 2,000m²

   (2) 건물 : 위 지상 철근콘크리트조 슬래브즙 건물. 상업용. 지하1층 지상 5층

   (3) 거래시점 : 2025. 1. 28

   (4) 거래조건 : 당해 거래는 친인척간의 거래로서 3,900,000,000원을 현금지급하고 저당잔금 200,000,000원을 승계하는 조건임. 월 저당상환조건으로서 저당이자율은 11%이며 저당기간은 거래시점으로부터 5년이다.

〈자료 4〉 대상토지의 대안적(Alternative) 개발사업에 관한 자료

1. Case A : 상업용건물의 건축

   (1) 임대료 수입 : 월 7,500원/m²

   (2) 보증금 : 350,000,000원

   (3) 공실손실 및 대손준비금 : PGI의 10%

   (4) 영업경비 : EGI의 10%

   (5) 건축연면적 : 5,200m²

   (6) 전용면적 : 4,800m²

2. Case B : 업무용건물의 건축

   (1) 임대료 수입 : 월 7,800원/m²

   (2) 보증금 : 450,000,000원

   (3) 공실손실 및 대손준비금 : PGI의 5%

   (4) 영업경비 : EGI의 10%

   (5) 건축연면적 : 4,800m²

   (6) 전용면적 : 4,400m²

3. 상정한 대상건물의 용도별 건축비(2025. 9. 1 현재)

   (1) 상업용 건물의 건축비 : 260,000원/m²

   (2) 업무용 건물의 건축비 : 340,000원/m²

〈자료 5〉 건물에 관한 자료

구 분		대상부지의 건축예정건물	거래사례1	거래사례2	거래사례3
준공연월일		–	2021. 2. 1	2023. 7. 1	2022. 5. 8
연면적(m²)		(××××)	5,000	5,200	6,300
전용면적(m²)		(××××)	4,200	4,600	5,800
기준시점 잔존 내용년수	주체부분	50	46	48	47
	부대부분	15	11	13	12
건물과 부지와의 적응성		양호	양호	양호	양호
기준시점 현재 건물개별요인		100	98	102	101

1. 주체 및 부대시설의 공사비 비율은 7 : 3임
2. 감가상각비 산정시 만년감가에 의하며 잔가율은 0임.
3. 대상부지의 건축예정건물의 층별 전용면적의 차이는 없으며 지하 1층, 지상 4층의 건물임.
4. 건축예정건물의 연면적 및 전용면적은 본건 분석결과에 따를 것.
5. 분양사례와 대상 건축예정건물의 개별요인 차이는 없음.

〈자료 6〉 지가변동률 및 요인비교자료 등

1. 지가변동률 : 보합세
2. 건축비지수 : 보합세
3. 지역요인 및 개별요인
   ⑴ 지역요인 : A동은 B동보다 2% 우세하며, B동은 C동보다 5% 열세임
   ⑵ 개별요인

대상	표준지 1	표준지 2	표준지 3	표준지 4	표준지 5	거래사례 1	거래사례 2	거래사례 3
100	96	97	103	105	96	102	101	99

〈자료 7〉 환원율 등

1. 토지환원율 : 10.0%,   건물환원율 : 17.0%
2. 보증금운용이율, 시장이자율 : 12%

개량물의 최고최선 분석

연습문제 3 최근 인근지역의 상업, 업무용 건물 수요가 증가함에 따라 현재 주상용 건물로 이용되고 있는 대상부동산에 대한 용도전환을 행하고자 한다. 2025년 8월 31일을 기준시점으로 하여 대상의 시장가치를 판단하시오. (15점)

〈자료 1〉 대상부동산

1. 대상부동산 현황 공부자료

   (1) 토지대장

   - 소재지 : S시 K구 B동 104번지

지목	면적	사유	변동일자	주소
(08) 대	1,000m^2	–	2022.4.1	–

   (2) 건축물관리대장

용도	근린생활시설 및 주택	연면적	5,200m^2	구조	철근콘크리트
–		사용승인일			2013.07.01

   ※ 각층 바닥면적 동일

   (3) 용도지역 등 : 일반상업지역, 중로2류(접함)

2. 대상 및 주위환경

   (1) 대상은 세장형의 토지로서 대상이 속해 있는 인근지역은 등고 평탄한 지대로서, 최근 임대수요의 상승으로 인한 부동산 개발이 가속화되어 상업·업무용 건물이 밀집하여 형성된 전형적인 상업 업무지대인 것으로 조사되었다.

   (2) 상업용의 경우 리모델링을 통해 용도전환이 가능하나, 업무용의 경우 최근의 인텔리전스 빌딩 수요가 집중되어 철거 후 신축이 필요하다.

   (3) 당해 지역의 표준지는 이행지로서 변화 과정에 있는 지가 수준이 반영되어 있다.

〈자료 2〉 기준시점 현재 대상부동산의 임대내역

1. 임대소득

구 분	총수익	영업경비
전체	2,038,874,000원	1,108,436,000원

2. 임대기간

인근지역의 표준적인 임대기간은 5년이며, 대상의 임대기간은 "2025. 8. 31부터 2030. 8. 31"까지로 한다.

〈자료 3〉 인근 표준지 공시지가(2025년 1월 1일)

기호	소재지	면적 (m²)	지목	용도지역	이용상황	도로 교통	형상 지세	공시지가 (원/m²)
1	A동 250	550	대	일반상업	업무용	중로 한면	사다리 평지	7,800,000

※ 상기는 기존 건물을 철거한 후 신축한 표준지공시지가임
※ 공시지가는 인근 시세 및 거래시세를 적정하게 반영하고 있음.

〈자료 4〉 리모델링(상업용)의 경우 임대내역

1. 용도전환비용

자본적 지출 : 2,500,000,000원   수익적 지출 : 60,000,000원

2. 임대내역

구 분	총수익	영업경비
전체	3,163,516,000 원	1,577,085,000 원

〈자료 5〉 기타 관련자료

1. 종합환원율 : 주상복합 10%, 상업용 11%

2. 보증금 운용이율 : 10%

3. 철거비용 : 50,000원/m²

〈자료 6〉 지가변동률 및 요인비교치

1. 지가변동률(K시 B구, %)

구 분		주거지역	상업지역
2024년 누계		3.15	2.14
2025년	3월 (누계)	0.043 (1.045)	0.121 (1.000)
	6월 (누계)	0.165 (2.130)	0.126 (1.540)
	7월 (누계)	0.100 (2.560)	0.075 (1.980)

2. 개별요인 비교자료

1) 접면도로

비고	중로한면	소로한면	세로(가)
중로한면	1.00	0.93	0.86
소로한면	1.08	1.00	0.93
세로(가)	1.15	1.08	1.00

2) 형상

비고	정방형	가장형	세장형	사다리형	부정형 · 자루형
비교치	1.00	1.04	0.95	0.90	0.81

3) 지세

비고	저지	평지	완경사	급경사	고지
비교치	1.00	1.04	0.95	0.89	0.80

4) 인근지역은 표준적인 토지규모는 450~600m²임.

NPV법 (토지)

연습문제 4 사채업자 甲은 최근 경기부양책의 일환으로 건축제한이 완화된 일반상업지역에서 개발할 부동산을 찾던 중 적절한 대상물건을 발견하였다. 다음에 제시된 자료를 활용하여 대상부동산에 대한 개발계획이 타당한지 여부를 결정하시오. (기준시점 2025. 9. 1) [15점]

〈자료 1〉 개발계획

1. 甲은 상호 인접한 A부동산과 B부동산을 구입한 후, 합필하여 상가건물을 신축하고 임대사업을 구상하고 있다. 이러한 개발계획은 공법상 하자가 없다.

2. 공사기간은 기준시점으로부터 1년간이며, 1년 후 준공과 동시에 임대를 개시하여, 임대개시 5년 후에 처분할 계획이다.

〈자료 2〉 대상부동산의 개황

1. A부동산
   (1) 토지 : 제주시 XX동 200-5번지, 대 $600m^2$
   (2) 건물 : 위지상 철근콘크리트조 슬래브즙 3층건 점포, 건축연면적 $1,000m^2$
   (3) 도시계획 등 : 일반상업지역 내 방화지구로서 중로각지, 장방형평지임.
   (4) A부동산의 가격은 1,121,000,000원이 시장가치임.

2. B부동산
   (1) 토지 : 제주시 XX동 200-6번지, 대 $900m^2$
   (2) 건물 : 위지상 철근콘크리트조 슬래브즙 3층건 점포, 건축연면적 $1,200m^2$
   (3) 도시계획 등 : 일반상업지역 내 방화지구로서 중로한면, 정방형, 평지임.
   (4) B부동산의 가격은 1,700,000,000원이 시장가치임.

〈자료 3〉 건물 신축계획 등

1. 건축구조 및 용도 : 철근콘크리트조 슬래브즙 상가, 지하 3층 · 지상 10층

2. 건축면적 : 800m^2

3. 건축연면적 : 10,400m^2

4. 공사기간 : 1년(기준시점에 착공하여 1년 후 준공하며, 준공즉시 입주가능)

5. 건축공사비(철거비 포함) : 500,000원/m^2(공사비 지불은 착공시 20%, 준공시 80%임)

6. 수급인의 적정이윤 : 건축공사비의 20%(공사준공시 실현되는 것으로 본다)

7. 기타 부대비용 : 건축공사비의 10%(지불은 건축공사비의 지불시기와 동일)

8. 할인율은 월 1% 복리로 하며, 기존 건물 등의 철거비는 건축공사비에 포함된 것으로 본다.

〈자료 4〉 임대수입 관련자료

1. 임대시점은 준공시기(기준시점 1년 후)로부터 임대기간 3년으로, 임대수입에 대한 소득세는 고려하지 않는다.

2. 실질임대료는 1,693,294,000원

3. 제반 필요제경비(감가상각비 제외) : 실질임대료의 30%

4. 임대수요가 충분하여 준공시기의 입주자 모집경비는 없는 것으로 보며, 상기 임대수입은 보유기간 동안 매년 동일한 것으로 판단된다.

〈자료 5〉 할인율 및 기타

1. 자금의 일부는 대출할 예정이다. 전형적인 대부비율은 60%이며, 이자율 10%에 만기는 20년이다. (매년말 이자만 지급하고 원금은 만기에 일시상환함)

2. 자기자본수익률 : 15%

3. 임대시점으로부터 5년간 대상부동산을 보유할 예정이며 5년 후 부동산의 가치는 10% 정도 하락할 것으로 보인다.

4. 임대순수익 산정은 계산의 편의상 DCF분석을 활용하지 않으며, 수익환원은 직접환원법에 의할 것.

NPV법 / IRR법 (토지)

연습문제 5   감정평가사 K는 2025년 8월 1일 대규모의 미개발토지를 매입하여 주거용도의 택지 개발사업을 시행하고자 하는 ○○부동산투자회사로부터 당해 사업의 타당성검토에 대한 투자자문(Consulting)을 의뢰받았다. 예비조사와 실지조사를 거쳐 수집된 아래의 자료를 바탕으로 다음 물음에 답하시오. (20점)

(1) 당해 사업의 분양 및 개발계획 등의 자료를 바탕으로 다음의 "순현재가치(NPV ; Net Present Value)"와 "내부수익률(IRR ; Internal Rate of Return)"을 구하시오.

(단위 : 개월, 천원)

구 분		0	1	2	3	4
I. 현금유입	분양수입				+527,696	+1,055,392
II. 현금유출	소지구입비	−495,000				
	조성공사비		−165,000	−330,000	−330,000	
	일반관리비				−79,154	
	개발이윤				−88,743	
III. 현금흐름	(=I−II)					

(2) 내부수익률과 순현재가치의 투자지표를 활용하여 당해 택지개발사업의 경제적 타당성을 검토하시오.

〈기타〉

1. ○○부동산투자회사의 요구수익률은 월 1%이다.

2. 내부수익률(IRR) 계산시 "보간법"을 사용한다.

투자우위분석 (토지)

연습문제 6 갑은 주거지역 내 토지를 매입하여 빌라트를 건축할 준비를 진행하고 있다. 다음 물음에 대하여 답하시오. (25점)

> (물음 1) 본 토지의 2025년 9월 1일 현재의 가격을 구하시오.
>
> (물음 2) 본 빌라트를 분양할 경우와 임대할 경우를 비교하여 투자우위를 판단하고 의사결정 과정을 기술하시오.

〈자료 1〉 기준일자

기준시점과 의사결정시점은 2025년 9월 1일을 기준으로 한다.

〈자료 2〉 대상토지에 관한 내용

1. 토지면적 : 3,000m²

2. 매입일자 : 2024. 6. 1.

3. 건축부지 : 2,500m²

4. 대상토지 중 일부(500m²)는 도시계획도로에 저촉되어 있음.

〈자료 3〉 비교표준지의 공시자가

2025. 1. 1. 기준 : 610,000원/m²
※ 공시지가는 인근의 적정 시세를 충분히 반영하고 있음.

〈자료 4〉 요인비교

구 분	건축예정지	비교표준지
지역요인	100	102
개별요인	100	106

〈자료 5〉 빌라트 건축계획

1. 대상토지에 철근콘크리트조 경사스라브지붕구조로 지하 1층 지상 9층의 빌라트를 건축함.

2. 건축면적 : 연 6,500m²

3. 건축호수 : 18세대(1세대당 280m²)

4. 건축공사비는 8,000,000,000원임.

5. 공사 스케줄

구분 \ 월	2025				2026							
	9월	10월	11월	12월	1월	2월	3월	4월	5월	6월	7월	8월
준비	←		→									
건축공사					←							→
판매						←						→

〈자료 6〉 빌라트 분양계획

분양가격 및 분양수입 : 분양가격은 세대당 650,000,000원으로 결정하고 판매착수시 20%, 판매착수로부터 3개월이 경과된 때 30%, 준공시 50%의 분양수입이 되는 것으로 함.

〈자료 7〉 빌라트 임대계획

본 빌라트는 준공과 동시에 임대완료되고 상당기간(최소한 1년 이상)동안 공실은 발생하지 않을 것으로 예상되고 있다.

1. 임대료수입
   (1) 월지불임대료 : 세대별 3,000,000원(월말 지불)
   (2) 보증금 : 세대별 250,000,000원

2. 필요제경비 : 129,681,000원

3. 기타
   (1) 임대순수익 산정은 계산의 편의상 DCF분석을 활용하지 않고 수익환원은 직선법을 활용할 것.
   (2) 임대료수입과 비용발생은 연간 단위로 하고, 매출 지불임대료에 대한 이자는 고려하지 아니함.

〈자료 8〉 각종 이자율, 이율 및 수익률

1. 시장이자율 : 연 12%

2. 상각전 환원율 : 토지 5%, 건물 9%, 토지·건물 7%

3. 저당대부이자율 : 연 14.4%

4. 보험만기 약정이자율 : 연 6%

5. 보증금 운용이자율 : 연 8%

6. 기대수익률 : 10%

〈자료 9〉 계산단계별 단수처리

1. 계산은 소수점 이하 넷째자리에서 사사오입한다.

2. 지가변동률은 보합세로 본다.

3. 각 단계의 모든 현금의 계산은 1,000원 이하의 금액은 절사한다.

4. 도시계획시설 저촉에 따른 감가율은 30%로 한다.

5. $1.01^{-2} = 0.980$, $1.01^{-3} = 0.971$, $1.01^{-4} = 0.961$
   $1.01^{-6} = 0.942$, $1.01^{-7} = 0.933$, $1.01^{-12} = 0.887$

지분환원률과 표준편차

연습문제 7 부동산에 투자를 고려하고 있는 투자자가 당신에게 자문을 요청하였다. 투자자가 자문을 의뢰한 부동산은 상업용으로 인근유사지역의 부동산 A, B, C 3건이다. 부동산 A, B, C는 동일한 가격으로 매입할 수 있고 투자자가 투자할 수 있는 현금보유액은 450,000,000원이며 나머지 부족분은 K은행으로부터 대출받아 연간 저당지불액 255,000,000원으로 해결할 계획이라고 한다. 부동산 A를 조사한 결과 첫해의 예상 수익자료를 아래와 같이 얻을 수 있었다. (15점)

조사항목＼시나리오	비관적	일반적	낙관적
잠재적총소득(PGI)	500,000,000원	530,000,000원	560,000,000원
공실률(Vacancy)	8%	6%	5%
영업경비비율(OER)	42%	38%	35%
확률(Probability)	25%	50%	25%

확률을 고려한 부동산 A의 자기지분환원율(Re : Equity Capitalization Rates)과 부동산 A의 시나리오별 Re에 대한 표준편차를 구하시오. (10점)

- 공식 : 표준편차(Standard Deviation)= $\sqrt{분산(Variance)}$ 분산(Variance)

$$=\sum_{i=1}^{n}P_i(X_i-\overline{X})^2 (Pi : Return을 \ 달성할 \ 확률, \ \overline{x} : 분포의 \ 평균, \ n : 관측의 \ 수)$$

레버리지 효과 (개량물)

연습문제 8 재무 레버리지효과란 부동산 투자에서 차입한 금리가 부동산 수익률보다 낮을 때 투자가가 추가적으로 실현할 수 있는 수익률이다. 다음과 같은 투자조건에서 타인자본을 활용함에 따른 투자가의 세전 및 세후 레버리지효과를 검토하시오. (15점)

투자대상 부동산의 내역

1. 부동산 취득가격 : 총 취득가격은 ₩100,000,000원인데, 건물과 토지가격은 각각

   건물 ₩85,000,000원, 토지 ₩15,000,000으로 추정함.

2. 대부내역 : 대부비율 80%, 이자율 10%로

   이자지불저당(interest-only mortgage) 방식임.

3. 현금흐름 가정

   • NOI : 매년 ₩12,000,000으로 균등 발생가정

   • 영업소득세율 : 과세대상소득의 28%

   • 감가상각 : 법정내용연수 31.5년 정액법 가정

4. 예상보유기간 : 5년

5. 보유기간 말 재매도 가격 ₩100,000,000원, 자본이득세율 28% 가정

비가치추계 종합

개량물의 최고최선

종합문제 1 당해 부동산 소유자 A씨는 현재의 시장가치를 파악한 후 현 상태대로 매도할 것인지, 아니면 개발업자들로부터 제시받은 여러 개발방안 중의 하나를 선택하여 개발할 것인지를 판단하기 위해 Q감정평가법인에 감정평가를 의뢰하였다. Q감정평가법인에 소속된 S감정평가사는 A씨의 부동산을 평가하기 위해 아래와 같이 관련 자료를 수집·정리하였다. 제시된 자료를 활용하여 아래의 물음에 답하시오. ^(25점)

> (물음 1) A씨가 개발업자들로부터 제시받은 개발방안 자료 및 공통자료를 활용하여 부동산에 대한 개발방안의 타당성 분석을 최유효이용분석을 통해 개발방안을 제시하고, 개발방안에 따른 부동산가치를 산정하시오.
>
> (물음 2) 부동산의 감정평가자료 및 공통자료를 활용하여 현재 상태의 대상부동산에 대한 가격을 산정하고 (1)에 제시한 개발대안의 가격과 비교하여 대상부동산의 시장가격을 결정하시오.

〈자료 1〉 대상부동산 기본자료

1. 소재지 : K시 B구 A동 100번지

2. 토지 : 대, 500m², 소로한면, 세장형, 평지

3. 건물 : 조적조 슬래브지붕 2층 건물로 면적은 1층 350m², 2층 100m²

4. 사용승인일 : 2015. 8. 12(유효경과년수 10년 경과)

5. 이용상황 : 1층 전자대리점, 2층 주거용

6. 도시관리계획사항 : 일반상업지역

7. 기준시점 : 2025년 8월 1일

〈자료 2〉 A씨가 개발업자들로부터 제시받은 개발방안 자료

(자료 2-1) 개발계획안 1

1. 건물구조 및 층수 : 철근콘크리트조 슬래브지붕, 지하 2층, 지상 6층 건물 1개동

2. 면적 : 지하·지상 각 350m^2

3. 이용상황 : 지상 1층 대형마트, 지상 2층~6층 소형아파트(각층 7개호)

4. 건축계획 : 건축허가 및 건축설계기간 2개월, 공사기간 15개월

5. 공사비지급조건 : 기준시점 현재의 총건축비를 기준으로 착공시 50%, 완공시 50%를 지급함.

6. 건축 후 분양계획 : 대형마트는 보증금 없이 매월 임대료 1천만원에 임대한 후 10년 뒤 9억원에 임차인에게 매각할 예정이고, 소형아파트는 착공과 동시에 분양을 시작하여 순차적으로 완공시까지 분양이 완료되며, 소형아파트 분양가는 2층 기준 1호당 4천5백만원에 분양할 예정이고, 소형아파트 분양가를 기준한 층별효용비는 다음과 같음.

구 분	2층	3층	4층	5층	6층
층별효용비	100	105	105	105	107

(자료 2-2) 개발계획안 2

1. 건물구조 및 층수 : 철골조 슬래브지붕 지하 2층 지상 7층 건물 1개동

2. 면적 : 지하 각300m^2, 지상 1층 180m^2, 지상 2층~7층 각각 320m^2

3. 이용상황 : 지하 1,2층은 주차장, 지상층은 상업용 복합영화관

4. 건축계획 : 건축허가 및 건축설계기간 2개월, 공사기간 12개월

5. 공사비 지급조건 등 : 기준시점 현재의 총건축비를 기준으로 착공시 전액 지급

6. 개발후 부동산 전체 가치 예상액(기준시점 기준) : 2,210,000,000원

(자료 2-3) 개발계획안 3

1. 건물구조 및 층수 : 철골조 슬래브지붕 지하 3층, 지상 9층 건물 1개동

2. 면적 : 지하 각층 350m², 지상 1층 300m², 지상 2층~9층 각각 350m²

3. 이용상황 : 지하 1층~지하 3층은 주차장, 지상 각층은 상업용 쇼핑몰(지상 1층은 대형점포 1개, 2~7층은 각층 소형점포 15개)

4. 건축계획 : 건축허가 및 건축설계기간 3개월, 공사기간 15개월

5. 공사비 지급조건 : 기준시점 현재의 총건축비를 기준으로 착공시 60%, 완공시 40%를 지급함.

6. 건축 후 분양계획 : 착공시부터 완공시까지 순차적으로 분양되며, 1층 대형 점포의 분양가액은 7억5천만원, 소형점포의 분양가액은 층별로 차이가 없이 점포당 1억5천만원임.

(자료 2-4) 기타자료

1. 개발안 중 건물을 임대하는 경우는 건물 완공시에 사용승인 및 임대가 완료 되는 것으로 가정함.

2. 모든 개발계획안에 있어 지하층 중 1개층은 주차장 설치가 필수적임.

3. 개발계획에 있어 건축허가 및 설계기간이 완료되면 즉시 착공하는 것으로 가정함.

4. 건물은 착공과 동시에 철거하되, m²당 60,000원이 소요되고 잔재가치는 없음.

5. 인근지역의 모든 개발안의 자본수익률은 10%임.

〈자료 3〉 대상부동산의 감정평가자료

(자료 3-1) 인근 표준지공시지가 자료(2025년 1월 1일)

기호	소재지	면적 (m²)	지목	용도 지역	이용 상황	도로 교통	형상 지세	공시지가 (원/m²)
1	A동 190	500	대	일반 상업	상업용	중로 한면	세장형 평지	1,400,000
2	A동 250	550	대	중심 상업	상업용	세로 (가)	사다리 평지	1,850,000
3	B동 80	420	대	일반 상업	주상 나지	중로 한면	가장형 평지	1,150,000
4	B동 150	460	대	일반 상업	주상용	세로 (가)	정방형 평지	1,300,000

※ 표준지 기호⑴은 약 20%가 도시계획시설(도로)에 저촉.

※ 공시지가는 인근 시세를 충분히 반영하고 있음.

〈자료 4〉 공통자료

(자료 4-1) 인근지역의 지역개황 등

대상토지가 속해 있는 인근지역은 지질 및 지반상태가 대부분 연암인 것으로 조사되었고, 최근 임대수요의 상승으로 인한 부동산 개발이 가속화되어 5층 내외의 상업·업무용 건물이 밀집하여 형성된 전형적인 상업지대인 것으로 조사되었다. 또한 상업·업무요 건물의 신축으로 기존 건물들의 임대료는 하락하고 있는 상황이며, 인근지역 주민들을 대상으로 표본조사를 실시한 결과 지역의 급속한 상업지로의 이행이 진행됨에 따라 공개공지 및 근린공원 등의 부족으로 주거지로서의 기능은 대체로 상실된 것으로 조사되었다. 또한 최근 당해지역의 표준지공시지가를 평가한 담당감정평가사의 K시 B구 지역분석보고서에서도 이러한 지역상황이 재확인되었음.

(자료 4-2) 건축비 및 경제적 내용년수

구 분	내용년수	기준시점 기준 건축비(원/m²)	
		상업·업무용	주상용
철근콘크리트조	50	750,000	800,000
철골조	40	480,000	540,000
조적조	45	600,000	660,000

※ 건축비자료는 지상·지하층(주차장부분 포함) 구분 없이 적용 가능함.

(자료 4-3) 지반에 따른 건축가능층수

구 분	풍화토	풍화암	연암	경암
지상층	3	5	10	15
지하층	1	1	2	3

(자료 4-4) 지가변동률 및 건축비지수

1. 지가변동률(K시 B구, %)

구 분		주거지역	상업지역
2024년 누계		3.15	2.14
2025년	3월 (누계)	0.043 (1.045)	0.121 (1.000)
	6월 (누계)	0.165 (2.130)	0.126 (1.540)
	7월 (누계)	0.100 (2.560)	0.075 (1.980)

2. 건축비지수

건축비지수는 2023년 상승 이후 2024년 1월 1일부터는 보합세를 유지하고 있음.

(자료 4-5) 개별요인 비교자료

1. 접면도로

비 고	중로한면	소로한면	세로(가)
중로한면	1.00	0.93	0.86
소로한면	1.08	1.00	0.93
세로(가)	1.15	1.08	1.00

2. 형상

비 고	정방형	가장형	세장형	사다리형	부정형·자루형
비교치	1.00	1.03	0.95	0.90	0.81

3. 지 세

비 고	저지	평지	완경사	급경사	고지
비교치	1.00	1.04	0.95	0.89	0.80

4. 인근지역의 표준적인 토지규모는 $450m^2 \sim 600m^2$임.

(자료 4-6) 기타자료

1. 보증금운용비율 및 지불임대료운용비율 : 1%/월

2. 개별요인비교치는 백분율로서 소수점 이하 첫째자리까지, 지가변동률은 소수점 이하 넷째자리까지 표시하되, 반올림할 것.

3. 단위가격결정시 백원단위에서 반올림할 것.

MNPV (증분NPV)

종합문제 2 부동산 개발업자 A씨는 대상토지를 감정평가액으로 매입한 후 오피스텔 빌딩을 건축하여 개발을 하려한다. 본건에 대하여 지하2층, 지상5층에서 지상8층까지의 개발이 가능하다고 볼 때, 경제적 관점에서의 최적 개발규모(층수)를 결정하기 위하여 Q감정평가법인에 감정평가를 의뢰하였다. Q감정평가법인에 소속된 S감정평가사는 A씨의 의뢰내용에 부합되는 적정한 컨설팅을 행하기 위하여 아래와 같이 관련 자료를 수집·정리하여, 최저층인 5층을 기준하여 순현재가치(NPV : Net Present Value)를 285,478,000원으로 산정하였는바, 아래의 물음에 답하시오. (15점)

> (물음 1) 건축가능 범위 내에서의 최저 건축가능층수로부터 층수가 증가하는 경우의 각 층별(6층부터, 8층까지) 한계순현재가치(MNPV : Marginal Net Present Value)를 산정하시오.
>
> (물음 2) 최적 층수를 결정하고, 이러한 최적 층수를 기준한 당해 개발계획안의 순현재가치(NPV : Net Present Value)를 구하시오.

〈자료 1〉 대상부동산 기본자료

1. 소재지 : K시 B구 A동 100번지

2. 토지 : 대, 900m², 소로한면, 정방형, 평지

3. 도시관리계획사항 : 일반상업지역

4. 기준시점 : 2025년 8월 31일

5. 토지매입비 : @1,715,000원/m²

〈자료 2〉 개발계획

1. 건축면적(바닥면적) : 630m²(전층 동일)

2. 층별분양면적 : 504m²

3. 도시관리계획사항 : 일반상업지역

4. 5층만의 분양수입 : 754,874,000원

5. 5층 개발시 NPV : (+) 285,478,000원

〈자료 3〉 층별효용비

층 별	저층시가지
	A형
9	42
8	42
7	42
6	42
5	42
4	45
3	50
2	60
지상1	100
지하1	44
지하2	–

〈자료 4〉 개발비용 자료

(자료 4-1) 기본건축비 평균단가(업무용, 원/m²)

구 조	직접공사비	간접공사비	설계감리비	기타경비	합계
철근콘크리트조 (5층 이하 건물)	534,000	148,000	25,000	63,000	770,000
철근콘크리트조 (6층~7층 건물)	540,000	154,000	29,000	73,000	796,000
철근콘크리트조 (8층 이상 건물)	573,000	169,000	31,000	85,000	858,000

※ 기본건축비 자료는 지상·지하층(주차장부분 포함) 구분 없이 적용 가능함.
※ 층별 건축의 난이도 등으로 기본건축비는 층수가 높을수록 증가하는 경향이 있음.

(자료 4-2) 부대설비 단가(원/m²)

건물용도	전기설비, 위생설비, 냉난방
사무실, 오피스텔	99,800

〈자료 5〉 건축비지수

건축비지수는 2023년 상승 이후 2024년 1월 1일부터는 보합세를 유지하고 있음.

〈자료 6〉 기타자료

1. 건물 완공시에 사용승인 및 분양이 완료되는 것으로 가정함.

2. 개발계획에 있어 건축허가 및 설계기간이 완료되면 즉시 착공하는 것으로 가정함.

3. 기준시점으로부터 건축허가 및 설계용역은 약 4개월의 소요기간이 예상되고, 건축공사 기간은 총 20개월이 예상됨.

4. 오피스텔 분양은 기준시점에서의 분양가격을 기준으로 건축공사 완공 3월 전부터 매월 균등하게 분양함.

5. 개발비용은 기준시점에서의 금액을 기준으로 사용승인과 동시에 지급하기로 함.

6. 개발업자의 자본수익률 및 할인율은 12%임.

7. 대상은 각층에 전기설비, 위생설비, 냉난방시설을 갖추고 있음.

개량물의 타당성

종합문제 3 "갑"은 A빌딩을 매입하고자 한다. 다음 물음에 답하시오. (25점)

> (물음 1) A빌딩의 2025년 8월 26일을 기준시점으로 하는 감정평가액을 개별 물건기준으로 구하시오.
>
> (물음 2) (물음 1)에서 구한 감정평가액으로 "갑"이 A빌딩을 매입하여 5년간 임대한 후 매각하고자 하는 경우의 투자타당성을 검토하시오.

〈자료 1〉 A빌딩의 개요

1. 토지상황
   - 지목 : 대
   - 면적 : 1,000m²
   - 용도지역 : 제2종일반주거지역
   - 접면도로 : 소로한면

2. 건물상황
   - 용도 : 업무시설 및 근린생활시설
   - 구조 : 철근콘크리트조 슬래브지붕 5층
   - 연면적 : 3,000m²
   - 신축일자 : 2019.9.26.

〈자료 2〉 비교표준지의 현황

지목	면적(m²)	이용상황	용도지역	접면도로	공시지가(m²)	공시기준일
대	879	상업용	2종일주	중로한면	1,050,000	2025.1.1

〈자료 3〉 건물에 대한 자료

건물명	구조	연면적 (m²)	개별 요인	신축일자	신축단가 (원/m²)	비고
A	철근콘크리트조 슬래브지붕5층	3,000	104	2019.9.26	–	3%의 기능적 감가요인 있음
B	철근콘크리트조 슬래브지붕4층	3,000	98	2025.2.1	800,000	최근 신축한 건물로서 최유효이용상태임

※ 개별요인은 신축단가 기준임.

〈자료 4〉 토지특성에 따른 격차율

1. 이용상황

구 분	상업업무	주거용	전
상업업무	1.00	0.90	0.66
주거용	1.11	1.00	0.73
전	1.52	1.37	1.00

2. 접면도로

구 분	중로한면	소로한면	세로한면	맹지
중로한면	1.00	0.89	0.77	0.62
소로한면	1.13	1.00	0.87	0.70
세로한면	1.29	1.15	1.00	0.80
맹지	1.62	1.43	1.25	1.00

〈자료 5〉 A빌딩의 현행 임대료 등의 내역

층별	임대면적 (m²)	전유면적 (m²)	보증금 (m²당)	월지불임대료 (m²당)	월관리비 (m²당)	비고
1층	400	250	100,000	10,000	6,000	
2층	600	300	70,000	7,000	6,000	
3층	600	300	50,000	5,000	6,000	
4층	600	300	50,000	5,000	6,000	280m²는 현재 공실
5층	600	300	50,000	5,000	6,000	
합계	2,800	1,450				

〈자료 6〉 인근 빌딩의 임대료수준 및 계약조건 등

- 인근 빌딩의 적정한 보증금과 월지불임대료 수준은 A빌딩의 1.1배 수준이고 최근의 임대료 변동추이는 보합세로 예측됨.

- "갑"은 A빌딩의 현행 임대보증금을 그대로 인수하고, 매입 후 즉시 인근빌딩의 임대료수준으로 재계약할 예정임.

- "갑"은 A빌딩의 매수시 12억원을 저당대출금으로 충당하고 저당대출 원금은 빌딩 매각시 일시에 상환할 예정임.

- A빌딩의 월관리비는 인근 빌딩의 수준과 유사하고, 현행 수준이 향후 5년간 유지될 것을 전제로 함.

- 인근 빌딩의 적정 공실률(대손 포함)은 5%로 조사되고 있으며, 이는 향후에도 지속될 것을 전제로 분석함.

- 제반 영업경비는 월 관리비의 83% 수준임.

- 매입시점으로부터 5년 후 매각함.

- 철근콘크리트조 슬래브지붕 사무실에 적용하는 내용년수는 50년으로 함.

- 보유기간말 매도가액은 3,583,150,000원.

〈자료 7〉 지가변동률

(단위 : %)

구 분	주거지역	상업용	전
2025년 1/4분기	2.74	3.09	2.38
2025년 2/4분기	1.52	1.06	1.44

〈자료 8〉 보증금운용이율 등

• 보증금 운용이율 : 연 10%

• 요구수익률 : 연 10%

• 저당대출이자율 : 연 8%

• 보증금을 월세로 전환할 경우에 적용하는 이율은 통상적으로 연 15%인 것으로 조사되었음.

• 공시지가는 인근 평가사례 및 거래사례를 분석한 결과 적정 시세를 반영하고 있어 별도의 그 밖의 요인 보정을 요하지 않는다.

타당성 분석 (토지, 확률분석)

종합문제 4   감정평가사 K씨는 개발사업자 S씨로부터 ○○타운하우스개발사업에 대하여 투자자문을 의뢰받고 해당 사업과 관련한 제반 자료 및 각종 가격자료를 아래와 같이 조사하였다. 제시된 물음에 대하여 답하시오. (20점)

> (물음 1) 대상 사업부지에 대한 적정매입가격을 산정하시오.
>
> (물음 2) 당해 사업에 대한 순현재가치(NPV)를 산출하여 경제적 타당성을 검토하되, 특별히 당해 투자안의 유의사항을 의뢰인에게 제시하시오.

〈자료 1〉 기준시점 등

현장조사시점은 2025년 2월 12일에서 2025년 2월 15일까지이며, 기준시점은 의뢰인이 제시한 2025년 3월 1일로 함.

〈자료 2〉 대상 사업부지

1. 소재지 : P시 H동 120번지

2. 지목 및 면적 : 대 900m²

3. 용도지역 : 제2종일반주거지역

4. 형상 · 지세 : 정방형 평지

5. 도로교통 : 10m와 7m 도로에 접함.

6. 기타 : 지상에 벽돌조창고건물(건축연면적 450m²)이 소재하며, 부근은 수려한 자연환경, 편리한 교통여건에 힘입어 지난 몇 년간 고급빌라의 신축이 활발한 지역으로서 최근 경기침체 여파로 다소 주춤한 상황임.

〈자료 3〉 인근지역 내 표준지공시지가

• 공시기준일 : 2024. 1. 1

기호	소재지	면적 (m²)	지목	이용 상황	용도 지역	도로 교통	형상 지세	공시지가 (원/m²)
1	P시 H동 120	800	대	상업용	2종 일주	중로 한면	가장형 평지	5,040,000
2	P시 H동 181	750	대	연립 주택	2종 일주	소로 한면	가장형 평지	3,290,000
3	P시 H동 201	800	전	전	2종 일주	소로 한면	세장형 평지	1,880,000
4	P시 H동 257	250	대	단독 주택	2종 일주	소로 한면	세장형 평지	3,160,000

〈자료 4〉 개발사업자 S씨의 건축계획 및 분양계획 등

1. 건축계획

건폐율 60%, 용적률 180%로서 각층에는 분양면적 165m² 2가구와 198m² 1가구로서 3층 타운하우스를 건축하고자 한다.

2. 건축비 등 제비용과 지급방법

(1) 건축비는 @1,660,000원/m²으로서 착수시점부터 1/3씩 3개월 단위로 지급한다(기준시점에서 토지를 매입하여 즉시 공사를 착수하는 것으로 간주).

(2) 광고선전비, 분양수수료 등 제비용은 5.5억원으로서 분양개시시점과 건축완료시점에 1/2씩 지급한다.

(3) 토지대금의 지급은 건축착수시점과 건축완료시점에 1/2씩 지급한다.

(4) 건축공사기간은 총 6개월이 소요된다.

3. 분양가 및 분양계획

(1) 분양가는 기준시점 현재의 적정분양가격 수준으로 하되, 건축경기가 침체되는 경우에는 분양가를 5% 할인하여 분양할 계획이다.

⑵ 이에 따라 경기가 현재와 같은 경우에는 분양개시시점에서 80%가 분양되고, 나머지는 건축완료 6개월 후에 분양될 것으로 예상되며, 경기침체시에는 분양개시 시점에서 60%, 건축완료 6개월 후에 40%가 분양될 것으로 예상된다.

⑶ 분양은 건축공사 착수 3개월 후에 실시한다.

⑷ 건축경기에 대한 일반적인 전망은 현재 상황의 지속될 것으로 보는 입장이 80%, 침체될 것으로 보는 입장이 20%이다.

⑸ 분양가의 기준시점 현재 165m²형은 4,260,000원/m², 198m²형은 4,580,000원/m²으로 한다.

〈자료 5〉 시점수정치

1. 2024.1.1.~2025.3.1. 주거 : 0.96677

2. 2025.1.1.~2025.3.1. 주거 : 1.00000

〈자료 6〉 격차보정자료

1. 도로접면

	중로한면	중로각지	소로한면	소로각지	세로(가)
중로한면	1.00	1.04	0.93	0.97	0.89
중로각지	0.96	1.00	0.89	0.93	0.85
소로한면	1.08	1.12	1.00	1.04	0.96
소로각지	1.03	1.08	0.96	1.00	0.91
세로(가)	1.13	1.18	1.05	1.09	1.00

2. 고저

	평지	완경사	급경사	고지
평지	1.00	0.78	0.63	0.62
완경사	1.29	1.00	0.81	0.80
급경사	1.59	1.23	1.00	0.99
고지	1.61	1.25	1.01	1.00

3. 형상

	정방형	가장형	세장형	사다리형	부정형
정방형	1.00	1.02	0.99	0.99	0.96
가장형	0.98	1.00	0.97	0.97	0.94
세장형	1.01	1.03	1.00	1.00	0.97
사다리형	1.01	1.03	1.00	1.00	0.97
부정형	1.04	1.06	1.03	1.03	1.00

〈자료 7〉 추가 고려사항

1. S씨는 사업계획과 관련하여 기대요구수익률을 연 12%(월 1%)로 제시하고 있으며 상류층을 타겟으로 전반적인 계획을 세운관계로 일반타운하우스에 비하여 상대적으로 고가의 자재를 사용하게 되어 건축비가 다소 높게 책정되었으므로 경제성 검토시 이를 감안하기로 한다.

2. 대상 사업부지의 소유자는 지상의 창고건물을 매도 즉시 직접 철거(소요비용 : @60,000원/m²) 하기로 하고 매도가격으로 35억원을 제시하고 있다.

3. 해당 지역 내 표준지 공시지가는 전반적으로 시세를 적정하게 반영하고 있는 것으로 조사되었다.

〈자료 8〉 기 타

1. 현재의 시장 내 적정이자율 : 연 6%(매월당 0.5% 별도 적용 가능)

2. 모든 단가는 유효숫자 셋째자리까지 사정함.

3. 비교표준지 선정시 그 논리적 근거를 명기할 것.

4. 공시지가는 인근 평가사례 및 거래사례를 분석한 결과 적정 시세를 반영하고 있어 별도의 그 밖의 요인 보정을 요하지 않는다.

NPV법 / IRR법

종합문제 5 다음에 예시된 A, B 부동산의 현금흐름은 다음과 같이 예상된다. 각 부동산에 대한 투자는 2억원이 된다. 투자자의 투자자금이 2억원으로 한정될 때 다음의 물음에 답하시오. 단, 투자자의 요구수익률은 10%이다. (15점)

연	현금흐름(천원)	
	A부동산	B부동산
1	45,000	8,000
2	45,000	14,000
3	45,000	28,000
4	30,000	28,000
5	20,000	28,000
6	9,000	28,000
7	5,000	32,000
8	3,000	32,000
9	2,000	34,000
10(복귀가치)	200,000	270,000

(물음 1) NPV법에 의한 의사를 결정하시오.

(물음 2) IRR법에 의한 의사를 결정하시오. (12%~14%의 범위에서 보간법을 적용하시오)

대안의 선택

종합문제 6

최근 주식시장의 주가가 불안정하여, 투자자인 오○○씨는 부동산에 직접투자를 실행하고자 한다. 이에 오○○씨는 유능한 감정평가사인 당신에게 가용자금을 활용하기 위한 투자컨설팅을 의뢰하였다. 제시된 자료에 근거하여 투자의사결정에 관한 컨설팅을 행하시오. (25점)

> (물음 1) 주어진 투자대안이 상호배타적인 투자안인지 상호독립적인 투자안인지 검토하시오.
>
> (물음 2) 오○○씨의 투자의사결정에 대하여 NPV 및 IRR을 활용하고, 투자성 판단에 기초하여 가장 유리한 Portfolio를 구성하여 당해 Portfolio에 대한 기대수익률을 산정하시오

〈자료 1〉 투자대안의 공부현황 및 내용

1. 대안 A
   - 소재지 및 지번 : 서울특별시 서대문구 신촌동 120번지
   - 투자 내용
     오○○씨는 지분일부참여형태(1/4지분)로 대안에 투자하고자 함.
   - 부동산 가격 : 100억원

2. 대안 B
   - 부동산 가격 : 37억5천만원

3. 공통사항(투자내용)
   1) 오○○씨의 지분투자 가용자금은 30억원이다.
   2) 오○○씨는 ㈜H은행으로부터 L/V 60%, 연이자율 8%, 저당기간10년의 저당대부를 이용할 계획이며, 이는 부동산 유형에 관계없이 인근지역에서 전형적인 금융조건임(원리금 균등 상환).

〈자료 2〉 투자대안 등의 예상수익자료

1. 대안 A

1) 부동산 현황

	세대당 전유면적	세대수
1,2층	12평	각층 50실
3,4층	10평	각층 90실

2) 임대자료

층	월지불임대료	보증금
1층 ~ 4층	32,000원/평	월지불임대료의 5개월분

3) 기타사항

- 본건부동산은 오○○씨가 매입하는 즉시 인근지역 원룸의 전형적인 임대료 수준으로 임대가능할 것으로 판단됨.
- 인근지역은 원룸에 대한 수요가 많아 월임대료는 매년 2%씩 상승될 것으로 예상되며, 필요제경비 등은 실질임대료의 10%임.
- 인근지역의 전형적인 투자기간은 5년이며, 5년 후 본건부동산은 가격이 22% 상승 예상함.

2. 대안 B

1) 부동산 현황

B1층, 1층 각 200평(임대면적)

2) 임대자료

층	월임대료	보증금	권리금
지하1	63,000원/평	월임대료의 6개월분	월임대료의 6개월분
1	130,000원/평		

※ 권리금은 3년 단위로 지급이 이루어짐.

2) 기타사항

- 오OO씨는 지하1층 및 1층을 일괄하여 ㈜제일마트에 임대차할 계획이며, ㈜제일마트는 정박임차자이나 정상적인 임대료 수준으로 계약 가능함.

- 상가의 임대료는 매년 2% 상승할 것으로 예상되며, 필요제경비 등은 실질임대료의 10%임.

- 인근지역의 전형적인 투자기간은 5년이며, 5년 후 B부동산은 지하층과 1층을 일괄하여 35억원에 매도가능할 것으로 예상됨.

3. 각종 투자대안의 이자율 등

구 분	이자율 및 수익률
3년 만기 국공채 이자율	연 7%
K-FUND의 수익률	연 15%(세전)
전형적인 투자자의 요구수익률	연 10%
시장이자율(보증금운용이율)	연 10%

※ K-FUND의 수익률은 주식, 채권, 부동산에 대한 포트폴리오로 구성된 펀드로서 수익률은 투자자의 일반적인 요구수익률을 반영한 것이다.

〈자료 3〉 기타자료

1. 투자안에 대한 분석은 BTCF기준으로 할 것.

2. 5년 후 부동산 매도시 관련비용은 거래가액의 5%임.

3. 영업소득세 등은 고려하지 않음.

4. 기준시점은 2025년 8월 31일임.

Chapter

08

물건별 평가

📁 **목표**　물건별 감정평가 방법의 주된 방법과 다른 방법에 의한 감정평가 방법의 적용 및 연습

[연관학습] 각 문제의 대상물건별로 감정평가 실무기준 [600] 및 감칙 제14조 이하를 함께
학습하며 물건별 주된 방법과 다른 방법을 구분

지상권이 설정된 토지

연습문제 1 감정평가사 甲은 토지소유자 乙로부터 그가 소유한 토지에 대한 평가를 의뢰 받고 예비조사 및 실지조사를 행하였다. 이 자료를 활용하여 대상 토지의 가격을 평가하시오. (10점)

〈자료 1〉 평가의뢰서 요약

1. 대상물건
   (1) 토지
   - A시 B구 C동 107-36 대 250m²(제1종일반주거지역)
   - 단독주택부지로 이용 중임.
   - 세로 장방형 평지로 세로 한면에 접함.
   (2) 건물
   - 위지상 연와조 스라브지붕 2층, 주택 1층 120m², 2층 100m², 지하층 50m²

2. 평가목적 : 일반거래(시가참조용)

3. 평가조건 : 현황을 감안한 토지가격산정

4. 기준시점 : 2025년 8월 31일

5. 평가의뢰인 : 乙

〈자료 2〉 대상토지 관련 공부의 내용 및 확인사항

1. 토지대장

소재지	지 번	지 목	면 적	소유자	기타사항
A시 B구 C동	107-36	대	250m²	乙	2006년 1월 23일 취득

2. 건축물 관리대장

소재지	지번	용도	구 조	면 적	소유자	이동사항
A시 B구 C동	107-36	주택	연와조스래브 지붕 2층건	1층 : 120m² 2층 : 100m² 지하층 : 50m²	乙	2006년 2월 22일 신축
					丁	소유자 변경

3. 건물등기사항전부증명서

갑 구(소유권)	
순위번호	사항란
1번	보 존 접 수 2006년 2월 22일 제 54339호	소유자 乙 서울특별시 강동구 상일동 21
2번	소유권 이전 접 수 2019년 8월 20일 제48445호 원 인 2019년 8월 20일 경매	소유자 丁 서울특별시 강남구 역삼동 730

〈자료 3〉 인근지역 내 표준지공시지가(2025년 1월 1일기준)

일련 번호	소재지	면적 (m²)	지목	이용 상황	용도 지역	도로 교통	형상 지세	공시지가 (원/m²)
1	A시 B구 D동	260	대	단독 주택	1종 일주	세로 한면	정방형 평지	980,000

※ 표준지 공시지가는 인근의 적정시세를 충분히 반영하고 있음.

〈자료 4〉 대상토지의 지료

1. 당사자 간의 합의에 의해 지상권 설정 당시(소유권이전당시) 월 2,500,000원을 지급하기로 약정하였으며, 지상권의 존속기간을 30년으로 정함.

2. 대상의 정상 실질임대료는 연간 37,447,000원임.

〈자료 5〉 지역요인 및 개별요인비교치

1. 지역요인 : C동은 D동보다 10%우세함.

2. 개별요인

도로	소로	세로	형상	정방형	장방형	지세	평지	완경사
소로	1	0.9	정방형	1	0.95	평지	1	0.97
세로	1.1	1	장방형	1.05	1	완경사	1.03	1

※ 장방형은 가장형, 세장형 모두를 포함.

〈자료 6〉 지가변동률 및 각종 이율 등

1. 지가변동률(A시 B구, 주거지역)
   - 2025년 7월 지가변동률 : 0.359%
   - 2025년 1월부터 7월까지의 지가변동률 누계치 : 3.214%

2. 할인율 : 연 12%

지하사용료평가 (구분지상권)

연습문제 2　감정평가사 K씨는 S시장으로부터 지하부분 사용에 따른 감정평가를 의뢰받고 사전조사 및 실지조사를 한 후 다음과 같이 자료를 정리하였다. 주어진 자료를 활용하여 다음 물음에 답하시오. (15점)

> (물음 1) 대상토지의 지하사용료(구분지상권) 평가를 위한 토지의 기초가액을 공시지가에 의한 가격을 구하여 결정하시오.
>
> (물음 2) 입체이용저해율을 산정하시오.
>
> (물음 3) 지하부분의 영구사용에 따른 구분지상권 가액을 산정하시오.

〈자료 1〉 감정평가 대상물건

① 소재지 : S시 K구 D동 257번지

② 토지특성 : 대, 500m^2 , 나지, 소로한면

③ 도시계획사항 : 일반상업지역, 도시철도에 저촉함

④ 기준시점 : 2025.8.1

〈자료 2〉 감정평가 대상토지에 대한 관련자료

① 대상토지의 주위환경은 노선상가지대임

② 감정평가 대상토지는 지하 18m에 지하철이 통과하고 있어 하중제한으로 지하 2층, 지상 8층 건물의 건축만 가능하며 저해층수는 지상 9~15층으로 7개층임.

③ 대상지역의 지역분류는 11~15층 건물이 최유효이용으로 판단되는 중층시가지지역임

④ 대상토지의 지반구조는 풍화토(PD-2) 패턴임

⑤ 대상토지의 토피는 18m이며, 한계심도는 35m임.

⑦ 대상지역에 소재하는 건물은 상층부 일정층까지 임대료수준에 차이를 보이고 있음

〈자료 3〉 인근의 표준지공시지가 현황

(공시기준일 : 2025.1.1)

일련 번호	소재지	면적 (m²)	지목	이용 상황	용도 지역	주위 환경	도로 교통	형상 지세	공시지가 (원/m²)
1	K구 D동 150	450	전	단독 주택	2종 일주	주택 지대	중로 한면	가장형 평지	1,850,000
2	K구 D동 229	490	대	상업 나지	일반 상업	노선 상가	소로 한면	부정형 평지	2,540,000
3	K구 D동 333	510	대	업무용	일반 상업	미성숙 상가	광대 세각	부정형 평지	2,400,000

〈자료 4〉 지가변동률(2025년 분기별)

① 용도지역별

행정구역	평균	주거지역	상업지역	공업지역	녹지지역	비고
K구	0.74	0.54	1.27	-	0.54	1/4분기
	0.93	0.62	1.75	-	0.61	2/4분기

② 이용상황별

행정구역	전	답	대		기타	비고
			주거용	상업용		
K구	0.59	-	0.52	0.94	0.43	1/4분기
	0.73	-	0.43	1.31	0.58	2/4분기

〈자료 5〉 지역요인 및 개별요인의 비교

① 지역요인의 비교

　　동일 수급권 내의 유사지역으로 동일한 것으로 판단됨

② 개별요인의 비교

구 분	대상지	표준지1	표준지2	표준지3
평점	100	110	100	122

〈자료 6〉 입체이용률배분표

해당지역 이용률구분		고층시가지 800% 이상	중층시가지 550~750%	저층시가지 200~500%	주택지 100% 내외	농지·임지 100% 이하
건물의 이용률(α)		0.8	0.75	0.75	0.7	0.8
지하부분의 이용률(β)		0.15	0.10	0.10	0.15	0.10
그 밖의 이용률(γ)		0.05	0.15	0.15	0.15	0.10
(γ)의 상하 배분비율		1 : 1 -2 : 1	1 : 1 -3 : 1	1 : 1 -3 : 1	1 : 1 -3 : 1	1 : 1 -4 : 1

※ 터널 토피 20m 이하의 경우에는 (γ)의 상하배분율은 최고치를 적용한다.

〈자료 7〉 층별 효용비율표

층별	고층 및 중층시가지		저층시가지				주택지
	A형	B형	A형	B형	A형	B형	
20	35	43					
19	35	43					
18	35	43					
17	35	43					
16	35	43					
15	35	43					
14	35	43					
13	35	43					
12	35	43					
11	35	43					
10	35	43					
9	35	43	42	51			
8	35	43	42	51			
7	35	43	42	51			
6	35	43	42	51			
5	35	43	42	51	36	100	
4	40	43	45	51	38	100	
3	46	43	50	51	42	100	
2	58	43	60	51	54	100	100
지상1	100	100	100	100	100	100	100
지하1	44	43	44	44	46	48	–
2	35	35	–	–	–	–	–

※ 이 지수는 건물가격의 입체분포와 토지가격의 입체분포가 같은 것을 전제함.

※ A형은 상층부 일정층까지 임대료수준에 차이를 보이는 유형임.

〈자료 8〉심도별 지하이용저해율표

한계심도(M)	40m		35m		30m			20m	
감율(%)	P	$\beta \times P$	P	$\beta \times P$	P	$\beta \times P$		P	$\beta \times P$
토피심도(m)		$0.15 \times P$		$0.10 \times P$		$0.10 \times P$	$0.15 \times P$		$0.10 \times P$
0~5 미만	1.000	0.150	1.000	0.100	1.000	1.000	0.150	1.000	0.100
5~10 미만	0.875	0.131	0.857	0.086	0.833	0.833	0.125	0.750	0.075
10~15 미만	0.750	0.113	0.714	0.071	0.667	0.667	0.100	0.500	0.050
15~20 미만	0.625	0.094	0.571	0.057	0.500	0.500	0.075	0.250	0.025
20~25 미만	0.500	0.075	0.429	0.043	0.333	0.333	0.050		
25~30 미만	0.375	0.056	0.286	0.029	0.167	0.017	0.025		
30~35 미만	0.250	0.038	0.143	0.014					
35~40 미만	0.125	0.019							

주 : 1. 지가형성에 잠재적 영향을 미치는 토지이용의 한계심도는 토지이용의 상황, 지질, 지표면 하중의 영향 등을 고려하여 40m, 35m, 30m, 20m로 구분한다.

2. 토피심도의 구분은 5m로 하고, 심도별 지하이용효율은 일정한 것으로 본다.

〈자료 9〉기타사항

① 지가변농률은 백분율로서 소수점이하 셋째자리에서 반올림하고, 2/4분기 이후 지가변동률은 전분기변동률을 추정 적용하되 일할 계산함

② 표준지 공시지가는 인근 시세를 적절하게 반영하여 그 밖의 요인 보정치는 "1.00"을 적용함.

③ 입체이용저해율은 소수점 넷째자리에서 반올림함

환지예정지

연습문제 3 감정평가사인 당신은 환지예정지지정 된 K씨 소유의 토지를 평가하고 있다. 다음의 자료를 바탕으로 K씨 소유의 토지 전체의 시장가치를 2025년 8월 31일을 기준시점으로 하여 평가하시오. (10점)

〈자료 1〉 토지등기사항전부증명서의 내용

소재지번	지목	면적(m²)	소유자
S시 A동 244-43번지	답	800	K씨

〈자료 2〉 환지예정지 지정증명원

종전의 토지			환지예정지				
소재지번	지목	면적(m²)	구획번호	권리면적	환지면적	징수	교부
S시 A동 244-43번지	답	800	1	400m²	420m²	20m²	

〈자료 3〉 대상토지에 관한 사항

1. 도시계획사항 : 제2종일반주거지역

2. 본 도시개발사업은 주택부지를 조성함을 목적으로 한다.

3. 분담금은 아직 청산되지 않고 있다.

〈자료 4〉 인근의 표준지공시지가 자료

(공시기준일 : 2025. 1. 1)

기호	소재지	면적(m²)	지목	이용상황	용도지역	공시지가
1	S시 A동 110번지	1,300	답	답	2종일주	180,000
2	S시 A동 141번지	250	대	단독주택	2종일주	280,000

※ 표준지 공시지가는 인근 시세를 적절하게 반영하여 그 밖의 요인 보정치는 "1.00"을 적용함.

〈자료 5〉 지가변동률(S시)

1. S시 주거지역의 2025년 7월 지가변동률은 3.248%이며, 1월~7월까지 누계치는 16.242%임.

2. S시의 '답'의 2025년 7월 지가변동률은 2.149%이며, 1월부터 7월까지 누계치는 10.352%임.

〈자료 6〉 지역요인 및 개별요인

1. 지역요인 : 대상토지와 비교표준지의 지역요인의 차이는 없음

2. 개별요인

대상토지(종전)	환지예정지	표준지1	표준지2
99	100	102	105

문화재보호구역 내 토지

연습문제 4 문화재보호구역 경계로부터 18m 지점에 소재하는 토지의 평가를 의뢰받았다. 다음 자료를 이용하여 건물의 층고제한으로 인한 감가요인을 감안하여 지상건물이 소재하는 상태하의 2025년 8월 31일 토지가격을 산정하시오. (15점)

〈자료 1〉 대상부동산의 현황

1. 토지 : S시 A동 110번지 대 200m² 단독주택부지
2. 도시계획사항 : 제2종일반주거지역
3. 인근상황등 : 노선상가지대에 소재하며 장방형 평지이며 중로한면에 접함.
4. 평가관련자료 대상 인근에 높이 3m의 문화재가 소재하고 있어 건물의 층고제한이 가해지고 있다. 건물의 층고제한 내용은 다음과 같다.

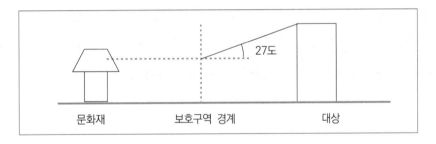

5. 대상 토지에 층고제한이 없을 경우 지상 6층, 지하 1층의 상업용 건물의 신축이 가능한 것으로 판단되고, 문화재에 따른 건축 가능층수는 지상 3층임.

〈자료 2〉 공시지가(2025. 1. 1)

기호	소재지	지목	면적 (m²)	이용 상황	용도지역	도로교통	공시지가 (원/m²)
1	A동 70	대	220	아파트	3종일주	중로한면	2,000,000
2	A동 95	대	200	상업용	2종일주 / 준주거	중로한면	1,500,000

※ 공시지가 기호 2는 토지면적의 1/3이 준주거지역에 해당한다. 단 당해지역은 준주거지역의 지가가 제2종일반주거지역의 지가보다 1.2배 정도 높음.

※ 상기의 표준지는 문화재 보호구역 경계에서 밖의 지역에 소재하여 층고제한을 받지 않음.

〈자료 3〉 요인비교자료

1. 대상부동산과 거래사례 및 공시지가와의 지역요인은 동일한 것으로 판단됨.

2. 개별요인(도로교통, 면적요인은 제외)

대상	표준지 1	표준지 2
100	98	98

3. 도로교통(각지는 한면에 비해 5%의 증가요인이 있음)

광대로 한면(120) > 중로한면(110) > 소로한면(100) > 세로한면(90)

〈자료 4〉 건물등 이용배분표

	고층시가지	중층시가지	저층시가지	주택지	농지.임야
건물의 이용률	0.8	0.75	0.75	0.7	0.8
지하구분의 이용률	0.15	0.1	0.1	0.15	0.1
그 밖의 이용률	0.05	0.15	0.15	0.15	0.1
상하배분	1 : 1~2 : 1	1 : 1~3 : 1	1 : 1~3 : 1	1 : 1~3 : 1	1 : 1~4 : 1

※ 이용저해 심도가 높은 토피 20m 이하인바, 상하배분 비율최고치를 적용한다.

〈자료 5〉 표준적 층별효용비

	지하2층	지하1층	지상1층	지상2층	지상3층	지상4층	지상5층이상
효용비	35	44	100	58	46	40	35

〈자료 6〉 기타사항

1. 지가변동률은 2025년 1월부터 8월까지 누계 : 1.871%

2. 표준지공시지가는 인근시세를 충분히 반영하고 있음.

도입기계

연습문제 5 감정평가사 K씨는 ㈜ABC로부터 도입기계에 대한 평가의뢰를 받고 다음과 같은 자료를 수집하였다. 도입기계의 평가액을 구하시오. (10점)

〈자료 1〉 감정 개요

1. 평가대상 : Lathe 1대

2. 기준시점 : 2025.8.27

3. 평가목적 : 공장저당법에 의한 담보평가

〈자료 2〉 평가기준

1. CIF, 원산지화폐 기준

2. 국내시장가격은 고려하지 않음

3. 대상기계의 내용년수는 15년, 내용년수만료시 잔가율은 10%

〈자료 3〉 외화환산율

적용시점	통화	해당통화당 한국(원)
2023년 8월	JPY	1,059.05(100엔당)
2025년 8월	JPY	832.28(100엔당)

〈자료 4〉 기계가격보정지수

구 분	국명	2025년	2023년
일반기계	미국	1.0000	1.0606
	영국	1.0000	1.0358
	일본	1.0000	0.9979

〈자료 5〉 수입신고서

수 입 신 고 서

(갑지)

(USD) 1,177.5200 (보관용)

① 신고번호 11797-06-3000149	② 신고일 2023/08/01	③ 세관.과 020-11	⑥ 입항일 2023/07/26	※ 처리기간 : 3일
④ B/L(AWB)번호 EURFLH06803INC	⑤ 화물관리번호 06KMTCHN094-0021-008		⑦ 반입일 2023/07/28	⑧ 징수형태 11

⑨ 신 고 자 지평관세사무소(민경대) ⑩ 수 입 자 ㈜ ABC{ A}.	⑭ 통관계획 D 보세구역장치후	⑱ 원산지증명서 유무 X	⑳ 총중량 95,487.0 KG
⑪ 납세의무자 (에이비씨-1-01-1-01-1 /220-04-75312) (주소) 서울 중구 충무로 1가 123 (상호) ㈜ ABC (성명) 홍길동	⑮ 신고구분 A 일반P/L신고	⑲ 가격신고서유무 Y	㉑ 총포장갯수 1 GT
	⑯ 거래구분 11 일반형태수입	㉒ 국내도착항 INC 인천항	㉓ 운송형태 10-FC
⑫ 무역대리점 ⑬ 공 급 자 AGEHRA VELVET (CO LTD) JPAGE0002A(JP)	⑰ 종류 K 일반수입(내수용)	㉔ 적출국 JP (JAPAN)	
		㉕ 선기명 (LONG HE(CN)	
	㉖ MASTER B/L 번호		㉗ 운수기관부호
㉘ 검사(반입)장소 02024143-060039603A (대한통운국제물류)			

● 품명 · 규격 (란번호/총란수 : 1/1)

㉙ 품 명 LATHE FOR REMOCING METAL ㉚ 거래품명 LATHE	㉛ 상표 NO

㉜ 모델 · 규격	㉝ 성분	㉞ 수량	㉟ 단가(USD)	㊱ 금액(USD)
LATHE (NUMERICALLY CCNTRCLLED)		1 U	100,000	100,000

㊲ 세번 부호	8458.11-0000	㊴ 순중량	5.000.0 KG	㊷ C/S 검사		㊹ 사후확인기관
㊳ 과세가격(CIF)	¥10,501,980	㊵ 수 량	1 U	㊸ 검사변경		
		㊶ 환급물량	1.000 GT	㊻ 원산지표시	JP-Y-Z-N	㊼ 특수세액
㊺ 수입요건확인 (발급서류명)						

㊽ 세종	㊾ 세율(구분)	㊿ 감면율	(51) 세액	(52) 감면분납부호	감면액	* 내국세종부호
관 농 부	8.00(A 기가) 20.00(A) 10.00(A)	50.000	4,710,080 942,016 12,340,409	A09500010401	4,710,080	

(53) 결제금액(인도조건-통화종류-금액-결제방법)		CIF-USD 100,000-LS		(55) 환 율	1,177.5200
(54) 총과세가격	¥10,501,980	(56) 운임 942,016	(58) 가산금액	(63) 납부번호	-------------
		(57) 보험료 17,662	(59) 공제금액	(64) 부가가치세과표	123,404,096

(60) 세 종	(61) 세 액	※ 관세사기재란	(65) 세관기재란
관 세	4,710,080		
특 소 세			
교 통 세			
주 세			
교 육 세			
농 특 세	942,010		
부 가 세	12,340,400		
신고지연가산세	999,999,999,999		
(62) 총세액합계	17,992,490	(66) 담당자	(67) 접수일시 (68) 수리일자

업태 : 종목 : 세관 · 과 : 020-11 신고번호 : 11797-06-3000149 page 1/1

〈자료 6〉 부대비용

1. 관세, 농어촌특별세, 부가가치세 및 관세감면율 : 도입시점과 동일

2. 설치비 : 도입가격의 1.5%

3. L/C개설비 등 기타 부대비용 : 도입가격의 3%

4. 운임 및 보험료 : 도입시점과 동일

공장

연습문제 6 얼마 전 당신은 합병을 통한 기업확장을 계획하고 있는 ㈜H산업으로부터 당해 합병 Project의 선임 감정평가사로 참여해 달라는 제의를 수락하였다. 이에 당신은 피합병 회사 ㈜M산업 사업체에 대하여 공부조사와 실지조사 및 시장조사를 완료한 후 아래의 자료를 정리하였다. 제시된 자료를 바탕으로 ㈜M산업의 적정매수가격을 개별물건 기준으로 평가하시오. (25점)

〈자료 1〉 적정매수가격 평가에 관한 기본적 사항

1. 기준시점 : 2025년 9월 1일

2. 평가목적 : 사업체로서의 시장가치평가(거래참고 및 경제적 타당성 검토용)

3. 대상물건

① 토지 : S시 K구 B동 100번지. 공장용지 1,250m²

② 건물 : 위 지상

- 사무실용 건물 : 철근콘크리트조 슬라브즙 3층 1동, 연면적 540m²
- 공장용 건물 : 블록조 슬라브즙 1층 1개동, 연면적 400m²

③ 기계 : 밀링머신 20대

〈자료 2〉 토지, 건물에 대한 공부 및 실지 조사내역

1. 공부내용

⑴ 토지대장 : 지목 '공장용지' / 면적 '1,250m²'

⑵ 건축물관리대장 : 준공일 - 2021.01.01.

철근콘크리트조 슬라브 3층 1동, 연면적 540m²

블록조 슬라브즙 1층 1동, 연면적 400m²

⑶ 토지이용계획확인서 : 용도지역 '준공업지역'

⑷ 지적도 : 정방형 평지로, 각지에 접하고 있으며 주도로의 폭은 12m임.

2. 실지조사내용

(1) 토지 : 공부상 내용과 일치함

(2) 건물 :

구 분	준공일	건축공사비 (원/m²)	공사비비율(%)		내용년수(년)	
			주체	부대	주체	부대
사무실	2021. 1. 1	850,000	70	30	40	20
공장	2021. 1. 1	600,000	80	20	25	20

※ 1. 공사비는 각 준공시점의 적정원가임.

2. 감가는 만년감가에 의하며, 내용년수말 잔존가치는 0원임.

〈자료 3〉 기계관련 조사내역

1. 기계가격

구 분	대수	제작일	구입시기	구입단가	비고
밀링머신	20	2020. 6. 17	2021. 1. 1	₩ 12,000,000	국산기계

※ 감가상각은 만년감가를 하며, 정률법을 적용(최종잔가율 15%, 내용년수 10년).

※ 구입단가에는 설치비가 포함되어 있지 않으며, 기계장치의 설치비는 기준시점 현재 기계 대당 800,000원이 소요.

〈자료 4〉 표준지공시지가 (S시 K구)

(공시기준일 : 2025년 1월 1일)

기호	소재지	면적 (m²)	지목	이용 상황	용도 지역	주위 환경	도로 교통	형상 지세	공시지가 (원/m²)
1	B동 50	1,350	대	공업용	준공업	공장 지대	중로 각지	정방형 평지	1,400,000
2	B동 70	11,100	대	공업용	준공업	공장 지대	광대 한면	부정형 평지	1,430,000

※ 표준지공시지가는 인근시세를 충분히 반영하고 있음.

〈자료 5〉 사업체 운영내역

1. 대상 공장은 "건물의 준공"과 동시에 운영에 들어갔다. ("2021년 1월 1일" 운영개시)

2. 대상 공장 ㈜M산업은 공작기계제작에 필요한 부속품을 생산하여 공작기계제작회사에 납품하는 중소제조기업이다.

3. 동 부속품의 생산에 필요한 기계의 적정배치 대수는 밀링머신 18대이다(유휴시설의 잔존가치는 해체처분비용과 동일함).

〈자료 6〉 각종 보정 자료

1. 지가변동률
   2025.1.1.부터 2025.9.1. : 8.353%

2. 건축비 상승률
   준공일로부터 기준시점까지 39.733% 상승

3. 기계가격 보정지수(시점수정치)
   대상업체가 보유한 기계기구의 보정지수는 1.1443을 적용함.

4. 토지 개별요인
   표준지 및 대상의 토지 개별요인은 대등한 것으로 본다.

〈자료 7〉 각종 이율 및 활용 지침

1. 시장의 적정할인율(시장이자율) : 연 12%

2. 기계장치의 감가상각은 "사업체 가동시점"부터 시작한다.

임대사례비교법 / 적산법

연습문제 7 다음 임대건물의 임대료를 평가하시오. (20점)

〈자료 1〉 평가의뢰물건

1. 토지 : 서울시 동작구 신대방동 100번지 300m²
2. 건물 : 철근콘크리트조 슬라브 3층으로서 연면적 594m², (각층 198m²)
   전용면적 전체 540m² (각층 180m²), 사용승인 2025. 8. 1
3. 기준시점 : 2025. 8. 31
4. 주위환경 : 신대방동 전체가 일반상업지역 내 상가업무지대로 현재 사무실로 이용중임.

〈자료 2〉 대상부동산의 내역

1. 월지불임대료 : 1층 15,000원/m², 2층 10,000원/m², 3층 8,000원/m²
2. 대상부동산의 실질임대료는 지불임대료와 보증금운용이익으로 구성된다.

〈자료 3〉 거래사례자료

1. 사례 1
   ⑴ 소재지 : 동작구 대방동 500번지 나지 300m²
   ⑵ 거래시점 : 2025. 8. 1
   ⑶ 거래가격 : 310,000,000원
   ⑷ 기타 : 상업지역 내 속하며, 친인척간의 거래로서 시가보다 저가로 거래되었음.

2. 사례 2
   ⑴ 소재지 : 동작구 신대방동 600번지
   ⑵ 물적사항 : 대 350m², 건물 철근콘크리트조 슬라브지붕 3층 사무실 연면적 720m²
   ⑶ 거래시점 : 2024. 12. 1
   ⑷ 거래가격 : 224,130,000원
   ⑸ 기타 : 상업지역에 소재하며, 정상적인 거래로 인정된다. 지상건물은 철거예정이며 철거비(20,000,000원)는 매도인이 부담하기로 하였음.

〈자료 4〉 임대사례자료

1. 토지 : 동작구 신대방동 588 대 430m²
2. 건물 : 철근콘크리트조 슬라브 지붕 3층 사무실 연 680m²
    전용면적 전체 525m (각층 175m²) ,
    2022. 4. 1에 준공되었으며, 내용년수 50년이다.
3. 임대상황
    사례 부동산은 준공이후 기준시점까지 보통 일반적 이용방법으로 계속적으로 임대되어 왔으며, 지난 1년간의 임대내역은 다음과 같다.
    ⑴ 임대보증금 : 160,000,000원
    ⑵ 지불임대료(월) : 5,500,000원
    ⑶ 필요제경비
        ① 유지관리비 : 8,000원/m²
        ② 제세공과금 : 5,800,000원
        ③ 손해보험금 : 유지관리비의 70%
        ④ 결손준비금 : 7,000,000원
        ⑤ 공실손실상당액 : 지불임대료의 10%

〈자료 5〉 건설사례지료

철근콘크리트조, 사무실, 사용승인일 2018.7.1., 건축단가 200,000원/m²

〈자료 6〉 지가변동률 등

1. 지가변동률
    ① 2024. 12. 1~2025. 8. 31 : 14.933%
    ② 2025. 8. 1~2025. 8. 31 : 4.532%
2. 건축비지수 : 2025.4 이후 미공시

기준일	2018.1	2018.6	2018.7	2018.8	2025.1	2025.2	2025.3	2025.4
건축비지수	100	107	115	126	195	196	209	212

※ 건축비 지수는 소수점 다섯째자리까지 산정할 것.

3. 임대료변동률은 지난 1년간 1.5% 상승함.

〈자료 7〉 요인비교치

1. 지역요인비교치 : 신대방동(100), 대방동(105)

2. 개별요인비교치

구 분	대상	거래사례 1	거래사례 2	임대사례	건설사례
토지	100	105	98	110	–
건물	102	–	100	97	100

〈자료 8〉 기타

1. 기대이율산정시 소수점 넷째자리에서 사사오입하여 구할 것.

2. 보증금 산정시 백만단위 미만은 절사할 것.

3. 보증금 운용이율 : 연 12%

4. 대상 및 사례 건물의 잔가율 : 10%

5. 기대이율 : 13.4%

6. 필요제경비는 건물에만 발생한다고 가정하며, 기준시점 현재 건물의 적산가액의 10%가 소요
된다고 판단된다.

7. 감가상각은 만년감가에 의한다.

실무상 적산법

연습문제 8 감정평가사 L씨는 S법원으로부터 토지소유자와 지상 건물소유자간에 발생한 분쟁으로 제기된 소송의 판결을 위한 토지사용료 산정을 의뢰 받았다. 다음 자료를 활용하여 2025.8.27. 기준시점 토지사용료를 구하시오. (15점)

〈자료 1〉 감정평가의뢰 내용

1. 토지

소재지	지번	지목	면적(m²)	용도지역
S시 Y동	30	대	600	일반상업지역

2. 건물 : 일시적으로 아파트 모델하우스로 사용중임.

〈자료 2〉 현장조사 내용

1. 평가대상 토지는 광대로에 접하며 세장형 평지
2. 인근지역은 노선을 따라 업무용 빌딩, 백화점, 병원 등이 소재 도로후면은 소규모 점포 및 주택 등이 혼재

〈자료 3〉 인근지역 표준지공시지가 현황 (공시기준일 2025.1.1)

일련 번호	소재지	지번	면적 (m²)	지목	이용 상황	용도 지역	도로 교통	형상 지세	공시지가 (원/m²)
1	S시 Y동	15	550	대	상업 나지	일반 상업	소로 각지	가장형 평지	1,000,000
2	S시 Y동	25	15,000	대	아파트	일반 상업	광대 한면	세장형 평지	750,000
3	S시 Y동	95	750	대	업무용	일반 상업	광대 소각	가장형 평지	1,400,000

※ 표준지 일련번호 1과 3은 도시계획시설 '도로'에 각각 25%, 30%가 저촉되며, 표준지공시지가 산정시 적용된 도시계획시설 '도로'의 공법상 제한 감안율은 15%임

〈자료 4〉 S시 지가변동률

기간	상업지역(%)
2025년 6월	0.005
누계(2025년 1월~6월)	1.200

〈자료 5〉 개별요인비교

대상토지	표준지 1	표준지 2	표준지 3
100	75	55	110

※ 상기 요인비교에 공법상 제한은 고려되지 않았음

〈자료 6〉 필요제경비

1. 필요제경비 : 종합토지세 등 조세공과

2. 연간 조세부담액 : 기초가액의 0.3%

〈자료 7〉 기타

1. 비교표준지 선정 및 기대이율 적용 사유를 충분히 기술할 것

2. 기대이율의 적용시 임시적이용을 고려하여 5%를 적용할 것

3. 임대료 산정기간은 기준시점부터 1년간임.

4. 표준지공시지가는 인근시세를 충분히 반영하고 있어, 그 밖의 요인 보정은 별도의 증액 반영하지 않음.

구분건물 임대료 (적산법)

연습문제 9 다음 자료에 의거 대상 부동산 중 2층부분의 임대료를 적산법으로 산정하시오. (기준시점 2025. 9. 1) (15점)

〈자료 1〉 대상부동산

1. 토지 : 서울시 봉천동 220번지, 대 200m²(제2종일반주거지역, 소로각지)

2. 건물 : 철근콘크리트조 슬라브즙 3층건 주택(2022. 9. 1 건축함)

구 분	연면적(m²)	전유면적(m²)	임대면적(m²)	용도	보증금
3층	200	120	180	주거용	월지불임대료의 10개월분
2층	200	120	180	주거용	월지불임대료의 10개월분
1층	200	100	160	주거용	월지불임대료의 10개월분
계	600	340	520	–	

〈자료 2〉 임대사례

1. 토지 : 서울시 신림동 100번지, 대 210m²(일반주거지역 내 소로각지에 접함)

2. 건물 : 철근콘크리트조 슬라브즙 3층건 주택

3. 임대내역

(임대시점 : 2025. 3. 1)

구 분	연면적 (m²)	전유면적 (m²)	임대면적 (m²)	용도	월지불임대료 (원/m²)	보증금 (원/m²)	층별 효용비
3층	220	140	200	주거용	4,000	40,000	38.26
2층	220	140	200	주거용	5,000	50,000	47.86
1층	220	120	180	사무실	11,000	165,000	100
계	660	400	580	–	–	–	–

〈자료 3〉 표준지공시지가

(공시기준일 : 2025. 1. 1)

기호	소재지	면적(m²)	지목	이용상황	용도지역	도로교통	공시지가 (원/m²)
1	도익동11	195	전	전	2종일주	소로한면	1,000,000
2	도익동15	200	대	연립주택	2종일주	소로각지	1,200,000
3	도익동19	150	잡	단독주택	준주거	중로한면	2,000,000

※ 기호 2는 건부감가 요인이 10% 존재하는 것으로 판단되며, 건물은 공실임

〈자료 4〉 건물가격 산정시 자료

1. 건물의 평가는 회귀분석모형으로 측정할 것.

2. 회귀식 : y(건물단가) = a(회귀상수) + b(회귀계수) × x(경과년수)

$$y = 223,390 - 6429.4 \times X$$

〈자료 5〉 각종자료

1. 지가변동률(%) : 2025년 1월 1일~7월 31일까지의 누계치는 4.5%임. 이후는 추정할 것.

2. 임대료의 상승률 : 2025년 1월 1일 이후 월 1%씩 상승함.

3. 지역요인평점

구 분	신림동	봉천동	도익동
평점	100	105	95

4. 토지의 개별요인평점

구 분	토지의 개별요인				
	대상	표1	표2	표3	사례
평점	100	98	100	96	105

〈자료 6〉 필요제경비

대상부동산 2층 (기준시점) : 150,000원/년

〈자료 7〉 기타사항

1. 보증금 운용이율 : 12%

2. 대상부동산과 임대사례부동산의 층별효용은 동일함.

3. 대상부동산의 2층 부분에 대한 적산임대료 산정시 기초가액은 대상부동산 전체가격에 층별
   효용비를 적용하여 구하며, 기대이율은 12.1%를 기준으로 산출한다.

4. 각층별 효용격차는 전유면적을 기준으로 배분할 것.

5. 표준지공시지가는 인근시세를 충분히 반영하고 있음.

구분건물 임대료 (적산법)

연습문제 10   감정평가사인 당신은 A시 B구에 위치한 6층 건물의 4~5층 부분에 대한 제반임대료 산정을 의뢰받았다. 다음의 제시된 자료를 바탕으로 대상부동산의 적정임대료를 평가하시오. (15점)

〈자료 1〉 대상부동산에 관한 자료

1. 의뢰목록
   ⑴ 토지 : 대 798m²
   ⑵ 건물 : 위 지상 철근콘크리트조 슬라브즙 6층건(지상6층, 지하1층) 중 4·5층

2. 가격의 종류 : 시장가치(임대료)

3. 기준시점 : 2025년 8월 1일

4. 계약기간 : 2025년 8월 1일~2026년 7월 31일

〈자료 2〉 대상건물의 면적

층	용도	전유면적(m²)	공용면적(m²)	임대면적(m²)
지하	식당	240	264	504
1	증권사	200	220	420
2	사무실	180	198	378
3	사무실	180	198	378
4	사무실	180	198	378
5	사무실	80	88	168
	회의실	120	110	230
6	사무실	160	176	336
계	–	1,340	1,452	2,792

〈자료 3〉 인근지역의 표준적 층별효용비율 및 호별(위치별) 효용비율

1. 층별효용비

층별	지하	1	2	3	4	5	6
효용비	55	100	60	55	50	46	44

2. 위치별효용비

위치	사무실	회의실
효용비	100	90

〈자료 4〉 적산임대료에 관한 자료

1. 대상토지의 평가액 : 11,000,000원/m²

2. 대상건물의 적산가액 평가액 : 2,950,000원/m²

3. 인근지역의 기대이율 : 5%

4. 필요제경비 : 순임대료의 9%

5. 층별, 위치별 기초가액은 전유면적을 기준으로 층별·위치별효용비를 적용하여 배분함.

〈자료 5〉 기타

1. 일반적으로 인근지역의 5층 부분에는 회의실이 있음.

2. 인근지역의 임대료관행

　　연간실질임대료로 산정하는 것이 원칙이나, 평가대상 부동산이 속한 인근의 임대료소득관행은 "전세보증금"으로 결정한다. 단, "월세보증금 및 월지불임대료 형식"으로 환산하여 적용할 수 있다. (환산시, 월세보증금은 월임대료의 12개월분이며, 보증금에 대한 운용이율은 전·월세 공히 연 12%임.)

시점별 기초가액

연습문제 11　감정평가사 K씨는 ○○지방법원 판사 L씨로부터 부당이득금반환청구소송과 관련한 부당이득금의 산정과 관련하여 아래의 감정평가를 의뢰받았다. 〈자료 1〉에 제시된 의뢰내역에 기초하여 임대료 산정기간 내 기산시점의 기초가액을 결정하시오. [20점]

〈자료 1〉 감정평가 의뢰내역

1. 평가의뢰인 : ○○지방법원 판사 L씨

2. 평가의뢰내용 : 2023년 1월 17일 및 2024년 1월 1일 기준 기초가액

3. 평가대상물건 : S시 Y구 Y동 1008-13 지상 소재 토지 및 건물

〈자료 2〉 현장조사자료

1. 현장조사일 : 2025년 4월 15일~2025년 4월 20일

2. 현장조사사항

　가. 토지

구 분	내 용
위치 및 부근상황	대상물건은 Y구 Y동 △△세무서 남동측 인근 상가지대에 위치하며 부근은 택지지구 내의 상가밀집지역으로서 도로변을 따라 근린생활시설 및 위락시설이, 도로 후면부에는 주상용 부동산이 소재하고 있음
형태 및 이용상황	대상물건이 소재한 토지는 등고 평탄한 가장형 토지로서 주도로변으로 20m, 측면도로변으로 17m가 접하여 있으며 현재 근린생활시설의 부지로 이용 중임
도로상황	대상토지는 북동측으로 로폭 약 16m, 남동측으로 약 9m의 포장도로와 접함
토지이용관계	제2종일반주거지역, 지구단위계획구역임

　나. 건물

구 분	내용
건물의 구조	대상물건은 철근콘크리트조 평스라브지붕 6층 건물로서 외벽은 화강석 붙임, 내벽은 벽지 및 페인트 마감 등이고, 사용승인일자는 2015년 7월 29일임

〈자료 3〉 일반건축물대장상 내용

1. 대지면적 : 340m²

2. 건물규모 : 건축면적 203.64m², 연면적 1,400m²(용적률 산정용 연면적 : 1,110m²)

3. 주구조 / 주용도 : 철근콘크리트조 평스라브지붕 / 근린생활시설

4. 건축물현황

층별	구조	용도	면적(m²)
지1	철근콘크리트조	주차장/발전기실 등	290
1층	철근콘크리트조	근린생활시설	193
2층	철근콘크리트조	근린생활시설	200
3층 4층	철근콘크리트조	근린생활시설	각 199
5층	철근콘크리트조	근린생활시설	195
6층	철근콘크리트조	근린생활시설	124

※ 상기 내역은 본건 소재 건물 전체에 대한 것임.

〈자료 4〉 표준지공시지가

1. 2023년도

소재지 지번	면적(m²)	지목	이용 상황	용도 지역	주위환경	도로 교통	형상 지세	공시지가
Y동 1005-5	247.8 (일)※	대지	상업용	2종 일주	성숙중인 상가지대	중로 각지	가장형 평지	3,050,000

※ 관련지번 : Y동 1005-4

2. 2024년도

소재지 지번	면적(m²)	지목	이용 상황	용도 지역	주위환경	도로 교통	형상 지세	공시지가
Y동 1005-5	247.8	대지	상업 나지	2종 일주	성숙중인 상가지대	중로 각지	세장형 평지	3,150,000

3. 2025년도

소재지 지번	면적 (m²)	지목	이용 상황	용도 지역	주위환경	도로 교통	형상 지세	공시지가
Y동 1009-3	603.1	대지	상업용	중심 상업	성숙중인 상가지대	중로 각지	정방형 평지	3,860,000

〈자료 5〉 건물신축단가표

용 도	구 조	급수	표준단가(기준시점 당시, 원/m²)			내용 년수
			2020.10	2022.10	2023.10	
점포 및 상가	철근콘크리트조 슬래브지붕	3	735,000	775,000	880,000	50

※ 상기 표준단가는 지상층 기준으로서 지하층은 지상층 대비 50%를 적용하며, 제시된 기준시점은 매월 초일을 전제함.

〈자료 6〉 부대설비 보정 단가

부대설비 보정단가는 표준단가에 150,000원/m²을 가산함.

〈자료 7〉 지가변동률(S시 Y구)

- 2023.1.1.부터 2023.1.17. : 0.176%
- 2024.1.1.부터 2024.1.1. : 0.006%

〈자료 8〉 토지개별요인

1. 고저

저지	평지	완경사	급경사	고지
100	116	90	73	72

2. 형상(주거, 공업용)

정방형	장방형	사다리형	부정형	자루형
100	100	99	96	95

3. 형상(상업용, 주상복합용)

정방형	가로장방	세로장방	사다리형	부정형	자루형
102	102	99	99	96	95

〈자료 9〉 생산자물가지수

구 분	2020년	2021년	2022년	2023년	2024년	2025년
1월	94.9	99.7	100.5	100.5	104.7	109.6
2월	96.1	99.9	100.5	100.6	105.7	110.3
3월	97.0	100.0	100.4	101	107.1	110.8
4월	97.5	100.2	100.6	101.7	109.4	
5월	97.8	99.6	100.9	102.3	111.5	
6월	97.7	99.1	100.8	102.5	113.3	
7월	98.0	99.7	101.1	102.7	115.5	
8월	98.9	100	101.7	102.6	115.2	
9월	99.3	100.5	102.1	103.1	114.8	
10월	99.4	100.7	101.1	103.3	114.4	
11월	99.4	100.4	100.6	103.7	111.8	
12월	98.7	100.2	100.5	104.1	109.9	

〈자료 10〉 지역 내 적정지가수준 등에 대한 검토

1. 인근 시세, 거래가격 및 평가전례 등 각종 가격자료를 조사한 결과 공시기준일 현재의 적정 시세는 공시지가 대비 130% 수준인 것으로 판단됨.

2. 대상 건물은 구조·용재·시공의 정도·이용·관리상태 및 현상 등을 감안할 때 품등단위에서 "3급수준"이며, 유사등급 내에서 표준건축비 산출 사례에 비하여 4% 열세함.

〈자료 11〉 기타사항

매년은 윤년에 따른 일수 조정 없이 365일로 가정함.

영업권

연습문제 12   아래의 자료를 이용하여 2025.12.31자 비상장회사인 ○○주식회사의 영업권의 가치를 평가하시오. (10점)

〈자료 1〉 기준시점 현재 영업이익 관련 자료

• 매출액 : 6,861,000,000원

• 매출원가 : 2,900,000,000원

• 판관비 : 1,157,000,000원

〈자료 2〉

• 대상기업의 순자산가치는 6,204,000,000원임.

• 동종업종의 정상수익률은 영업권을 제외한 순자산의 10%임.

• 초과수익은 영업이익기준이며 장래초과수익은 제반여건을 고려할 때 향후 3년간 지속될 것으로 판단됨.

• 시장할인율은 연 9%임.

• 평가금액은 백만원 단위까지 산정

광산 / 광업권

연습문제 13 감정평가사 K는 A기업으로부터 적정시설을 보유하고 정상적으로 가동중인 석탄광산에 대한 감정평가를 의뢰받고 사전조사 및 현장조사를 한 후 다음과 같이 자료를 정리하였다. 광산의 감정평가가격과 광업권의 감정평가액을 구하시오. (10점)

〈자료 1〉 연간사업수지상황

사업수익		소요경비	
정광판매수입		채광비	500,000,000원
		선광제련비	350,000,000원
월간생산량	50,000t	일반관리비, 경비 및 판매비	총매출액의 10%
판매단가	5,000원/t	운영자금이자	150,000,000원
		감가상각비	
		• 건물	30,000,000원
		• 기계기구	70,000,000원

※ 감정평가대상 광산의 연간수지는 장래에도 지속될 것이 예상됨

〈자료 2〉 자산명세

자산항목	자산별 가격
토지	1,000,000,000원
건물	750,000,000원
기계장치	1,200,000,000원
차량운반구	150,000,000원
기타 상각자산	200,000,000원
합계	3,300,000,000원

〈자료 3〉 광산 관련자료

1. 매장광량 – 확정광량 : 5,500,000t, 추정광량 : 8,000,000t

2. 가채율

구 분	일반광산	석탄광산
확정광량	90%	70%
추정광량	70%	42%

3. 투자비(장래소요기업비)

적정생산량을 가행최종년도까지 유지하기 위한 제반 광산설비에 대한 장래 총 투자소요액의 현가로서 장래소요기업비의 현가총액은 1,450,000,000원임

4. 각종이율 – 환원율 : 16%, 축적이율 : 10%

5. 기타자료

① 가격산정시 천원 미만은 절사함

② 생산량은 전량 판매됨

③ 가행년수(n) 산정시 연 미만은 절사함

④ 기준시점 : 현재

비상장주식 1

연습문제 14 주식평가방법을 설명하고 비상장주식을 주어진 자료에 따라 평가하라. (10점)

〈자료 1〉기준시점 : 2025. 12. 31

〈자료 2〉평가목적 : 일반거래

〈자료 3〉평가대상 주식내용

종목	수권주식수	발행주식수	1주당 금액	평가의뢰주식수
○○주식회사 비상장주식	500,000주	400,000주	5,000원	300,000주

〈자료 4〉기준시점 현재 기업 관련 자료

- 기업 영업가치 : 60억

- 기업 비영업가치 : 361,000,000원

- 기업 이자부 부채가치 : 2,961,000,000원

- 기업 무이자부 부채가치 : 1,000,000,000원

비상장주식 2

연습문제 15 다음 자료를 활용하여 OO주식회사의 2025년 12월 31일 현재 비상장주식의 1주당 가격을 평가하시오. 단, 원 미만은 반올림한다. (15점)

〈자료 1〉 평가대상 주식내용

구 분	수권 주식수	발행 주식수	1주의 금액
OO주식회사 비상장주식	500,000주	300,000주	5,000원

〈자료 2〉 2025.12.31자 OO주식회사의 재무상태표

(단위 : 원)

차 변		대 변	
과목	금액	과목	금액
현금예금	550,000,000	외상매입금	400,000,000
유가증권	150,000,000	지급어음	600,000,000
외상매출금	500,000,000	미지급비용	150,000,000
받을어음	800,000,000	단기차입금	2,000,000,000
재고자산	200,000,000	대손충당금	16,000,000
선급비용	50,000,000	건물감가상각충당금	64,800,000
부도어음	100,000,000	기계기구감가상각충당금	1,606,500,000
토 지	945,000,000	퇴직급여충당금	180,000,000
건 물	900,000,000	자본금	1,500,000,000
기계기구	3,500,000,000	이익준비금	500,000,000
창 업 비	20,000,000	당기말미처분이익잉여금	697,700,000
합 계	7,715,000,000	합 계	7,715,000,000

〈자료 3〉재무상태표 수정사항

1) 유가증권은 130,000,000원으로 평가함.

2) 매출채권 잔액에 대하여 2%를 대손충당금으로 설정함.

3) 재고 자산은 변동이 없음.

4) 차입금에 대한 미지급이자가 30,000,000원 있음.

5) 이미 지급한 보험료 중 기간 미 경과된 금액이 20,000,000원 임.

6) 부도어음을 검토한 결과 50,000,000원은 회수 불가능함.

7) 퇴직금 관련 제 규정에 따라 2025.12.31. 현재 퇴직급여충당금을 설정해야 하는 금액은 200,000,000원임.

8) 창업비는 매년 상각하여 왔으며 이번 기에 미상각 잔액 전부를 상각하여야 함.

9) 기준시점 현재 토지의 평가금액은 1,260,000,000원이며, 건물과 기계기구의 평가금액은 〈자료 4〉 및 〈자료 5〉를 활용하여 구함

〈자료 4〉건물의 자료

1) 대상건물

구조	연면적	사용승인일	건축비(원/m^2)	건축비 검토결과
철근콘트리트조 슬래브 지붕 3층건	1,800m^2	2020.12.31	500,000	건축비는 표준적임

2) 철근콘크리트구조 건물의 건축비 지수

2020.12	2021.1	2024.12	2025.1	2025.12	2026.1
100	115	125	126	145	148

3) 철근 콘크리트구조 건물의 경제적 내용년수는 50년이며, 내용년수 만료시 잔가율은 10%임

〈자료 5〉 기계기구의 자료

1) 기준시점 현재 기계기구의 재조달원가 총액은 3,800,000,000원이며 2020년 12월에 모두 신품을 구입하였음(모든 기계의 경제적 내용년수는 15년이며 감가수정방법은 정률법에 의하고 잔가율은 10%로 함)

2) 정률법에 의한 잔존가치율 표(잔존가치 : 10%)

경과년수 \ 연감가율 내용연수	0.319 / 6	0.280 / 7	0.250 / 8	0.226 / 9	0.206 / 10	0.189 / 11	0.175 / 12	0.162 / 13	0.152 / 14	0.142 / 15
1	5/0.681	6/0.720	7/0.750	8/0.774	9/0.794	10/0.811	11/0.825	12/0.838	13/0.848	14/0.858
2	4/0.464	5/0.518	6/0.562	7/0.599	8/0.631	9/0.658	10/0.681	11/0.702	12/0.720	13/0.736
3	3/0.316	4/0.373	5/0.422	6/0.464	7/0.501	8/0.534	9/0.562	10/0.588	11/0.611	12/0.631
4	2/0.215	3/0.268	4/0.316	5/0.539	6/0.398	7/0.433	8/0.464	9/0.492	10/0.518	11/0.541
5	1/0.147	2/0.193	3/0.237	4/0.278	5/0.316	6/0.351	7/0.383	8/0.412	9/0.439	10/0.464
6	0.1	1/0.139	2/0.178	3/0.215	4/0.251	5/0.285	6/0.316	7/0.436	8/0.373	9/0.398
7		0.1	1/0.133	2/0.167	3/0.200	4/0.231	5/0.261	6/0.289	7/0.316	8/0.341
8			0.1	1/0.129	2/0.158	3/0.187	4/0.215	5/0.242	6/0.268	7/0.293
9				0.1	1/0.216	2/0.152	3/0.178	4/0.203	5/0.228	6/0.251
10					0.1	1/0.123	2/0.147	3/0.170	4/0.193	5/0.215
11						0.1	1/0.121	2/0.143	3/0.164	4/0.185
12							0.1	1/0.119	2/0.139	3/0.158
13								0.1	1/0.118	2/0.136
14									0.1	1/0.117
15										0.1

기업가치 1

연습문제 16 모기업의 가치를 평가함에 있어서 아래의 물음에 답하시오.(기준시점 : 2026. 1. 1)

(20점)

(물음 1) 기업의 잉여현금흐름(FCFF : Free Cash Flow to the Firm)을 산정하시오.

(물음 2) 자본비용을 구함에 있어서 타인자본비용은 부채를 액면발행을 상정하여 표면이자율로 하며, 자기자본비용은 CAPM을 이용하여 가중평균자본비용(WACC; Weighted Average Cost of Capital)을 구하시오.

(물음 3) 기업의 가치를 산정하시오.

〈자료 1〉 FCFF 산정에 관한 자료

1. 2025년도의 손익계산서(I/S)상의 매출총이익 : 1,000,000만원

2. 판매관리비 : 감가상각비 110,000만원을 포함한 550,000만원

3. 2025년도 현금흐름표(C/F)상의 자본적 지출액 : 120,000만원

4. 운전자본지출액 : 2025년도에는 30,000만원의 지출이 있었으며, 2026년도에는 1,750만원의 추가적 지출이 있을 것으로 예상된다.

5. 납입자본금 : 700,000만원이며, 1주당 액면가격은 5,000원이다.

〈자료 2〉 WACC 산정에 관한 자료

1. 가중치 적용은 장부가치를 기준으로 산정하도록 한다.

2. B/S에서의 자산 구성비율부채항목은 57%이며, 나머지는 자산항목으로서 43%임.

3. 타인자본비용(상기의 부채항목에서의 부채 내역)

pp	이자율	
단기부채	연 12%	기준시점 현재 부채의 평균 세전 이자율(타인자본 비용)은 12.69%임.
회사채	연 12.5%	
기타 장기부채	연 13%	

4. 당해기업과 자본시장 전체의 수익률간의 상관관계(시장수익에 대한 당해회사의 민감도)

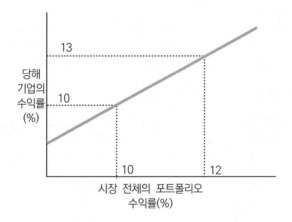

〈자료 3〉 시장상황

1. 1년만기 정기예금이자율은 기준시점 현재 연 8%이며, 시장전체의 포트폴리오 기대수익률은 14%이다.

2. 법인세 : 36%

〈자료 4〉 성장기대

당해 기업의 2026년도 영업이익, 자본적 지출, 감가상각비는 5%정도 상승할 것으로 예상된다.

〈자료 5〉 기타

1. FCFF는 영업이익×(1 - 법인세율)+감가상각비 - 자본적지출 - 추가운전자본임.

2. 각 단계에서 할인율은 백분율로서 소수점 3자리에서 반올림할 것.

3. WACC 산정시 영구성장에 따른 추가 프리미엄은 없는 것으로 본다.

기업가치 2

연습문제 17 오피스빌딩을 운영하는 회사의 기업가치를 평가하고자 한다. 해당 회사의 매출은 임대수입에 의존하고 있는바, 의뢰인의 요구에 따른 오피스의 가치를 기업잉여현금흐름에 의한 오피스빌딩 가치를(WACC는 올림) 산정하시오. (기준시점 : 2025.1.1.) [20점]

〈자료 1〉 대상오피스빌딩 내역

대지위치	서울특별시 강남구 역삼동			지번	111	명칭 및 번호			특이사항	
대지면적	2,000m²	연면적	15,000m²	지역		지구			구역	
건축면적		용적률산정용 연면적		주구조	철근 콘크리트	주용도	오피스	층수	지상 15층 지하 3층	

건축물현황					소유자현황	
구 분	층별	구조	용도	면적(m²)		
주	1층	철근콘크리트	오피스	1000		
주	. . .	. . .	. . .	. . .	㈜삼일법인 ********_*******	
주	14층	철근콘크리트	오피스	1000		
주	15층	철근콘크리트	오피스	1000		
					사용승인일자	2012.1.1

※ 상기 건축물 대장은 기타 공부 내지 현황과 동일하다.
※ 상기건물의 인근 부동산의 신축 등으로 인하여 2025년에 리노베이션비용으로 3억원이 소요될 것으로 예상됨.
※ 지하층을 제외한 지상층의 연면적과 임대면적은 동일.

〈자료 2〉 소득/경비 내역

1. 소득내역
   - 인근의 오피스빌딩의 임대료를 조사한 바 인근의 평균 임대비에 근거 금년의 임대료는 m²당 30,000원으로 조사됨.
   - 향후 5년 동안은 5%로, 이후 3%씩의 상승이 예상됨.

2. 공실률
- 인근오피스빌딩 등의 수요/공급 및 흡수율분석 등을 통한 결과 빌딩이 완전히 임대되기까지는 2년이 소요될 것으로 예상되며 다음과 같은 공실이 일반적일 것으로 판단됨

구 분	1년	2년	2년 이후
공실률	30%	20%	10%

3. 경비내역
1) 고정경비

세금을 제외한 부동산 임대여부와 관계없이 지출되는 비용은 2024년에 3천만원이었으며 향후 매년 3%씩 상승이 예상됨. 대상오피스빌딩에 대한 재산세는 첫해에는 3천만원이며, 이후 매년 3%씩 증가됨.

2) 변동경비

유효임대료수입의 20% 수준으로 조사되었으며, 임대료와 같은 속도로 증가됨.

4. 잉여현금흐름 산정시 감가상각비 및 추가운전자본은 고려치 아니함

〈자료 3〉 CAPM 또는 WACC 등 산정 자료

1. 소득세율 : 42%

2. 차입이자율 : 8.25%(세전)

3. 자기자본 구성비율
우선주는 우선주가치의 10%를 매년 배당하는 것으로 보며 우선주가 영구한 현금흐름을 제공하는 증권이라 가정함

자산항목	부채 구성비율	우선주 자본금	보통주 자본금
구성비율(%)	23.67	20	56.33

4. 베타 추정치 : 0.8

5. 장기국채수익률 : 8%

6. 회사채수익률 : 13.625%

기업가치 3

연습문제 18 N물산은 감정평가사인 당신에게 S상사에 대한 적정 매수가격산정 등의 업무를 의뢰하였다. 〈자료 2〉 등에서 제시하고 있는 기준에 따라 S상사의 매기 FCF(Free Cash Flow)를 추계하고 이를 바탕으로 기업가치를 산정하시오. (25점)

〈자료 1〉 감정평가대상의 개요

1. 평가대상

　본건은 S상사에 대한 적정 매수가격(기업가치) 및 영업권 평가임.

2. 평가목적

　본건은 매수의사자인 N물산의 의뢰로 S상사에 대하여 제시한 매도가격의 적정성을 검토하기 위한 적정 매수가격정보를 제공하는 것을 목적으로 함.

3. 평가범위

　본건 평가범위는 S상사의 제품기획, 생산라인, 판매영업망, 고객관리 DB 등 인적·물적 시설 및 시스템을 포괄한 것으로 함.

4. 기준시점 및 조사기간

　기준시점은 2025년 1월 1일이고 조사기간은 2025년 2월 15일~2월 28일까지임.

〈자료 2〉 평가방법

본건 기업가치의 평가는 기업의 현금흐름을 할인하여 산정하는 수익환원법에 의하되, 현재의 진입장벽 및 시장규모와 환경변화를 모두 감안하여 향후 5년간의 고속성장과 경쟁이 가속화될 5년 이후의 안정성장을 가정하여 2단계 성장모형을 적용함.

〈자료 3〉 과거 3개년도의 매출액 및 매출원가 분석

과거 3개년도의 재무제표를 S상사로부터 제공받아 이를 요약하고 분석하여 매출액 성장률 및 매출원가 비율 등을 아래와 같이 분석하였음.

1. 매출액

연 도	2022	2023	2024
매출액(백만원)	32,200	38,540	58,700
성장률(%)	12	19.69	52.31

2. 매출원가

연 도	2022	2023	2024
매출원가(백만원)	9,500	11,500	15,500
매출액 대비 매출원가 비율(%)	29.5	29.84	26.41
성장률(%)	18	21.05	34.78

〈자료 4〉 S상사의 자산 제시 내역

과 목		회사제시자료(백만원)
유동자산	현금 및 현금등가물	164,624
	매출채권	605,811
	재고자산	261,467
	기타유동자산	48,922
소계		1,080,824
투자자산	투자유가증권	8,697
	기타투자자산	61,573
소계		70,270
유형자산	토지	202,162
	건물	773,148
	기계장치	760,296
	공기구비품	271,510
	기타의유형자산	131,406
소계		2,138,522
자산총계		3,289,616

〈자료 5〉 영업이익의 추정

1. 매출액 추이를 검토한 결과 당해 기업이 현재까지 급성장을 이루고 있는 것으로 파악되었으며, 이러한 성장양태는 이후 5년간 지속된 후 점차 둔화되어 안정세를 유지할 것으로 예상됨.

2. 향후 5년간의 영업이익을 다음과 같이 추정하였음.

연도	2025	2026	2027	2028	2029
영업이익	56,469백만	73,410백만	95,433백만	128,835백만	173,928백만

〈자료 6〉 감가상각비의 추정

감가상각비는 실제 현금유출이 수반되지 않는 비용의 성격을 지니며 지난 2024년에 33,000,000원이고 이후 매년 2,000,000원씩 증가됨.

〈자료 7〉 S상사의 기업현금흐름 관련 기타 고려사항

1. 매기 순운전자본 증가분은 아래와 같은 것으로 가정함.

연도	2025	2026	2027	2028	2029
운전자본 증가분	528백만	687백만	893백만	1,354백만	1,828백만

2. S상사는 기업의 지속적인 성장을 위하여 영업현금흐름 중 일부를 기존자산을 유지하거나 새로운 자산을 구입하는데 재투자할 예정이며 이는 감가상각자산의 내용년수, 상각률 등을 고려하여 매년 감가상각비 증가액 규모의 20배에 해당하는 금액을 적용함.

〈자료 8〉 법인세율(t)의 처리방침

(명목)법인세는 최근의 관련세율 인하 방침을 반영하여 20%를 적용하고 이에 대한 10%의 주민세를 가산하여 각종 분석시의 "실질적인 소득세 부담률(이하 '법인세율(t)')"로 적용함.

〈자료 9〉 타인자본비용 관련

의사결정을 하는 시점을 기준으로 새로운 자본의 조달을 가장하였을 때의 비용으로서 현재의 3년만기 회사채 수익률과 회사의 재정상태 및 금융상환 가능성 등을 종합적으로 고려하여 차입이자율을 약 7%(k)로 결정함.

〈자료 10〉 자기자본비용 관련

1. 보통주의 β위험(β_i)

   거래소시장에서의 유사업종 기업의 베타계수를 분석하여 0.8을 적용하기로함.

2. 시장의 기대수익률($E(R_M)$)

   전체의 과거 수익률(주식시장 평균수익률)에 근거하고 종합주가지수 수익률을 고려하여 약 12%를 적용함.

3. 무위험자산의 수익률(R_f)

   평가일 당시의 1년 만기 국채, 3년 만기 국채, 5년 만기 국채 등의 평균이자율 등을 감안하여 약 3.4%로 적용함.

〈자료 11〉 안정성장기에 대한 전망

S상사는 향후 5년말 이후부터는 안정성장을 이룰 것으로 파악하여 장기적으로 3%씩 성장하는 것으로 보며, 안정성장기의 2030년 순현금흐름은 추정기간말 순현금흐름에 35%의 성장률을 적용함.

〈자료 12〉 자산의 실사(Due Diligence)

1. 투자자산 : 실사기준일 현재의 시가는 69,529백만원임.

2. S상사의 타인자본비율은 50%임.

〈자료 13〉 지가변동률(단위 : %)

연도	2015	2016	2017	2018	2019	2020	2021	2022	2023	2024
누계	3.78	3.9	4.1	4.3	4.4	4.56	4.68	4.72	4.79	4.82

〈자료 14〉 기타사항

1. 현금흐름에 대한 할인율은 백분율로 소수점 셋째자리에 반올림하여 결정함.

2. 모든 금액은 백만원 미만에서 반올림하여 결정함.

권리금 평가

연습문제 19 임차인이자 개인사업자인 피고는 「상가건물 임대차보호법」의 권리금보호 등의 규정을 들어 권리금의 지급을 법원에 요청하였다. 재판장은 피고의 신청을 받아들여 감정평가사 甲에게 권리금에 대한 감정평가를 의뢰하였다. 제시된 자료를 활용하여 대상 사업체의 권리금을 산정하시오. (단, 권리금은 시설권리금, 영업권리금, 바닥권리금으로 구분하여 제시할 것) (10점)

〈자료 1〉 기본적 사항

1. 기준가치 : 시장가치

2. 기준시점 : 2025년 7월 16일

3. 대상 사업체의 개황

    1) 소재지 : C시 D동 120

    2) 업종 : 커피숍

    3) 개입일 : 2020년 1월 1일

    4) 면적 : 120m²

〈자료 2〉 시설권리금 자료

1. 시설권리금 대상인 유형재산은 인테리어뿐이며, 사업자는 개업일 당시 인테리어 비용 600,000원/m² 소요되었다는 자료를 제출하였고, 제반 상황을 고려할 때 비용은 적정한 것으로 판단됨

2. 기준시점의 재조달원가는 개업일 당시 비용에 건축공사비지수를 적용하여 산정하며, 조사된 건축공사비지수는 다음 표와 같다.

구 분	2020년 1월	2025년 7월
건축공사비지수	112	147

　　- 건축공사비 변동률 산정은 일할계산하지 않고, 해당 월에 고시된 건축공사비지수를 적용하며, 소수점 넷째 자리를 반올림하여 셋째 자리까지 표기함

3. 단가 산정은 천원 단위 미만에서 반올림하여 천원 단위까지 표기함

4. 감가수정은 정액법에 따르고, 총내용연수는 동종 업의 인테리어 수명 주기를 고려하여 10년으로 하며, 연단위 만년감가를 적용함

〈자료 3〉 영업권리금 자료

1. 영업권리금 산정을 위한 영업이익은 기준시점 이전 3년의 평균영업이익인 연간 23,000,000원으로 하였음

2. 개인사업자로서 영업이익에서 공제해야하는 비용은 기준시점 이전 3년 평균인 연간 19,000,000원으로 하였음

3. 무형재산(영업권리금) 귀속 영업이익은 브랜드를 선호하는 업종의 특성을 고려할 때, 순영업이익의 50%를 적용하는 것이 타당한 것으로 판단됨

4. 인근지역 브랜드 커피숍 증가로 기준시점 이후 영업이익은 동일할 것으로 추정함

5. 영업권리금 특성상 일정 기간 동안 존속하는 것을 기준하여 산정하는 것이 타당하나, 계산 편의상 영구 존속함을 가정하여 산정하되, 적정 환원율은 25%임.

〈자료 4〉 바닥권리금 자료

대상 사업체가 속한 상권은 위치와 업종, 가로의 상태에 따라 일부 바닥권리금이 형성되는 상가가 있으나, 시설권리금과 영업권리금을 받을 수 있는 상가는 별도의 바닥권리금이 없는 것으로 조사됨

오염부동산

연습문제 **20** 감정평가사 김○○은 산업단지 내의 염색공장으로 사용되었던 오염토지에 대하여 시가참고 목적의 감정평가를 의뢰받았다. 관련 법규 및 이론을 참작하고 제시된 자료를 활용하여 다음 물음에 답하시오. (15점)

> (물음 1) 오염 전의 토지가액을 구하시오.
>
> (물음 2) 오염 후의 토지가액을 구하시오.

〈자료 1〉 대상 토지의 개요

기호	소재지	지목	면적(m²)	용도지역	도로교통	형상 지세
1	서울특별시 A구 가동 99	공장용지	9,999	준공업 지역	중로한면	사다리 평지

〈자료 2〉 기본적 사항

1. 감정평가 목적 : 시가참고

2. 기준시점 : 2025.07.01

3. 현장조사 : 2025.03.01~2025.07.01

4. 토양오염 규모 : 공장운영에 따른 배관 부식과 오염물질 누출로 추정되며, 토양오염의 규모는 2,000m³로 조사됨

〈자료 3〉 정상 거래사례 자료

1. 소재지 : 서울특별시 C구 다동 101

2. 토지특성 : 준공업지역, 공장용지, 7,500m², 공업용, 중로한면, 사다리, 평지

3. 거래시점 : 2024.11.06.

4. 거래금액 : 35,000,000,000 원 (@4,666,000원/m²)

5. 기타 : 토양오염이 없는 상태의 정상 거래사례임.

〈자료 4〉 시점수정 자료(지가변동률)

구 분	A구 공업지역	B구 공업지역	C구 공업지역
거래시점 부터 기준시점 까지	1.504%	2.227%	8.133%

〈자료 5〉 기타 참고자료

1. 오염 전의 토지가액은 비교방식을 적용하고, 거래단가를 기준으로 산정함

2. 비교요인표

구 분	본건	거래사례
지역요인 비교	100	115
개별요인 비교	100	135

※ 요인 비교에서 본건과 사례의 가치형성요인 사항에는 오염에 대한 비교요인은 고려되지 않았음

3. 토양오염 조사비용 자료

　　토양오염의 규모는 2,000m³로 조사되었고, 관련 토양오염 조사비용으로 토양이 오염된 규모를 기준으로 1,000,000원/m³을 2025.07.01.에 지급함

4. 정화비용 자료

정화방법은 생물학적 처리, 화학적 처리 및 열처리를 복합적으로 적용할 예정이며, 정화기간은 3년이 소요될 것으로 추정되고 연간 정화비용은 600,000원/m³이 소요되며 매년 연말에 지급함

5. 스티그마 자료

시장보고서에 따르면 스티그마는 오염 전 토지가액을 기준으로 25%의 가치감소가 있는 것으로 조사되었음.

6. 이율 자료

1) 시장이자율(할인율) 연 6%, 화폐의 시간가치 고려함
2) 연복리표(이자율 6% 기준)

기간	일시불 내가계수	연금 내가계수	연금 현가계수
3년	1.191016	3.183600	2.673012

일조권

연습문제 21 감정평가사 K씨는 서울시 관악구 신림동에 신축예정인 타워펠라스로 인한 인근 신림한대아파트 102동 301호의 일조권 침해의 경제적 가치 감소액 산정을 위한 보정률 산정을 의뢰받았다. 대상 301호에 대해 일조권 침해로 인한 경제가치 감소 보정률을 산정하시오. (기준시점 : 2025년 8월 31일) (15점)

〈자료 1〉 의뢰 대상부동산

1. 소재지 : 서울시 관악구 신림동 263번지

2. 전체 토지 : 102동에 배분되는 대지면적 2,400m²

3. 건물

　⑴ 102동 건물 전체

구조	연면적	건폐율	용적률	규모	비고
철근콘크리트조 슬라브지붕	4,569m²	24.54%	271%	15층 56개호	계단식

　⑵ 대상 301호

전용면적	연면적	대지권	평형
58.87m²	80.00m²	2,400분의 50	85m²

〈자료 2〉 평가조건 및 평가방법

1. 평가조건

　대상부동산의 시장가치 산정에 있어서 대상부동산이 개별투자한 내부마감재, 기존 구조의 변경, 추가설비 및 관리상태의 양부에 따른 가격차이는 본 평가에서 대상으로 하지 않는다. 그리고 일조권 등의 침해에 의한 가격하락의 내용은 일조침를 원인으로 하여 발생한 가치 감소액을 포함한다.

2. 평가방법

아파트와 같이 일반 부동산에 비해 가치형성요인이 단순하고 정형화된 물건은 가치형성요인이 총 가격에 대한 일정비율로 나타나는 것으로 볼 수 있으므로, 본 평가에서는 아파트 시장가치에 일조권이 침해됨으로서 감소하는 가격비율을 적용한다. 이때 특히 일조침해에 대한 보정률 산정시 특성가격접근법(Hedonic Price Method ; HPM모형)의 방법을 적용하여 산정한다.

〈자료 3〉 일조권 등의 침해에 따른 보정률 산정

1. 개 요

본 감정평가의 목적은 타워펠라스 건설에 따른 신림한대아파트 102동 301호의 일조권 등이 침해됨으로써 발생하는 경제가치 하락액 산정이고 일조권 등은 아파트 가치형성요인 중 주로 전유부분에 관계되어 나타나는 것으로 일조침해와 조망권침해 그리고 환경심리침해(프라이버시침해 등)로 나누어진다.

2. 일조침해 보정률 산정을 위한 자료

⑴ 당해 301호의 일조시간을 예측결과 연속 2시간 일조확보는 불가능하며, 총 3시간 7분의 일조시간을 확보할 수 있는 것으로 조사되었다.

⑵ 인근의 일조시간에 따른 APT별 보정된 부동산 가치인근의 유사APT의 가격을 기초로, 일조 정도를 제외하고 개별요인 등이 최근의 가격수준으로 보정된 가치로 인정됨.

사례	일조시간	보정된 부동산 가치
1	5시간 5분	260,100,000
2	4시간 30분	200,500,000
3	1시간	213,300,000
4	2시간 20분	216,300,000
5	3시간 40분	219,200,000
6	6시간 10분	238,500,000
7	2시간 50분	217,380,000
8	30분	212,130,000
9	1시간 20분	214,000,000
10	4시간	220,000,000

Chapter

09

목적별 평가

담보평가 (토지)

연습문제 1 감정평가사 A는 다음과 같은 조건으로 감정평가의뢰를 받았다. 2024. 3. 31 기준시점의 담보감정평가가격을 구하시오. (10점)

〈자료 1〉 감정평가의뢰내용

1. 소재지 : C시 S읍 C리 121번지, 답, 360m²

2. 도시계획사항 : 도시지역(미지정)

3. 감정평가목적 : 담보

〈자료 2〉 사전조사사항

1. 등기사항전부증명서 및 토지대장등본 확인사항 : 답, 360m²

2. 인근의 표준지공시지가 현황

(공시기준일 2024. 1. 1)

일련 번호	소재지	지목	면적 (m²)	용도지역	이용 상황	도로교통	공시지가 (원/m²)
1	C시 126-2	대	500	미지정	상업용	소로한면	40,000
2	C시 119	답	400	미지정	답	세로(불)	18,000
3	C시 226	답	365	자연녹지	답	세로가	20,000

※ 공시지가는 인근의 적정시세를 반영하고 있는 것으로 봄.

3. 지가변동률(C시)

(단위 : %)

용도지역	주거지역	상업지역	녹지지역	관리지역	농림지역
2024년 1/4분기	-0.80	-2.00	0.00	1.05	0.95

4. 본 토지 및 유사물건 감정평가사례 : 없음

〈자료 3〉 현장조사사항

1. 지적도 및 이용상태(지적선 : 실선)

120번지	121번지	현황 도로 부분	122번지
131번지	132번지		133번지

현장조사결과 본 토지 중 50m²는 현황도로로 이용중이고 현황도로부분과 C시 S읍 C리 122번지 사이의 토지 10m² 부분은 단독효용성이 희박한 것으로 조사되었음

2. 거래사례

일련번호	소재지	지목	면적(m²)	거래가격	거래일자	용도지역
1	C리 126-2	전	500	12,000,000	2024. 2. 1	미지정
2	C리 125	답	400	6,000,000	2024. 1. 9	미지정

가. 거래사례 1은 외지인이 1년 이내에 음식점을 신축할 목적으로 시장가치보다 21%고가로 매입하였음

나. 거래사례 2는 친척간의 거래로 시장가치보다 저가로 거래되었음

〈자료 4〉 기타자료

1. 지역요인 : 동일함

2. 개별요인 평점

구 분	대상토지	표준지(1)	표준지(2)	표준지(3)	거래사례(1)	거래사례(2)
평점	100	160	90	100	90	110

※ 단, 대상토지의 평점은 현황도로 및 단독효용성 희박부분 외의 토지를 기준함

담보평가 (복합부동산)

연습문제 2 감정평가사 K는 H은행 B지점으로부터 담보감정평가를 의뢰받고 사전조사 및 실시조사를 통하여 다음과 같은 자료를 수집·정리하였다. 감정의 목적을 감안하여 다음순서에 따라 대상부동산의 감정평가액을 구하시오. (25점)

> (물음 1) 토지가치 산정
>
> (물음 2) 건물가치 산정
>
> (물음 3) 대상부동산의 감정평가액

〈자료 1〉 감정평가의 기본적 사항

1) 감정평가 의뢰물건 : 경기도 A시 B구 C동 321-12 소재 토지 및 건물
   - 토지 : 주상용, 면적 215.8m²
   - 건물 : 철근콘크리트조, 사용승인일자(2012. 12. 26) 건축물대장상 면적 : (지하층, 1층 : 106.7m², 2·3층 : 107.48m², 건물등기사항전부증명서 상 소유권보존등기일 (2013. 2. 14)

2) 감정평가 의뢰일자 : 2025.08.20

3) 현장조사일자 : 2025.08.23~2025.08.25

4) 감정평가서 작성일자 : 2025.08.26

〈자료 2〉 실지조사결과 확인내용

1) 토지 : 대상토지 남측에 접한 321-13(잡)은 시설녹지이며 지상에는 3미터 높이의 조경수목이 밀식되어 있음.

2) 건물
   가) 이용상황 : 지층 – 창고, 1층 – 근린생활시설(소매점), 2층 – 다가구주택(2가구), 3층 – 다가구주택(1가구)

나) 지층 및 1, 2층의 면적은 공부와 일치하나, 3층 부분의 실제면적은 60m²임

다) 지상층에는 위생설비가 되어 있고, 2층과 3층에는 도시가스에 의한 개별난방 설비가 되어있음

3) 임대차 내역 : 임대차 내역은 아래와 같이 조사됨

구 분	임대차 내역	비고
지층 및 1층	전체를 소유자가 이용 중임	
2층	201호 : 김갑동(보증금 65,000,000원) 202호 : 이을동(보증금 60,000,000원)	전체 임대
3층	박병동(보증금 50,000,000원)	전체 임대

〈자료 3〉 인근의 표준지공시지가 현황(공시기준일 : 2025.01.01)

일련 번호	소재지	면적 (m²)	지목	이용상황	용도지역	도로교통	형상 지세	공시지가 (원/m²)
1	C동 313-2	300	대	주상용	1종일주	세로한면	가장형 평지	2,000,000
2	C동 320-8	230	대	주상용	1종일주	소로각지	가장형 평지	2,250,000
3	C동 321-2	260	대	주상용	1종일주	세로한면	가장형 평지	2,150,000
4	C동 350-5	250	대	연립	1종일주	소로한면	부장형 평지	1,800,000

〈자료 4〉 지가변동률

구 분	상업지역	주거지역	녹지지역
2025년 6월 (1~6월 누계)	0.015% (1.421%)	0.246% (1.373%)	0.322% (1.537%)

〈자료 5〉 토지에 대한 지역요인 평점

구 분	대상토지	표준지
평 점	100	100

〈자료 6〉 토지에 대한 개별요인 평점

구 분	대상토지	표준지1	표준지 2	표준지 3	표준지 4
평 점	100	95	105	96	90

〈자료 7〉 그 밖의 요인자료

1) 인근지역의 평가사례

소재지	평가목적	기준시점	평가액(원/m²)	비고
B구 C동 318-6	담보	2025.07.29	2,170,000	적정 시장가치

※ 평가대상토지와 인근 평가사례의 개별요인은 대등함.

2) 대상토지와 유사한 이용가치를 지닌 인근 토지의 기준시점 현재 적정 지가 수준은 2,150,000원~2,250,000원/m² 정도임.

〈자료 8〉 건물 표준단가(기준시점 현재)

분류번호	용도	구 조	급수	표준단가 (원/m²)	내용 년수
2-3-5-2	다가구 주택	철근콘크리트조	3	800,000	50년
4-1-5-7	점포 및 상가	철근콘크리트조	4	600,000	50년

주) 지하부분의 재조달원가는 1층 표준단가의 70%를 적용함.

〈자료 9〉 건물 부대설비 보정단가(기준시점 현재)

1) 위생설비 : 근린생활시설 - 20,000원/m², 일반주택 및 다가구주택 - 40,000원/m²

2) 난방시설(유류 및 도시가스 온수식) : 일반주택 및 다가구주택 - 50,000원/m²

〈자료 10〉 평가대상 부동산의 공부

1) 토지이용계획확인서 내용 : 제1종일반주거지역, 소로2류에 접함

2) 지적도 등본 - 1부 첨부

지적도 등본

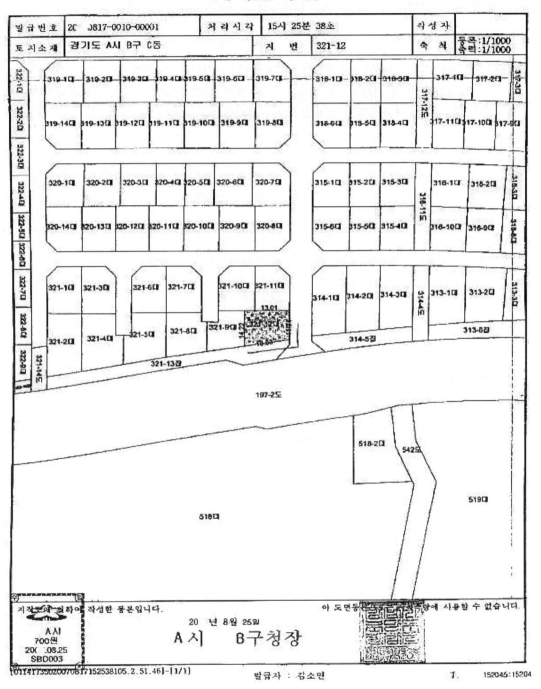

담보평가 (명세표)

연습문제 3 금융기관 A은행은 의뢰목록과 등기사항전부증명서를 첨부하여 L씨 소유의 부동산에 대하여 감정평가사 K씨에게 감정평가를 의뢰하였다. A은행이 의뢰한 L씨 소유 부동산에 대한 담보목적의 감정평가액을 산정하시오. (20점)

〈자료 1〉 A은행의 의뢰목록 및 의뢰시 첨부한 공부서류

1. 평가대상 목록

소유자 L씨는 자신이 소유하고 있는 Y시와 P시의 부동산을 담보물로 제공하여 A은행에서 대출을 받을 예정이며, A은행이 제시한 평가대상 목록은 다음과 같음.

평가대상목록
P시 S동 136-22 소재 토지, 건물

2. 평가대상 관련

- 토지등기사항전부증명서

소재지번	지목	면적	기타사항
P시 S동 136-22	대	269m^2	-

- 건물등기사항전부증명서

소재지번 및 건물번호	건물내역
P시 S동 136-20, 136-22	(가) 연와조 슬래브지붕 단층주택 102.3m^2 (나) 세멘트 벽돌조 슬래브지붕 단층 화장실 3.15m^2

〈자료 2〉 감정평가사 K씨의 사전조사사항

토지대장등본을 확인한 결과, 건물등기사항전부증명서상 건물소재지번인 "P시 S동 136-20, 136-22"의 경우, 2017년 10월 5일자로 현재의 토지소재지번인 "P시 S동 136-22"로 합병됨.

〈자료 3〉 현장조사 후 자료 정리 사항

1. 소재지 : P시 S동 136-22

2. 현장조사일 : 2025년 9월 5일~2025년 9월 6일

3. 현장조사사항

　　가. 토지

구 분	내 용
위치 및 부근상황	대상물건은 P시 S동 소재 ○○마을 북서측에 위치하며, 주변은 대규모주택단지 및 단독주택이 소재하는 근교농촌지대임.
교통상황	대상물건까지 차량의 진·출입이 가능하고, 인근에 버스정류장이 소재하여 대중교통사정은 보통임.
형태 및 이용상황	대상물건은 부정형 평지로서 현장조사일 현재 단독주택건부지로 이용 중임.
도로상황	남동측으로 로폭 약 4m의 콘크리트 포장도로와 접함.
토지이용관계	자연녹지지역, 보호구역기타(도지정 300m 이내-기념비), 토지거래계약에 관한 허가구역임.
기타 참고사항	대상 물건 일부에 대하여 타인 점유부분으로 추정되며, 동부분에 인접 획지(S동 136-3번지)의 담장이 필지 경계를 침범하여 설치되어 있음.

　　나. 건물

구 분	내 용
건물의 구조	기호(가) 연와조 슬래브지붕 단층, 기호(나) 세멘트 벽돌조 슬래브지붕 단층 일반건축물대장상 사용승인일자는 공히 2006년 11월 10일임
이용상태	기호(가)는 단독주택, 기호(나)는 화장실로 이용중임
위생 및 난방설비	위생 및 급·배수설비, 난방설비 등이 되어 있음
부합물 및 종물관계	다음의 부합물 및 종물 1동이 소재함 - 기호(ㄱ) : 벽체이용 1층 소재 발코니 약 6m² (최근에 설치한 것으로 조사됨)

4. 지적 및 건물개황도

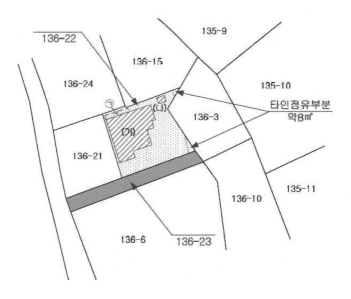

5. 추가조사사항

가. 소유자를 동반한 현장조사 결과, 평가대상물건인 "P시 S동 136-22"로의 진입을 위해서는 현황 도로인 "P시 S동 136-23"를 경유하여야만 하며, 이 도로부지는 자연녹지지역에 속하고 인접한 대지소유자들이 공유의 형태로 소유하고 있는 것으로 조사되었음.

나. 현황도로부분의 토지등기사항전부증명서

소재지번	지목	면적	기타사항
P시 S동 136-23	도로	115m²	L씨 지분 : 37 / 115

〈자료 4〉 현장조사 후 A은행과의 협의 내용

P시 S동 현장조사시 추가로 확인된 '도로'의 경우 공동담보물건으로 추가하기로 함.

〈자료 5〉 인근지역 내 표준지공시지가(공시기준일 2025년 1월 1일)

(P시 S동 소재)

기호	소재지	면적 (m²)	지목	공시지가 (원/m²)	지리적 위치	이용 상황	용도 지역	도로 교통	형상 지세
14	108-6	2,605.0	전	270,000	D복지원 서측 인근	과수원	자연 녹지	세로 (가)	사다리 평지
15	110-2	1,246.0	답	160,000	S전자 북측 인근	답	자연 녹지	맹지	사다리 평지
16	118-5	1,753.0	대	450,000	D자동차 남측 인근	상업용	자연 녹지	광대 세각	삼각형 평지
17	137-46	183.0	대	330,000	○○마을 북서측 인근	단독 주택	자연 녹지	세로 (가)	가장형 평지
18	216-3	833.0	대	285,000	△△마을 내	단독 주택	농림 지역	세로 (가)	사다리 평지
19	298	2,988.0	답	145,000	△△마을 북서측 인근	답	농림 지역	세각 (가)	가장형 평지
20	산32	3,669.0	임	145,000	○○마을 북측 인근	자연림	자연 녹지	세로 (가)	부정형 완경사

〈자료 6〉 지가변동률(단위 : %)

2025.1.1.부터 기준시점까지 : 2.375%

〈자료 7〉 개별요인비교 자료

1. 도로접면

구 분	소로각지	소로한면	세로가	세로(불)	맹지
소로각지	1.00	0.96	0.86	0.80	0.70
소로한면	1.04	1.00	0.90	0.85	0.75
세로가	1.16	1.05	1.00	0.95	0.83
세로(불)	1.25	1.15	1.11	1.00	0.88
맹지	1.43	1.33	1.20	1.13	1.00

2. 형상

구 분	가장형	세장형	사다리형	부정형
가장형	1.00	0.97	0.92	0.85
세장형	1.03	1.00	0.95	0.88
사다리형	1.09	1.05	1.00	0.92
부정형	1.18	1.14	1.08	1.00

3. 지세

구 분	평지	완경사
평지	1.00	0.97
완경사	1.03	1.00

〈자료 8〉 그 밖의 요인 비교 자료

해당 지역 내 공히 표준지공시지가는 시세를 적정하게 반영하고 있는 것으로 조사됨.

〈자료 9〉 건물관련 자료

현장조사시점 현재 대상건물과 동일한 건물의 신축단가지료는 다음과 같음.

기 호	구 조	구 분	용도	내용년수	신축단가 (원/m²)
가	연와조 슬래브지붕	지상층	단독주택	45	750,000
나	세멘트 벽돌조 슬래브지붕	지상층	화장실	45	350,000
ㄱ	벽체이용 발코니	지상층	발코니	15	250,000

〈자료 10〉 기타사항

제반 개별요인의 특성 적용은 제시된 현장조사사항, 지적개황도 등을 참고하되, 특히 개별획지의 형상에 유의 요함.

경매평가

연습문제 4 감정평가사 A는 다음과 같은 조건으로 감정평가의뢰를 받았다. 주어진 자료를 활용하여 2025. 3. 31 기준시점의 각각의 경매감정평가가격을 구하시오. [20점]

> (물음 1) 경매감정평가가격을 구하시오. 단, 제시외건물이 토지와 일괄경매 되는 조건
>
> (물음 2) 제시외건물이 타인 소유인 것으로 상정하여 당해 토지(토지대장등 본상 C시 S읍 C리 121번지)의 경매감정평가가격을 구하시오.

〈자료 1〉 감정평가 의뢰내용

1. 소재지 : C시 S읍 C리 121번지, 답, 350m²

2. 도시계획사항 : 자연녹지지역

3. 감정평가목적 : 경매

〈자료 2〉 사전조사사항

1. 등기사항전부증명서 확인사항 : 답, 350m²

2. 토지대장등본 확인사항 : 토지대장등본을 확인한 바 C시 S읍 C리 121번지의 토지이동사항은 아래와 같고 소유자는 관련 등기사항전부증명서상의 소유자와 동일

이동 전	이동 후	비　고
답, 360m²	답, 350m²	2024.11.1에 답, 10m²가 분할되어 C시 S읍 C리 122번지와 합병 (정리 완료)
답, 350m²	답, 300m²	2024.12.1에 답, 50m²가 분할되어 C시 S읍 C리 121-1번지로 분할

3. 당해토지 용도지역은 2024. 12. 1에 확정·변경되었음.

4. 인근의 표준지공시지가 현황(공시기준일 2025. 1. 1)

일련 번호	소재지	지목	면적 (m²)	용도지역	이용상황	도로교통	공시지가 (원/m²)
1	C시 126-2	대	500	자연녹지	상업용	소로한면	40,000
2	C시 119	답	400	자연녹지	답	세로(불)	20,000
3	C시 226	답	365	자연녹지	답	세로가	22,000

5. 지가변동률(C시)

(단위 : %)

용도지역	주거지역	상업지역	녹지지역	농림지역
2025년 1/4분기	1.00	0.80	2.10	1.75

〈자료 3〉 현장조사사항

1. 지적도 및 이용상태(지적선 : 실선)

	노폭 5m의 포장도로		
120번지	121번지 (ㄱ)	121-1 번지	122번지
131번지	132번지	132-1 번지	133번지

가. 현황도로인 C시 S읍 C리 121-1번지는 C시에서 농로를 개설하기 위해 직권분할하였으며, 보상감정평가는 이루어졌으나 보상금은 미수령 상태인 것으로 조사되었음

나. 지적도상 C시 S읍 C리 121번지는 부지조성을 공정률 20%정도 진행하다 중단된 상태로 현재까지 지출된 비용은 3,000,000원(제시외건물과는 무관함)이고 이는 적정한 것으로 조사되었음

2. 제시외건물에 관한 사항

가. 본 토지상에 기호 (ㄱ)인 제시외건물이 소재하고 있으며 소유자는 알 수 없었음

나. 구조, 용도, 면적 : 경량철골조, 판넬지붕, 간이숙소, 30m²

다. 신축시점 : 탐문결과 2025. 1. 1에 신축된 것으로 조사됨.

3. 보상평가선례

대상토지의 정상적인 거래시세 및 기타사항 등을 종합 참작한 시장가치로 분석되었으며, 공도 등으로 이용되는 대상토지는 보상평가기준에 의거 감정평가한 것으로 조사되었음

소재지	지목	면적(m²)	이용상태	기준시점	보상단가 (원 : m²)
C시 S읍 C리 121-1번지	답	50	도로	2025.3.31	8,500

※ 보상선례를 기준한 단가는 백원 미만을 절사함

〈자료 4〉 기타사항

1. 대상토지에 적용되는 건폐율은 60%임

2. 토지의 지역용인 : 동일함

3. 토지의 개별요인

구 분	대상토지	표준지(1)	표준지(2)	표준지(3)
평점	100	160	90	100

※ 단, 대상토지의 평점은 현황도로 외의 토지를 기준함

4. 경량철골조, 판넬지붕, 간이창고건물의 2025. 3. 31기준 표준적인 신축가격은 150,000원/m² 이며 간이숙소에 설치하는 난방, 위생설비 등의 설비단가는 30,000원/m²임(내용연수는 30년).

5. 본 지역 관할법원에서는 토지와 제시외 건물의 소유자가 상이하여 일괄경매가 되지 않을 경우의 토지가격을 별도로 감정평가해줄 것을 요구하고 있음. 이 경우 해당부분의 토지에 지상권이 설정된 정도의 제한을 감안(30%)하여 감정평가함이 일반적임

6. 공시지가는 인근의 적정시세를 반영하고 있는 것으로 봄.

담보 경매 국공유재산평가

연습문제 5 실무수습 감정평가사 B씨는 담보평가를 위한 실지조사 후 지도감정평가사 S씨로부터 아래 평가목적별 감정평가액을 산정하여 제출하라는 과제를 부여 받았다. 주어진 자료를 활용하여 동일 부동산에 대한 평가목적별 감정평가가액을 결정하시오. (20점)

> (물음 1) 대상부동산의 담보감정평가액
>
> (물음 2) 대상부동산의 경매감정평가액
>
> (물음 3) 대상부동산이 국유재산 중 잡종재산일 경우 처분목적의 감정평가액

〈자료 1〉 대상부동산의 기본자료

1. 소재지 : A시 B구 C동 108번지

2. 형상 및 지세 : 자루형 평지

3. 도시관리계획사항 : 제2종일반주거지역, 도시계획도로저촉, 문화재보호구역

4. 당해 건축물의 사용승인일은 2018.6.30이며 건물과 토지는 최유효이용상태에 있는 것으로 조사되었음.

5. 건물의 내용년수는 50년이며, 경제적 내용년수는 45년으로 판단되었음.

6. 대상부동산은 전체가 도시계획도로 및 문화재보호구역에 저촉된 상태임.

7. 해당 구청으로부터 발급받은 지적도상 축척은 1 : 1,200임

8. 기준시점은 평가목적별로 2025.8.28자임.

〈자료 2〉 사전조사내용

1. 토지 관련자료

구 분	소재지	지목	면적
토지대장등본	A시 B구 C동 108번지	대	532m^2
토지등기사항전부증명서	A시 B구 C동 108번지	답	150평

2. 건물 관련자료

구 분	일반건축물대장등본	건물등기사항전부증명서
소재지	A시 B구 C동 108번지	A시 B구 C동 108번지
구조	철근콘크리트조 슬래브 지붕 지하 1층 지상 5층	철근콘크리트조 슬래브 지붕 지하 1층 지상 5층
지하1층	(주차장) 250m^2	(주차장) 250m^2
1~4층	(근린생활시설) 각 230m^2	(근린생활시설) 각 230m^2
5층	(단독주택) 210m^2	(단독주택) 180m^2

3. 인근지역의 표준지공시지가

(공시기준일 : 2025.1.1)

일련 번호	소재지	면적 (m^2)	지목	이용 상황	용도지역	주위환경	도로교통	형상지세	공시지가 (원/m^2)
1	A시 B구 C동 107	550	대	주상용	제2종 일반주거	주택 및 상가지대	중로한면	가장형 평지	2,000,000

※ 비고시 항목 중 확인내용 : 도시계획도로 저촉률20%, 문화재보호구역이 아님.

4. 지가변동률

(A시 B구)

(단위 : %)

구 분	주거지역	상업지역	대		기타
			주거용	상업용	
2025년 1월	0.512	0.312	0.511	0.552	0.312
2025년 2월	0.235	0.326	0.221	0.331	0.156
2025년 3월	0.901	0.791	0.701	0.101	0.595
2025년 4월	0.623	0.328	0.531	0.715	0.201
2025년 5월	0.225	0.251	0.282	0.312	0.212
2025년 6월	0.237	0.254	0.297	0.323	0.232
2025년 7월	0.237	0.252	0.298	0.324	0.282

5. 생산자물가지수(한국은행조사)

(2010 = 100)

2024.12	2025.1	2025.3	2025.5	2025.6	2025.7
108.4	108.6	109.5	109.6	109.0	109.9

〈자료 3〉 실지조사내용

1. 실지조사결과 대상토지 중 약 $50m^2$는 현황도로(소유자가 스스로 자기토지의 편익증진을 위해 개설하였으나 개설이후 도시계획시설(도로)결정이 이루어졌음)이며, 약 $30m^2$는 타인이 점유하고 있는 것으로 조사되었고, 일반적으로 도시계획도로에 저촉된 부동산은 인근지역의 표준적인 가격에 비하여 30% 정도 감가되어 거래되는 것으로 조사되었음.

2. 건설사례

인근지역에서 대상건물 및 표준지 지상 건물과 구조ㆍ시공자재ㆍ시공정도 등 제반 건축조건이 유사한 주상복합용 건물의 건설사례를 조사한 결과 기준시점 현재의 표준적인 건축비용은 m^2당 750,000원으로 파악되었음.

3. 제시외 건물에 관한 사항

  ① 대상토지에 소재하는 제시외 건물은 일반건축물대장에 미등재된 상태로서 종물에 해당되는 것으로 판단되며, 대상부동산 소유자의 소유인 것으로 조사되었음.

  ② 구조·용도·면적 : 시멘트벽돌조 슬래브지붕단층, 화장실 및 창고, 30m²

  ③ 신축시점 : 구두조사결과에 의하면 2018.7.1에 신축된 것으로 보임.

  ④ 기준시점현재 건축비 : 291,000원/m²

  ⑤ 제시외 건물의 물리적 내용년수는 45년이며, 경제적 내용년수는 40년으로 판단되었음.

〈자료 4〉 평가조건, 지역 및 개별요인 등

1. 지도감정평가사가 소속되어 있는 감정평가법인과 대상부동산의 담보 감정평가서 제출처인 금융 기관 사이에 체결한 협약서에는 현황도로 및 타인 점유부분은 평가대상면적에서 제외하도록 규 정되어 있음.

2. 문화재보호구역 가치하락률

저촉정도	0~20%	21~40%	41~60%	61~80%	81~100%
감가율	3%	5%	7%	9%	10%

3. 대상토지 중 타인점유부분은 노후 건물이 소재하여 점유강도가 다소 약한 것으로 판단되며, 이에 따른 가치하락률은 5% 정도인 것으로 판단되었음.

4. 대상부동산이 국유재산 중 잡종재산일 경우 지상에 소재하는 제시외 건물의 매각여부는 국유 재산법에 따라 처리할 것.

5. 대상부동산을 국유재산의 처분목적으로 감정평가하는 경우 타인점유부분은 건물 철거 후 나지 상태로 처분하는 것을 전제로 하고, 도로부분은 분할 후 매각대상에서 제외하는 것으로 할 것.

〈자료 5〉 기타참고자료

1. 지가변동률은 백분율로서 소수점이하 넷째자리에서 반올림하여 셋째자리까지 표시하고, 단가는 100만원단위 이상일 경우에는 유효숫자 넷째자리, 그 미만은 셋째자리까지 표시함을 원칙으로 하되 반올림하시오.

2. 건물의 감가수정은 정액법에 의함.

3. 토지의 면적을 환산할 경우 소수점이하 첫째자리에서 반올림할 것.

4. 국유재산 평가시에 도시계획시설 등은 폐지된 것으로 볼 것.

5. 표준지 공시지가는 적정 시세를 충분히 반영함.

담보 경매평가

연습문제 6 기본적인 자료를 바탕으로 다음의 경우를 상정한 기준시점(평가일) 현재의 감정평가액을 산정하시오. (20점)

> (물음 1) '토지조서1'의 토지가 지상의 건축물을 포함하여 '담보'목적으로 의뢰된 경우
>
> (물음 2) '토지조서2'의 토지가 지상의 건축물을 포함하여 '경매'목적으로 의뢰된 경우

〈자료 1〉 토지조서 1

소재지	번지	지목	면적(m^2)	사업종료일	비 고
P면 Y리	430-10	대	2,400	2022.03.30	근린생활시설

〈자료 2〉 토지조서 2

소재지	번지	지목	면적(m^2)	사용승인일	비 고
D면 C리	69-9	장	1,400	2023.10.25	공장

〈자료 3〉 현장 조사사항

1. 토지조서1 관련(현장조사일 : 2025년 5월 15일)
   ⑴ 2024년 12월 24일자로 관리지역에서 '계획관리지역'으로 세분화되었음.
   ⑵ 현재 근린생활시설(철골조 2층 연면적 1,000m^2)이 소재하여 정상적으로 영업 중에 있으나, 대상물건과 같은 시기에 신축한 동측 인접 필지의 공장 건축물이 200m^2 가량 필지 경계를 침범하여 있는 것으로 조사됨. (사업 종료일에 사용 승인됨)
   ⑶ 전반적으로 평탄한 지대이며, 북측 도로는 과거 노폭 6m의 콘크리트 포장도로였으나 A시에서 2022년 초에 확포장공사를 시행하여 로폭 약 18미터의 아스콘포장도로가 되었음.
   ⑷ 건물 준공과 동시에 'P면 Y리 430-10번지'와 'P면 Y리 430-11번지'는 합병하였으며, 합병 전 부정형이었던 개별토지는 합병 후 사다리형 및 지목에 부합하는 용도로 이용되었고 공히 북측 도로에 접하였음.

2. 토지조서 2(현장조사일 : 2025년 5월 16일)

⑴ 2022년 12월 24일자로 관리지역에서 용도지역 미지정 지역이 되었음.

⑵ 기존 건축물로 공장 "제1동 철골조 단층, 540m² / 제2동 철골조 단층 100m²)"이 소재하였으나, 1년 전 제2동이 전소되었고 최근 그 자리에 직원 숙소(주거용, 철골조 동일 면적)를 건축하였음.

⑶ 지난해 초에 본건 소유자가 지상에 간이창고(철파이프조 천막지붕, 20m²)를 신축하였음.

⑷ 세장형의 토지로 주위는 남하향의 완만한 경사지대이며, 북측으로 로폭 8m의 아스콘포장도로에 한면이 접하고 있음.

〈자료 4〉 표준지공시지가

1. P면 Y리

일련번호	소재지지번	면적(m²)	지목	이용상황	용도지역	도로교통방위	형상지세	공시지가	
								2025년	2024년
1-1	P면 Y리 467	1,623	전	전	계획관리	맹지	부정형평지	62,000	54,000
1-2	P면 Y리 473-1	2,405	대지	상업용	계획관리	소로한면	부정형평지	355,000	350,000
1-3	P면 Y리 653-4	15,740	공장용지	공업용	계획관리	세로(가)	사다리완경사	210,000	210,000

2. D면 C리

일련번호	소재지지번	면적(m²)	지목	이용상황	용도지역	도로교통방위	형상지세	공시지가	
								2025년	2024년
2-1	D면 C리 377-2	2,595	답	답	미지정	세로(가)	세장형평지	136,000	130,000
2-2	D면 C리 401-4	6,683	공장용지	공업용	미지정	소로각지	사다리완경사	577,000	550,000
2-3	D면 C리 431	2,089	전	전	자연녹지	맹지	사다리완경사	204,000	195,000

〈자료 5〉 그 밖의 요인 보정 자료

각 대상 인근 거래사례(각 사례는 적용 대상과 개별요인이 동일한 것으로 본다)

기호	기준 시점	소재지	지목	이용 상황	용도 지역	단가 (원/m²)	시점 수정치
1	2024. 10.15	P면 Y리	장	공업 나지	관리 지역	584,689	0.96683
2	2025. 01.01	D면 C리	장	공업 나지	미지정	615,850	0.98726

〈자료 6〉 건물관련 자료

아래의 자료는 기준시점 현재 기준이며, 건축비는 지난 5년간 평균적으로 매년 5%씩 상승하였음.
최종잔가율 10% 적용.

구 분	구조	용도	내용년수	신축단가(원/m²)
1	철골조	공장	40	360,000
		근린생활시설	40	390,000
		주거용 기타	40	490,000
2	경량철골조	근린생활시설	30	300,000
3	철파이프조 천막지붕	창고	20	90,000
4	벽돌조	주거용	45	600,000

〈자료 7〉 지가변동률(A시 용도지역별, 단위 : %)

기간	평균	녹지
2025.01.01.부터 2025.05.15	0.001	-1.274

기간	계관	관리
2025.01.01.부터 2025.05.15	-1.271	미공시

〈자료 8〉 토지가격비준표(국토교통부)

1. 용도지역 공통비준표

	관리	보전관리	생산관리	계획관리
관리	1.00	0.85	0.98	1.17
보전관리	1.18	1.00	1.15	1.38
생산관리	1.02	0.87	1.00	1.19
계획관리	0.85	0.73	0.84	1.00

2. 토지용도

	주거용	상업업무	주상복합	공업용
주거용	1.00	1.44	1.32	1.25
상업업무	0.69	1.00	0.92	0.87
주상복합	0.76	1.09	1.00	0.95
공업용	0.80	1.15	1.06	1.00

3. 도로접면

	중로한면	중로각지	소로한면	소로각지	세로가	세각가	세로불	세각불
중로한면	1.00	1.07	0.89	0.96	0.79	0.81	0.73	0.74
중로각지	0.93	1.00	0.83	0.89	0.74	0.75	0.68	0.69
소로한면	1.12	1.20	1.00	1.07	0.88	0.91	0.81	0.82
소로각지	1.04	1.12	0.93	1.00	0.82	0.85	0.76	0.77
세로가	1.27	1.36	1.13	1.21	1.00	1.03	0.92	0.93
세각가	1.23	1.32	1.10	1.18	0.97	1.00	0.90	0.91
세로불	1.38	1.48	1.23	1.32	1.09	1.12	1.00	1.01
세각불	1.36	1.46	1.21	1.30	1.07	1.10	0.99	1.00

4. 고저

	평지	완경사
평지	1.00	0.92
완경사	1.09	1.00

5. 형상

	정방	가장형	세장형	사다리	삼각형	역삼각	부정형	자루형
정방	1.00	1.00	1.00	1.00	0.96	0.95	0.96	0.95
가장형	1.00	1.00	1.00	1.00	0.96	0.95	0.96	0.95
세장형	1.00	1.00	1.00	1.00	0.96	0.95	0.96	0.95
사다리	1.00	1.00	1.00	1.00	0.96	0.95	0.96	0.95
삼각형	1.04	1.04	1.04	1.04	1.00	0.99	1.00	0.99
역삼각	1.05	1.05	1.05	1.05	1.01	1.00	1.01	1.00
부정형	1.04	1.04	1.04	1.04	1.00	0.99	1.00	0.99
자루형	1.05	1.05	1.05	1.05	1.01	1.00	1.01	1.00

6. 행정구역 상 동일 '리'는 인근지역을 구성하는 것으로 본다.

〈자료 9〉 기타사항

1. 공시지가와 인근시세의 격차를 보정하기 위한 근거자료는 〈자료 5〉에서 평가단위별로 1개씩 선정하여 그 밖의 요인 보정 자료로 활용.

2. '용도지역'은 각 인근지역의 범위 내에서 동일하게 변경되었다고 전제함.

시점별 · 목적별 평가

연습문제 **7** 토지소유자 J씨는 C시 D읍 E리 30번지 토지에 대하여 토지등기사항전부증명서를 첨부하여 감정평가사 S씨에게 아래와 같은 조건으로 부동산자문 의뢰를 하였다. 주어진 자료를 활용하여 물음에 답하시오. (20점)

> (물음 1) 2025. 01. 01을 기준시점으로 하여 토지의 시장가치를 평가하시오.
>
> (물음 2) 2025. 01. 01을 기준시점으로 하여 적산임대료 산정을 위한 토지의 기초가액을 평가하시오.
>
> (물음 3) 2025. 09. 21을 기준시점으로 하여 토지의 시장가치를 평가하시오.

〈자료 1-1〉 사전조사사항 Ⅰ

1. 등기사항전부증명서

   1) 토지등기사항전부증명서(의뢰시 첨부서류)

소재지번	지목	면적	기타사항
C시 D읍 E리 30번지	임야	630m²	–

   2) 건물등기사항전부증명서

소재지번 및 건물번호	건물내역	기타사항
C시 D읍 E리 30번지	목조 함석지붕 창고 단층 36m²	–

2. 토지대장

토지소재	지번	토지표시		
		지목	면적 (m²)	사유
C시 D읍 E리	30	전	300	2024년 12월28일 분할되어 본번에 −1을 부함 2024년 12월 30일 임야에서 전으로 등록전환
C시 D읍 E리	30-1	임야	330	2024년 12월28일 30번지에서 분할

3. 건축물대장등본 : C시 D를 E리 30번지 및 동소 30-1번지는 건물이 등재되어 있지 않음.

4. 토지이용계획확인원 : 관리지역, 토지거래계약에 관한 허가구역

5. 지적도

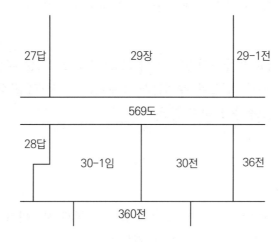

〈자료 1-2〉 사전조사사항 Ⅱ

1. 인근의 비교가능한 표준지공시지가

(공시기준일 : 2025. 01. 01)

연번	소재지	면적 (m²)	지목	이용상황	용도 지역	도로교통	형상 · 지세	공시지가 (원/m²)
1	E리 23	455	전	전	관리	세로가	부정형,완경사	62,000
2	E리 50	766	답	답	관리	맹지	부정형,평지	51,000
3	E리 135	356	대	단독주택	관리	세로가	부정형,평지	95,000
4	E리 150	420	차	주차장	관리	세로가	부정형,평지	68,000
5	E리 200	300	대	상업용	관리	소로한면	부정형,평지	190,000
6	E리 356	836	임	토지임야	관리	세로(가)	부정형,완경사	43,000
7	E리 산12	4,260	임	자연림	관리	세로가	부정형,완경사	30,000

2. 지가변동률 : 국토교통부장관 발표자료로 추정한 2025. 01. 01부터 2025. 09. 21까지의 C시 관리지역 지가변동률은 1.000%임.

3. 가격자료 및 기타사항

1) 당해지역의 공시지가 수준은 적절한 균형을 유지하고 있으며 적정지가를 비교적 잘 반영하고 있으나 2025. 03. 02 이후 대지에 대한 수요증가로 국지적인 가격변동이 있었음.

2) 실거래가는 일부 포착되었으나 세부내역이 없어 검토가 어려움.

3) 그밖의 요인 보정치

평가선례 및 기타자료 등을 종합검토한 바 2025. 09. 21 기준 대상토지 평가시 그 밖의 요인 보정필요성이 제기되었으며, 분석결과 그 수치는 1.30으로 산정되었음. (그 이전 기준시점 가액은 별도 보정을 요하지 않음)

〈자료 2-1〉 현장조사사항 Ⅰ : 2025. 01 .01 기준

1. C시 D읍 E리 30번지

1) 인접토지와 등고 평탄한 토지로 4m도로에 접하고, 현재 지표위에 부직포를 덮고 주차장부지로 이용중이고 유의할 만한 다른 물건은 없었음.

2) 당해토지는 북측에 인접한 A공자에 일시적으로 주차장부지로 임대중이라 하며 제시받은 임대차계약서 내용은 아래와 같음.
   - 소재지 : C시 D읍 E리 30번지
   - 당사자 : 임대인 J, 임차인 A공장 대표이사 R
   - 임대면적 및 용도 : 300m², 주차장부지
   - 임대금액 : 금----,----원
   - 임대기간 : 2025.01. 01~2025.12.31
   - 기타사항 : 임대기간은 J씨의 사정에 의해 임의로 종료될 수 있고 이에 따른 부담은 없으며, 임대 종료시 임차인이 설치한 주차관련 지장물(부직포 등)은 임차인이 제거하기로 함.

2. C시 D읍 E리 30-1번지

1) 인접토지와 등고평탄한 부정형토지로 현재 전으로 이용중이고 남서측일부에는 P씨의 종중묘지가 소재하고 있어 이를 확인한 바 면적은 30m²이고 보존가치가 있어 보존묘지로 지정되어 있는 것으로 조사됨.

2) 소유자에 따르면 분할 전(前) 30번지는 수년전에 전으로 개간되었고 농지원부에도 등재되어있다 하며 이는 사실로 확인됨.

3) 이 토지는 이웃에 거주하는 P씨에게 임대중인 것으로 조사되었으며 제시받은 임대차계약서 내용은 아래와 같음.
 - 소재지 : C시 D읍 E리 30-1번지
 - 당사자 : 임대인 J, 임차인 P
 - 임대면적 및 용도 : 330m^2, 전
 - 임대금액 : 금----,----원
 - 임대기간 : 2025. 01. 01~2025. 12. 31
 - 기타사항 : 임대계약은 기간중 J가 임의로 해지할 수 있고 수년간 임대해온 점을 고려하여 별도의 부담은 없도록 함.

〈자료 2-2〉 현장조사사항 Ⅱ : 2025. 09. 21기준

1. 현장조사시 건축공정률이 80% 정도인 상업용건물을 신축 중이었고 부지 조성공사는 완료된 상태였음.

2. 제시받은 건축허가서 내용
 1) 건축구분 : 신축
 2) 대지위치 : C시D읍E리 30, 동소 30-1
 3) 대지면적 : 560m^2
 4) 주용도 : 제1종근린생활시설(소매점)
 5) 건축물내역 : 경량철골조 판넬지붕, 1층, 연면적 200m^2
 6) 허가번호 : 2024-도시건축과-신축허가-5
 7) 허가일자 : 2025. 06. 30
 8) 부속 협의조건 : 종전토지 중 40m^{2}는 도로로 기부채납하고 사업부지는 사업완료 후 지목변경하여야 함.

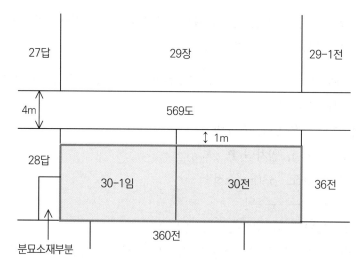

※ 음영부분은 건축허가서상 사업부지임

〈자료 3〉 기타 참고사항

1. 지역요인 : 동일함

2. 개별요인 : 이용상황이 동일하면 별도의 지목감가는 하지 아니함.

1) 도로접면

구 분	소로한면	세로가	세로(불)	맹지
소로한면	1.00	0.93	0.86	0.83
세로가	1.07	1.00	0.92	0.89
세로(불)	1.16	1.09	1.00	0.96
맹지	1.20	1.12	1.04	1.00

2) 형상

구 분	정방형	장방형	사다리형	부정형
정방형	1.00	0.99	0.98	0.95
장방형	1.01	1.00	0.99	0.96
사다리형	1.02	1.01	1.00	0.97
부정형	1.05	1.04	1.03	1.00

3) 지세

구 분	평지	완경사
평지	1.00	0.97
완경사	1.03	1.00

Chapter

10

보상평가 연습

📁 **목표**

토지보상법에 따른 보상목적 적정가격 감정평가의 연습

[연관학습] 토지보상법 제70조 이하와 시행규칙 제22조 이하를 심도있게 학습하고,
문제별 관련 조문을 다시 한 번 깊이있게 학습

적용공시지가 선택

연습문제 1 성남시는 택지개발사업을 하기 위하여 감정평가사 甲에게 아래와 같은 보상평가를 의뢰하게 되었다. 다음의 토지평가시 적용 공시지가를 선택하고, 그 사유를 명기하시오. ^(10점)

〈자료 1〉 사업개요 등

1. 사업명 : 성남시 SC구 XX택지개발사업 (사업면적 : 220,000m²)
2. 사업시행자 : ○○공사
3. 가격조사 및 현장조사기간 : 2025. 8. 10 ~ 2025. 9. 6
4. 가격시점 : 2025. 8. 31
5. 사업추진현황
   - 택지개발사업 주민공고공람 : 2023. 12. 20
   - 택지개발사업 지구지정고시(개발계획수립) : 2024. 9. 30
   - 택지개발사업 지구변경고시 : 2025. 1. 31

〈자료 2〉 표준지공시지가 자료

1. 사업지구 내 표준지공시지가 및 증감률

일련 번호	소재지	지번	지목	현황	현용도 지역	2023 공시지가 (C)	2024 공시지가 (D)	2025 공시지가 (E)	상승률		
									D/C	E/D	E/C
1	S동	170-13	대	주상용	2종일주	-	-	390,000			
2	S동	171-2	대	단독주택	개발제한	220,000	244,000	293,000	1.11	1.33	1.48
3	S동	178-2	대	주거나지	개발제한	160,000	200,000	270,000	1.25	1.35	1.69
4	S동	240	전	전	2종일주	-	120,000	162,000		1.35	
5	S동	320	답	답	2종일주	43,000	45,000	75,000	1.05	1.67	1.74
6	S동	400	과수원	전	2종일주	110,000	110,000	149,000	1.00	1.35	1.35
7	S동	산 4	임	자연림	2종일주	30,000	32,000	52,000	1.07	1.63	1.73
8	S동	493	임	토지임야	2종일주	50,000	53,000	86,000	1.06	1.62	1.72
평균상승률									1.09	1.47	1.62

※ 상기 표준지는 사업지구 내의 것으로 모든 표준지가 협의 평가시 감정평가의 기준이 되었음.

2. 표준지공시지가 증감률

⑴ 성남시 SC구

구 분	2023~2024년 표준지 공시지가 증감률	2024~2025년 표준지 공시지가 증감률	2023~2025년 표준지 공시지가 증감률	비고
녹지지역	6%	5%	13%	-
주거지역	5%	1%	7%	-
상업지역	5%	1%	9%	-
개발제한	4%	5%	11%	
전체	5%	3%	10%	-

⑵ 성남시 전체

구 분	2023~2024년 표준지 공시지가 증감률	2024~2025년 표준지 공시지가 증감률	2023~2025년 표준지 공시지가 증감률	비고
녹지지역	5%	5%	10%	-
주거지역	5%	5%	10%	-
상업지역	7%	5%	12%	-
개발제한	7%	5%	12%	
전체	6%	5%	11%	-

적용공시지가 선택 / 시점수정

연습문제 2 S시는 택지개발사업을 하기 위하여 감정평가사 甲에게 아래와 같은 보상평가를 의뢰하게 되었다. 토지평가시 적용할 주거지역 및 녹지지역의 시점수정치를 결정하고, 그 결정이유를 설명하시오. (15점)

〈자료 1〉 감정평가의뢰 내역 등

1. 사업명 : S시 XX택지개발사업 (사업면적 : 220,000m²)

2. 사업시행자 : ○○공사

3. 의뢰서 접수일 : 2025. 8. 1

4. 가격조사 및 현장조사기간 : 2025. 8. 10 ~ 2025. 9. 6

5. 가격시점 : 2025. 8. 31

6. 사업추진현황 - 택지개발사업 주민공고공람 : 2023. 12. 20
   택지개발사업 지구지정고시(개발계획수립) : 2024. 9. 30

7. 표준지 공시지가는 사업인정의제일 이전에 현저한 변동은 없었음.

〈자료 2〉 시점수정자료

1. 생산자 물가지수

2023.12	2024.1	2024.12	2025.1	2025.4	2025.7
100	104	108	112	115	117

2. 지가변동률

구 분		D구				S구				B구			
		주거지역		녹지지역		주거지역		녹지지역		주거지역		녹지지역	
		당월	누계	당월	누계	당월	누계	당월	누계	당월	누계	당월	누계
2024년	1월	0.200	0.200	0.030	0.030	0.050	0.050	0.030	0.030	0.200	0.200	0.400	400
	2월	0.200	0.400	0.030	0.060	0.060	0.110	0.040	0.070	0.150	0.350	0.500	902
	3월	0.100	0.501	0.040	0.100	0.070	0.180	0.030	0.100	0.150	0.501	0.300	1.205
	4월	0.070	0.571	0.100	0.200	0.070	0.250	0.100	0.200	0.200	0.702	0.500	1.711
	5월	0.070	0.642	0.090	0.290	0.060	0.310	0.150	0.350	0.300	1.004	0.600	2.321
	6월	0.060	0.702	0.110	0.401	0.070	0.381	0.150	0.501	0.200	1.206	0.400	2.730
	7월	0.100	0.803	0.300	0.702	0.080	0.461	0.700	1.204	0.150	1.358	0.600	3.347
	8월	0.100	0.903	0.300	1.004	0.090	0.551	0.600	1.812	0.200	1.560	0.700	4.070
	9월	0.100	1.004	0.200	1.206	0.080	0.632	0.700	2.524	0.150	1.713	0.500	4.590
	10월	0.200	1.206	0.300	1.510	0.100	0.732	0.160	2.688	0.100	1.815	0.030	4.622
	11월	0.300	1.510	0.400	1.916	0.100	0.833	0.150	2.842	0.150	1.967	0.040	4.664
	12월	0.100	1.611	0.300	2.221	0.100	0.934	0.190	3.038	0.150	2.120	0.030	4.695
2025년	1월	0.200	0.200	0.400	0.400	0.060	0.060	0.200	0.200	0.100	0.100	0.050	0.050
	2월	0.300	0.501	0.500	0.902	0.070	0.130	0.300	0.501	0.120	0.220	0.040	0.090
	3월	0.300	0.802	0.300	1.205	0.050	0.180	0.100	0.601	0.180	0.401	0.050	0.140
	4월	0.150	0.953	0.500	1.711	0.070	0.250	0.100	0.702	0.300	0.702	0.070	0.210
	5월	0.100	1.054	0.600	2.321	0.070	0.320	0.100	0.802	0.250	0.953	0.070	0.280
	6월	0.150	1.206	0.400	2.730	0.080	0.401	0.100	0.903	0.250	1.206	0.060	0.340
	7월	0.160	1.368	0.400	3.141	0.090	0.491	0.070	0.974	0.160	1.368	0.090	0.431

※ 상기 표에서 "누계"는 해당년도의 1월부터 해당월까지의 누계를 의미한다.

　(예) 2024년 3월 누계 : 2024년 1월~3월까지의 누계)

※ 비교표준지는 D구에 속하며, D구의 녹지지역은 사업인정고시로 인하여 지가가 변동된 것으로 판단된다.

※ D구는 S구와 B구에 인접하고 있으며, 당해 사업의 영향이 없는 것으로 판단된다. 단, S구는 재개발사업으로 인한 개발이익이 있는 것으로 평가사 甲은 판단한다.

적용공시지가 선택 / 비교표준지 선정

연습문제 3 사업시행자인 경기도도시개발공사부터 공공주택사업에 편입되는 토지에 대한 보상에 대하여 중앙토지수용위원회로부터 이의재결평가를 의뢰 받고 다음 자료를 수집하였다. 적용공시지가 및 비교표준지를 선택하시오. (15점)

〈자료 1〉 사업의 개요

1. 주민 등의 의견청취 공고 : 2023. 1. 21
2. 지구지정 고시 : 2024. 1. 3 (지구지정 면적 : 220,000m²)
3. 지구계획승인 고시 : 2024. 2. 2
4. 보상계획 공고 : 2024. 3. 31
5. 협의평가 가격시점 : 2024. 05. 21.
6. 재결일 : 2025. 08. 31.
7. 이의재결시점 : 2025. 10. 25
8. 토지조서

기호	소재지	면적		지목
		공부	편입	
1	성남시 SC구 S동 210	450	350	대
2	성남시 SC구 S동 221	600	450	대
3	성남시 SC구 S동 230	2,000	2,000	임야
4	성남시 SC구 S동 240	900	900	전

〈자료 2〉 현장조사사항 (가격조사기간 : 2025년 8월 20일 ~ 8월 25일)

1. 도시계획 등 공법적 제한 상태

현재 사업지구 편입부분(본건 및 표준지 전체)은 이미 개발제한구역이 해제되고 사업용도에 따른 용도지역이 지정된 상태이나, 개발제한구역의 해제가 본 사업(지구지정 2024.1.3)을 직접 목적으로 하여 이루어졌으며, 전체 대상토지는 도시계획도로에 20% 저촉됨.

2. 기타 현장조사사항

   (1) 기호1 : 주상용 건물부지로 이용중임.

   (2) 기호2 : 주거나지로 이용중임.

   (3) 기호3 : 2019년에 토석채취 허가를 득한 채석장으로 현재 '잡종지'수준의 평탄화된 토지로 조사되었으며, 지목을 '임야'에서 '전'으로 변경 신청을 하였으나 아직 변경 결정이 없음.

   (4) 기호4 : 전으로 이용중임.

〈자료 3〉 표준지공시지가 자료

1. 사업지구 내 표준지공시지가 및 증감률

일련번호	소재지	지번	지목	현황	현용도지역	2023 공시지가 (C)	2024 공시지가 (D)	2025 공시지가 (E)	상승률		
									D/C	E/D	E/C
1	S동	170-13	대	주상용	2종 일주	–	–	390,000			
2	S동	171-2	대	단독주택	개발제한	220,000	244,000	293,000	1.11	1.33	1.48
3	S동	178-2	대	주거나지	개발제한	160,000	200,000	270,000	1.25	1.35	1.69
4	S동	240	전	전	2종 일주	–	120,000	162,000		1.35	
5	S동	320	답	답	2종 일주	43,000	45,000	75,000	1.05	1.67	1.74
6	S동	400	과수원	전	2종 일주	110,000	110,000	149,000	1.00	1.35	1.35
7	S동	산 4	임	자연림	2종 일주	30,000	32,000	52,000	1.07	1.63	1.73
8	S동	493	임	토지임야	2종 일주	50,000	53,000	86,000	1.06	1.62	1.72
평균상승률									1.09	1.47	1.62

※ 상기 표준지는 사업지구 내의 것으로 모든 표준지가 협의 평가시 감정평가의 기준이 되었음.

2. 사업지구 밖 인근지역 표준지공시지가 및 증감률

일련번호	소재지	지번	지목	현황	용도지역	2023 공시지가 (C)	2024 공시지가 (D)	2025 공시지가 (E)	상승률 D/C	상승률 E/D	상승률 E/C
9	S동	402	대	주상용	개발제한	285,000	311,000	367,000	1.09	1.18	1.29
10	S동	425	대	주거나지	개발제한	160,000	200,000	270,000	1.25	1.35	1.69
11	S동	537	전	전	자연녹지	92,000	110,000	125,000	1.20	1.14	1.36
12	S동	755-1	전	전	자연녹지	80,000	94,000	120,000	1.18	1.28	1.50
평균상승률									1.18	1.24	1.46

※ 상기의 표준지는 사업지구의 경계에 인접하여 있음.

3. 표준지공시지가 증감률

(1) 성남시 SC구

구 분	2023~2024년 표준지 공시지가 증감률	2024~2025년 표준지 공시지가 증감률	2023~2025년 표준지 공시지가 증감률	비고
녹지지역	11%	5%	13%	-
주거지역	9%	1%	7%	-
상업지역	10%	1%	9%	-
개발제한	10%	5%	11%	-
전체	10%	3%	10%	-

(2) 성남시 전체

구 분	2023~2024년 표준지 공시지가 증감률	2024~2025년 표준지 공시지가 증감률	2023~2025년 표준지 공시지가 증감률	비고
녹지지역	5%	5%	10%	-
주거지역	5%	5%	10%	-
상업지역	7%	5%	12%	-
개발제한	7%	5%	12%	-
전체	6%	5%	11%	-

적용공시지가 선택 / 시점수정

연습문제 4 감정평가사 L씨는 택지개발예정지구로 지정고시된 지역의 보상에 대하여 중앙토지수용위원회로부터 이의재결평가 의뢰를 받았다. 보상 관련법규의 제규정 등을 참작하고 제시된 자료를 활용하여 의뢰토지에 대한 가격시점 결정 및 적용공시지가 선택, 시점수정치를 산정하시오. (15점)

〈자료 1〉 사업개요

1. 사업의 종류 : ○○택지개발사업

2. 택지개발사업 주민 공고공람일 : 2020. 04. 05.

3. 택지개발사업 지구지정 고시일 : 2024. 10. 24.

4. 협의평가 가격시점 : 2025. 05. 21.

5. 재결일 : 2025. 08. 25.

6. 현장조사 완료일 : 2025. 09. 21.

7. 이의재결시점 : 2025. 10. 25

8. 서울시 강남구, 동작구 및 성남시 수정구와 인접하고 있는 서울시 서초구는 당해 공익사업의 영향으로 지가변동률의 현저한 변동 여부에 대한 검토 요함.

9. 당해 사업지구의 용도지역이 기존에는 자연녹지(개발제한구역)였으나 공익사업시행에 따른 절차로서 제2종일반주거지역으로 변경되었음.

〈자료 2〉 의뢰물건 내용

1. 토지조서(전체 사업면적 420,000m²)

기호	소재지	면적		지목	비고
		공부	편입		
1	서초구 신원동 210	450	350	대	
2	서초구 신원동 221	600	450	대	
3	서초구 신원동 230	2,000	2,000	임야	
4	서초구 신원동 240	900	900	전	

〈자료 3〉 인근지역의 표준지공시지가 현황

기호	소재지	면적 (m²)	지목	이용상황	용도지역	도로 교통	형상지세	공시지가(원/m²)	
								2024년	2025년
A	신원동 125	300	대	단독	2종일주	소로한면	세장형 평지	900,000	950,000
B	신원동 130	900	전	전	2종일주	세로가	부정형, 완경사	600,000	650,000
C	신원동 산15	3,000	임야	토지임야	2종일주	맹지	부정형, 안경사	250,000	280,000
D	신원동 233	450	대	단독	개발제한	세로가	가장형, 평지	500,000	600,000
E	신원동 245	450	대	주거나지	개발제한	세로가	세장형, 평지	300,000	350,000
F	신원동 280	1,000	전	전	개발제한	세로(불)	부정형, 평지	140,000	180,000
G	신원동 산100	3,000	임야	토지임야	개발제한	맹지	부정형, 완경사	12,000	15,000

※ 표준지 A, D는 도시계획도로에 20% 저촉됨

※ 주민공람공고 절차에 따른 취득할 토지의 지가에 영향은 미미함.

〈자료 4〉 시점수정 자료

1. 지가변동률

1) 서초구, 서울시 평균 용도지역별 지가변동률

(단위 : %)

구 분	서초구		서울시 평균	
	주거지역	녹지지역	주거지역	녹지지역
2024.01.01~12.31	8.350	10.750	2.350	2.675
2025 년 1월	1.100	1.325	0.150	0.235
2025 년 2월	1.125	1.355	0.100	0.325
2025 년 3월	1.130	1.335	0.125	0.234
2025 년 4월	1.145	1.375	0.130	0.235
2025 년 5월	1.145	1.375	0.145	0.325
2025 년 6월	1.150	1.350	0.125	0.234
2025 년 7월	1.100	1.325	0.130	0.225
2025 년 8월	1.125	1.355	0.145	0.285

※ 2025년 9월 및 10월의 지가변동률은 미고시된 상태임.

※ 매년은 365일임.

2) 강남구, 동작구, 성남시 수정구 용도지역별 지가변동률(단위 : %)

구 분	강남구		동작구		성남시 수정구	
	주거지역	녹지지역	주거지역	녹지지역	주거지역	녹지지역
2024.01.01~12.31	2.350	3.555	2.150	2.750	2.750	2.180
2025.01.01~06.30	1.125	2.373	1.145	1.504	1.130	1.565
2025년7월	0.230	0.335	0.140	0.235	0.120	0.225
2025년8월	0.245	0.385	0.130	0.275	0.115	0.275

※ 2025년 9월 및 10월의 지가변동률은 미고시된 상태임.

※ 매년은 365일임.

2. 생산자물가상승률

연도	2022.12	2023.01	2023.12	2024.01	2024.12	2025.01
지수	128.8	129.2	130.2	130.5	132.5	132.7
연도	2025.02	2025.03	2025.07	2025.08	2025년 9월과 10월은 추정	
지수	132.8	133.0	133.4	133.5		

불법형질변경 / 미지급용지

연습문제 5 감정평가사 A씨는 일단의 택지개발사업과 관련하여 이에 편입되는 토지 및 물건에 대한 보상평가를 의뢰받고, 공부조사와 실지조사를 거쳐 아래의 자료를 수집하였다. 당해 토지에 대한 평가시 적용할 "적용공시지가"와 "비교표준지"를 선정하고 그 사유를 명기하시오(불법형질변경토지, 미지급용지 등의 보상평가기준을 부가하여 제시할 것). (10점)

〈자료 1〉 토지조서

기호	소재지	지목		형상 (가로×세로)	편입면적 (m²)	비 고
		공부	실제			
1	A동 123	대	대	15×10	150	주거용건물의 부지
2	A동 123-1	전	도로	15×4	60	미지급용지(94년 8월 도로사업에 편입)

1. 기호1과 기호2 토지는 본래 1필지로 이용되던 토지로서, "전"으로 이용하고 있었으나 소유자가 94년 1월경 불법으로 형질변경하여 나대지로 만든 후 지상건물을 지으려던 차에 94년 8월 15일 도로사업에 기호2 토지가 편입되었고, 그 후 2017년 5월 적법한 분필절차를 거쳐 기호1 토지를 "대지"로 지목변경한 것이다.

2. 당해 도로사업은 2016년 1월 3일 완공되었다.

3. 가격시점현재 "전"을 "대"로 형질변경하는데 소요되는 비용은 80,000원/m²이 소요된다.

〈자료 2〉 물건조서

기호	소재지	종류	면적(m²)	비고
1	A동 123	주거용 건물	89	–
2	A동 123	창고	25	무허가 건축물

〈자료 3〉해당 지역의 개황 및 택지개발사업의 개요

1. 지역개황

해당지역인 A지역은 수도권 인근에 소재하는 지역으로 주택과 농지가 혼용되어 있으며, 도시화되어 가는 지역으로 전형적인 전원도시성격의 지역이다. 국토이용계획에 의해 관리지역으로 지정되어 있었으나, 수도권 인구의 분산배치를 목적으로 2023년 택지개발예정지구로 지정함과 동시에 도시계획구역으로 지정됨으로써 관리지역에서 "제1종일반주거지역"으로 도시계획에 의한 용도지역을 변경하여 택지개발사업이 시행되고 있는 지역이다.

2. 대상 택지개발사업의 개요 (사업면적 : 180,000m²)

　(1) 2023년 2월 28일 : 주민공고공람 및 제1종일반주거지역으로 변경
　(2) 2025년 1월 23일 : 택지개발을 위한 지구지정 및 개발계획승인고시일
　(3) 2025년 4월 25일 : 재결신청
　(4) 2025년 9월 1일 : 재결예정일(수용재결)

〈자료 4〉인근 표준지공시지가

기호	소재지	면적 (m²)	지목	이용 상황	용도 지역	지형 지세	도로 조건	공시지가(원/m²)	
								2024.1.1	2025.1.1
1	B동 125	300	대	단독	1종일주	정방형 평지	소로한면	871,000	870,000
2	A동 67	1,000	전	-	관리	장방형 평지	소로각지	596,000	600,000
3	B동 175	350	전	전	1종일주	장방형 평지	세로(가)	551,000	550,000
4	A동 80	1,200	전	전	관리	정방형 평지	세로(불)	407,000	410,000

※ 기호2는 "주거용부지"와 "작물재배"로 구분하여 이용되고 있으며, 대지면적은 전체면적의 40%에 해당한다.
※ 기호2의 "대"인 토지와 "전"인 토지의 단가비는 2024년에는 "1.4 : 1"이며, 2025년에는 "1.5 : 1"이다.

비교표준지 선정

연습문제 6 S시는 택지개발사업을 하기 위하여 감정평가사 甲에게 아래와 같은 보상평가를 의뢰하게 되었다. 甲은 현장조사 및 공부확인을 통하여 다음과 같은 자료를 수집하였다.

(20점)

> (물음 1-1) 다음의 토지 평가시 적용 공시지가를 선택하고, 그 사유를 명기하시오.
>
> (물음 1-2) 적용할 비교표준지를 선정하고, 선정사유를 기재하시오.

〈자료 1〉 평가의뢰 내역

1. 사업명 : S시 XX택지개발사업 (사업면적 : 180,000m²)

2. 사업시행자 : ○○공사

3. 의뢰서 접수일 : 2025. 8. 1

4. 가격조사 및 현장조사기간 : 2025. 8. 10 ~ 2025. 9. 6

5. 가격시점 : 2025. 8. 31

6. 사업추진현황
   - 택지개발사업 주민공고공람 : 2023. 12. 20
   - 택지개발사업 지구지정고시(개발계획수립) : 2024. 9. 30
   - 택지개발사업 지구변경고시 : 2025. 1. 31
   - 보상계획공고 : J일보, Q신문
   - 보상평가 : 현재

〈자료 2〉 의뢰물건 (지장물조서)

| 기호 | 소재지 | 물건의 종류 | 구조 및 면적 | 면적(m²) | | 실제이용상황 |
				공부	편입	
1	S시 E동 18	주택	벽돌조슬라브즙	95	95	무허가 주택건물 88년 10월에 신축됨
2	S시 E동 25	주택	벽돌조슬라브즙	80	80	무허가 주택건물 89년 10월에 신축됨
3	S시 E동 35	주택	경량철골조 판넬즙	200	200	97년 S시장으로부터 도시계획법에 근거하여 허가를 득하고 신축한 가설건축물임

〈자료 3〉 의뢰물건 (토지조서)

| 기호 | 소재지 | 지번 | 지목 | 면적(m²) | | 용도지역 | 실제이용상황 | 비고 |
				공부	편입			
1	E동	10	대	200	200	1종일주 자연녹지	주거용건부지	토지세목 추가고시일 2025. 1. 31
2	E동	10-1	전	300	300	1종일주	채소경작	
3	E동	11	대	300	300	1종일주	20m²을 시금치경작	
4	E동	38-2	대	30	30	1종일주	도로	
5	E동	18	전	850	850	자연녹지	무허가건물(#1) 자연취락지구임	세장형
6	E동	135	답	300	300	자연녹지	잡종지	
7	E동	25	전	875	875	자연녹지	무허가건물(#2)	
8	E동	35	전	450	450	자연녹지	가설건축물부지(#3)	
9	E동	250	전	125	123	자연녹지	도로	
10	E동	산 300	임야	250	250	자연녹지		
11	E동	산 302	임야	80	80	자연녹지	묘지	
12	E동	산 310	임야	1,000	1,000	자연녹지	전	
13	E동	42	대	300	300	1종일주	가장형, 평지 세로한면	
14	W동	40	대	400	400	1종일주	정방형, 평지(주거용)	
15	W동	130	대	250	250	1종일주	정방형, 평지(주거용)	
16	H동	150	전	1,300	1,300	생산녹지	부정형평지 세로한면	무허가

〈자료 4〉 표준지공시지가

기호	소재지	지번	면적 (m²)	공부	이용 상황	용도 지역	도로 교통	형상 지세	공시지가(원/m²) 2024.1	공시지가(원/m²) 2025.1
1	E동	40	150	대	단독주택	1종일주	세로(가)	가장형, 평지	100,000	110,000
2	E동	50	250	전	전	1종일주	세로(가)	부정형, 평지	40,000	45,000
3	E동	69	330	답	답창고	자연녹지	소로한면	세장형, 평지	60,000	63,000
4	E동	70-1	250	전	전	자연녹지	세로(가)	세장형, 평지	42,000	49,000
5	E동	80	350	답	답	자연녹지	맹지	세장형, 평지	35,000	38,000
6	E동	140	300	대	단독주택	자연녹지	세로(가)	가장형, 평지	70,000	80,000
7	E동	산 200	1,200	임	자연림	자연녹지	맹지	부정형, 완경사	7,000	7,500
8	E동	산 250	90	임야기타	묘지	보전녹지	맹지	부정형, 완경사	6,000	6,500
9	E동	산 40	2,500	임	자연림	개발제한	세로(불)	부정형, 급경사	3,500	4,000
10	W동	110	400	대	주거용	1종일주	세로(가)	정방형, 평지	143,000	145,000
11	W동	250	300	대	상업용	1종일주	소로한면	장방형, 평지	150,000	170,000
12	H동	200	600	전	전	생산녹지	세로(가)	부정형, 평지	65,000	75,000
13	H동	150	350	대	단독주택	생산녹지	세로(가)	가장형, 평지	95,000	100,000
14	W동	100	150	전	전	자연녹지	세로(가)	세장형, 평지	60,000	70,000
15	W동	39	150	대	전	개발제한	세로(가)	가장형, 평지	105,000	110,000

※ 기호 1 표준지는 전체면적의 20%가 도시계획시설도로에 저촉(2024년 5월), 저촉감가율 30%.
※ 기호 1은 현장조사 결과 건부감가요인이 19% 발생하고 있는 것으로 파악된다.

〈자료 5〉 평가의뢰된 토지의 현장조사 내역

1. 기호 1 토지는 1종일주지역과 자연녹지지역에 걸치는 토지로서, 토지중 10m²이 자연녹지지역에 걸쳐있다.

2. 기호 2 토지는 당해 택지개발사업을 위하여 2023년 3월 1일부로 자연녹지지역에서 1종일주지역으로 용도지역이 변경되었다.
   ※ 기호 1과 2는 사업의 확장에 따라 토지세목이 추가고시된 지역임.

3. 기호 3 토지는 조성된 나지로서 현재 전으로 이용중이나, 주위는 기존 주택지대이다. 또한 이 토지는 당해 택지개발사업구역에 포함된 것으로서 토지세목고시 당시 누락된 것을 추가로 고시한 토지이다.

4. 기호 4 토지는 종전 38-1(지목 대)의 일부였으나, 도시계획도로로 시설결정이 되고, 사실상 불특정다수인의 통행에 이용되고 있다. 그러나 아직 도시계획사업이 시행된 것은 아니다.

5. 기호 5 토지는 사업시행자가 현황측량하여 237.5m²를 '대'로 평가하도록 의뢰하였다.

6. 기호 6 토지는 종전의 노면보다 약 1.5M 저지인 답이었으나, 94년 10월에 허가없이 매립되어 현재는 노면과 평탄한 창고부지로 이용중에 있다.

7. 기호 9의 토지는 농어촌도로정비법에 의한 농어촌도로로 조사되고 있다.

8. 기호 10의 토지는 2020년 5월에 축사신축을 위하여 형질변경허가를 득하였고, 2023년 3월경에 형질변경을 완료하였으나, 당해 사업으로 인하여 준공검사를 득하지 못한 상태이다.

9. 기호 11의 토지는 약 15년 전에 임야인 토지를 분할하여 분묘를 조성한 것이다.

10. 기호 12 토지는 S시의 소유로서, A씨가 97년 7월에 S시로부터 허가를 득하여 개간한 후, 전으로 경작하고 있다. 가격시점 현재의 개간에 소요되는 통상의 비용은 35,000원/m²으로 추정된다. 이 토지는 세로(가)에 접하며 부정형 완경사(조성후 평지)이다.

11. 기호 13 토지는 현재 이용상황은 대지로 이용되고 있으며, 종전의 택지개발사업(2021년 시행) 당시에 보상금이 지급되지 않은 토지이다. 종전의 이용상황은 전이며, 기타 개별요인은 지금과 같고, 종전 택지개발사업당시의 용도지역은 녹지지역이다. 녹지지역에서 주거지역으로의 변경은 당해사업과 무관하게 변동된 경우이다.

12. 기호 14, 15의 토지는 당해 택지개발계획승인고시일 전 2023년 1월 1일에 다음 그림과 같이
도시계획도로로 시설결정이 있었으며, 년차별 집행계획에 따라 2024년 10월 1일에 실시계
획인가를 받아 도로공사를 시행하고자 한다.

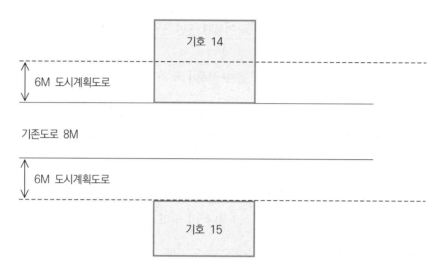

13. 기호 16 토지에는 무허가 건물(건축면적 : 100m²)이 있으며, 당해 건물의 신축년도는 88년
10월이고 대상지역은 농지보전부담금 부과대상지역으로 농지보전부담금은 14,000원/m²
이다. 현재 상황은 건물이 존재하며, 사업시행자가 현황측량하여 ① 대 : 500m² ② 전 :
800m²으로 구분평가 의뢰하였다.

도시계획시설사업

연습문제 7　도시계획도로 개설에 따른 협의보상 평가가 의뢰되었다. 보상대상필지의 보상평가액 토지단가를 결정하시오(단, 보상평가액 단가는 유효숫자 세자리까지 표시하되, 이하는 반올림함). (10점)

〈자료 1〉 기본적 사항

- 사업명 : ○○-○○ 간 도시계획도로 개설사업
- 도시계획결정 : 2023.10.1
- 도시계획사업 실시계획인가 고시일 : 2024.9.18
- 평가의뢰일 : 2025.8.31
- 가격시점 : 2025.8.24

〈자료 2〉 대상토지 및 공시지가의 위치도

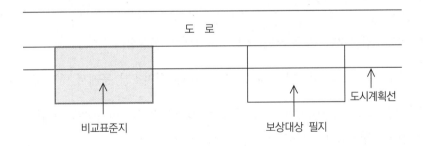

〈자료 3〉 표준지공시지가 자료

- 연도별 표준지공시지가 현황

구 분	2023.1.1	2024.1.1	2025.1.1
표준지공시지가	910,000	970,000	1,050,000

- 도시계획시설(도로) 저촉률 : 20%

〈자료 4〉 보상 대상 필지의 조사사항

• 도시계획시설(도로) 저촉률 : 35%

〈자료 5〉 가격평가자료

• 도시계획시설(도로) 저촉부분의 가격 감가율 : 15%

• 공시기준일로부터 가격시점까지의 지가변동률

기 간	변동률(%)
2023.1.1~2025.8.24	0.31
2024.1.1~2025.8.24	0.08
2025.1.1~2025.8.24	0.02

• 생산자물가지수

기 간	물가지수(총지수)상승률(%)
2023.1.1~2025.7.31	4.67
2024.1.1~2025.7.31	2.87
2025.1.1~2025.7.31	0.78

• 지역요인 비교 : 인근지역 내에 소재하여 지역요인은 동일함.

• 개별요인 비교 : 보상대상 필지가 비교표준지에 비해 획지조건 등에서 약 20% 우세

• 기타조사 사항 : 최근 보상대상 필지 남동측 직선거리 약 100m지점에 위치한 나지에 도시계획시설(시장)이 결정·고시되어 약 15%의 가격증가 요인이 발생.

그 밖의 요인 보정치 (도시계획시설사업)

연습문제 8 공공사업 시행과 관련하여 다음과 같은 보상평가를 의뢰받았다. ○○시 근린공원조성 사업에 편입되는 공장용지(평가대상토지)의 보상평가시 공시지가를 기준으로 평가한 결과, 인근 유사토지의 보상선례가격(A도로 개설사업에 기 편입된 토지의 보상가격)과 형평성이 결여되는 것으로 판단되어 보상선례 가격과의 가격격차를 그 밖의 요인으로 보정하려고 한다. 보상선례를 참작한 그 밖의 요인 보정률을 산출하고, 거래사례나 보상선례 선정기준을 약술하시오. (10점)

〈자료 1〉 기본자료

- 평가대상 토지의 가격시점 : 2025.6.30

- 보상선례 · 공시지가 · 평가대상토지의 용도지역은 동일함.

- 비교표준지의 2025년도 공시지가 : @260,000원/m²

- 보상선례 보상일자 : 2024.9.30

- 보상선례가격 : @210,000원/m²

〈자료 2〉 지가변동률

기 간	변동률(%)
2024. 1/4분기	0.37
2024. 2/4분기	0.30
2024. 3/4분기	0.18
2024. 4/4분기	0.15
2025. 1/4분기	0.21
2025. 2/4분기	0.56

〈자료 3〉 보상평가선례 · 공시지가 및 평가대상토지의 지역 · 개별요인비교치

구 분	공시지가		평가대상토지	
	지역요인	개별요인	지역요인	개별요인
보상선례(1.0)	1.0	1.4	1.1	1.54

〈자료 4〉 공시지가와 평가대상토지의 지역 · 개별요인 비교치

구 분	평가대상 토지	
	지역요인	개별요인
공시지가(1.0)	1.1	1.1

둘 이상의 용도지역

연습문제 9 감정평가사인 당신은 K시로부터 공익사업에 편입되는 토지에 대한 보상평가를 의뢰받고 공부조사와 실지조사를 마친 후 다음과 같은 자료를 수집하였다. 제시된 자료를 바탕으로 대상 토지에 대한 적정한 손실보상액을 산정하시오. (15점)

〈자료 1〉 평가의뢰 내역

1. 대상사업 : 도시공원조성사업
2. 평가의뢰인 : K시장
3. 사업인정고시일 : 2025년 2월 1일
4. 가격시점 : 2025년 9월 1일
5. 특이사항 : K시장은 토지보상가격의 단가사정시 "중토위 재결평가시의 기준"으로 요청하였다.

〈자료 2〉 대상부동산

1. 소재지 : K시 S동 350번지 대 600m²
2. 이용상황 : 현재 나지상태이나, 주위 토지 이용상황으로 보아 상업용으로 이용함이 가장 타당한 것으로 판단된다.

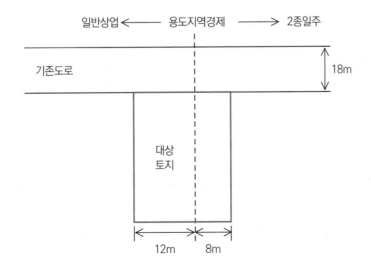

〈자료 3〉 비교표준지

(공시기준일 : 2025. 1. 1)

기호	소재지	지목	이용상황	용도지역	도로교통	형상·지세	공시지가 (원/m²)
1	K시 S동 111	대	상업용	일반상업	중로한면	정방형 평지	1,000,000
2	K시 S동 230	대	상업용	2종일주	소로한면	정방형 평지	500,000

※ 공시지가는 인근 시세를 적정하게 반영하고 있음.

〈자료 4〉 지가변동률 (2025년도)

(단위 : %)

구 분	1월	2월	3월	4월	5월	6월	7월
주거지역	−0.512	−0.405	−0.110	1.020	1.320	1.540	1.770
상업지역	−1.010	−0.444	−0.371	−0.140	0.123	0.357	0.490

〈자료 5〉 기타사항 및 요인비교자료

1. 개별요인

구 분	대상	표준지1	표준지2	비 고
평 점	100	98	97	도로조건은 제외한 상태이다.

2. 도로조건

구 분	광대로	중로	소로
평 점	105	100	95

〈자료 6〉 참고자료

중앙토지수용위원회가 의뢰한 재결평가 업무시 토지 등의 단가 산출기준 준수 요청(중토위 58342- 12032) : 토지 등의 단가는 100원 단위까지 산출할 것

(다만, 토지 등의 가액이 100원 단위 이하인 경우에는 10원 단위까지 산출).

잔여지 1

연습문제 10 감정평가사 A씨는 S시장으로부터 도시계획시설도로에 편입된 토지에 대한 보상평가를 의뢰받았다. 토지의 보상액 및 잔여지의 보상액을 산정하시오. (15점)

〈자료 1〉 평가의뢰 내역

1. 사업의 종류 : 도시계획시설도로 개설사업

2. 가격시점 : 2025년 9월 1일

3. 시설결정고시일 : 2024년 12월 1일

4. 실시계획인가고시일 : 2025년 1월 28일

〈자료 2〉 의뢰물건의 내역

1. 토지조서

기호	소재지	지목	면적(m^2)	용도지역	비고
1	G구 S동 250	대	400	자연녹지	일부편입(140m^2)

2. 지장물조서

소재지	물건의 종류	구조 및 규격	면적(m^2)	비고
S동 250	점포	철골조	500	

〈자료 3〉 공시지가자료 (S시 G구 : 2025년 1월 1일)

기호	소재지	면적(m^2)	지목	이용상황	용도지역	도로교통	형상지세	공시지가 (원/m^2)
1	B동 12	450	대	단독주택	자연녹지	세로(가)	정방형 평지	750,000
2	S동 9	400	대	점포	자연녹지	소로한면	장방형 평지	950,000

※ 공시지가는 인근의 적정 시세를 충분히 반영하고 있음.

〈자료 4〉 토지 및 지장물에 대한 조사사항

1. 토지 및 건물의 도면내용

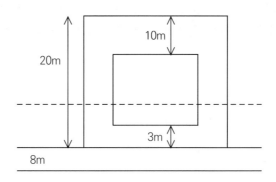

2. 당해 토지는 정방형이며, 당해 도로사업으로 인해 15m의 도로로 확장된다.

〈자료 5〉 시점수정자료

1. 지가변동률(S시 G구)

구 분		주거지역		상업지역		공업지역		녹지지역	
		당일	누계	당월	누계	당월	누계	당월	누계
2025년	1월	0.200	0.200	0.650	0.650	0.050	0.050	0.700	0.700
	2월	0.200	0.400	0.550	1.204	0.060	0.110	0.650	1.355
	3월	0.550	0.953	0.800	2.013	0.070	0.180	0.550	1.912
	4월	0.800	1.760	0.100	2.115	0.650	0.831	0.800	2.727
	5월	0.770	2.544	0.090	2.207	0.550	1.386	0.770	3.518
	6월	0.500	3.056	0.110	2.320	0.800	2.197	0.500	4.036
	7월	0.100	3.160	0.300	2.627	0.080	2.279	1.000	5.076

※ 상기 표에서 "누계"는 해당년도의 1월부터 해당월까지의 누계를 의미한다.(예) 2025년 7월 누계 : 2025년 1월~7월까지의 누계)

2. 생산자물가지수

2024. 12	2025. 1	2025. 6	2025. 8
117	118	123	125

〈자료 6〉 요인비교자료

1. 지역요인 : B동과 S동은 G구에 소재하며, B동은 S동에 비해 5% 우세하다.

2. 개별요인

(1) 도로교통 : 중로한면(1.2), 소로한면(1), 세로가(0.9), 맹지(0.8)

(2) 형상 : 정방형(1), 장방형(0.95), 사다리형(0.9)

(3) 규모 : 300~500m^2(1), 300m^2 미만(0.9)

(4) 기타

대상편입전	공시지가 1	공시지가 2	잔여지부분
100	95	92	90

잔여지 2

연습문제 11 다음과 같이 도로개설사업에 편입되고 남은 토지(잔여지)가 있다. 적정한 보상액을 구하시오. (10점)

〈자료 1〉 기본적 사항

1. 토지면적 : 2,000m² (편입면적 : 1,700m²)

2. 토지특성 : 소로한면 / 세장형 / 평지

3. 편입토지 보상평가액(평균) : @600,000원/m²

〈자료 2〉 토지특성 자료

1. 도로접면

구 분	소로한면	세로(가)	세로(불)	맹지
소로한면	1.00	0.90	0.80	0.65
세로(가)	1.10	1.00	0.89	0.72
세로(불)	1.25	1.12	1.00	0.81
맹지	1.53	1.38	1.23	1.00

2. 형상

구 분	가장(정방)형	세장형	사다리형	부정형
가장(정방)형	1.00	0.98	0.97	0.92
세장형	1.02	1.00	0.99	0.94
사다리형	1.03	1.01	1.00	0.95
부정형	1.08	1.06	1.05	1.00

3. 고저

구 분	평지	완경사	급경사	저지
평지	1.00	0.98	0.92	0.90
완경사	1.02	1.00	0.94	0.92
급경사	1.08	1.06	1.00	0.98
저지	1.11	1.08	1.02	1.00

〈자료 3〉 기타 자료

1. 잔여지 특성 : 맹지 / 부정형 / 저지

2. 잔여지는 도로사업의 시행으로 맹지가 됨은 물론 일반적인 경우와는 달리 기존의 마을과 단절되어 마을과 연결되는 통로의 개설이 필요한 상태로 사업시행자도 이를 인정하고 있음

3. 마을과 잔여지를 연결하는 통로[세로(가)]의 개설 비용 : 150,000,000원/식(제반부대비용을 포함)

소유권외 권리가 설정된 토지

연습문제 12 감정평가사 J는 K씨로부터 ○○천 정비사업과 관련하여 보상목적의 감정평가를 의뢰받았다. 주어진 자료를 활용하고 보상 관련법규의 제 규정을 참작하여 세목별 보상가격을 구하시오.(시점수정치는 백분율로서 소수점 이하 넷째자리에서, 격차율은 소수점 이하 셋째자리에서 반올림하고 단가는 십원단위에서 반올림 하시오.) (20점)

〈자료 1〉 감정평가의뢰 내역

1. 사업명 : ○○천 정비사업
2. 시행자 : K시장
3. 실시계획 인가일 : 2025.5.1
4. 가격시점 : 2025.8.28

〈자료 2〉 토지조서

일련번호	소재지 지번	지목	면적(m²)		실제이용상황	소유자	관계인	
			공부	편입			성명	권리내역
1	K시P구 I동151	답	2,200	300	전	A	–	
2	K시P구 I동152	전	800	150	전	A	한국전력공사	구분지상권

〈자료 3〉 표준지공시지가 자료

일련번호	소재지 지번	면적(m²)	지목	이용상황	용도지역	도로교통	형상지세	공시지가(원/m²)	
								2024.1.1	2025.1.1
가	K시 P구 I동 101	350	대	주거나지	개발제한	세로(가)	사다리형 평지	120,000	150,000
나	K시 P구 I동 159	1,000	답	전	개발제한	세로(불)	부정형 평지	45,000	58,000

※ I동과 M동은 유사지역임

〈자료 4〉 시점수정 자료

• 지가변동률(K시 P구)

(단위 : %)

기간 \ 구분	P구 평균	녹지지역	전	답	대(주거용)
2023.4.1~12.31	0.62	0.66	0.32	0.24	0.99
2024.1.1~12.31	20.68	23.28	24.27	23.61	19.02
2024.7.1~12.31	14.14	15.04	16.23	16.22	13.13
2025.1.1~3.31	1.36	1.17	1.33	0.0	1.99
2025.4.1~6.30	1.13	1.95	2.28	0.79	1.02
2025.1.1~6.30	2.51	3.14	3.64	0.79	3.03

※ 2025년 6월 이후 지가변동률은 조사·발표되지 않았음

• 생산자 물가상승률(『생산자물가지수』 기준, 2016=100)

2023.3	2023.4	2023.12	2024.12	2025.1	2025.7
122.9	123.2	120.8	126.4	127.7	128.8

〈자료 5〉 토지특성에 따른 격차율 자료

• 대상토지는 개발제한구역 내 "전" 지대에 소재하는 토지로서 비교표준지 대비 지목·접면도로 이외의 요인은 유사함

지목		대	전	답
	대	1.00	0.80	0.78
	전	1.25	1.00	0.98
	답	1.28	1.02	1.00

접면도로		소로한면	세로(가)	세로(불)
	소로한면	1.00	0.97	0.92
	세로(가)	1.03	1.00	0.95
	세로(불)	1.08	1.05	1.00

〈자료 6〉 토지에 대한 조사·확인 자료

현장조사일 현재 감정평가사 J가 토지에 대해 조사·확인한 자료는 다음과 같음.

1. 주위환경

　　인근지대는 채소 등 농작물을 재배하는 근교농경지대임

2. 토지이용 및 접면도로 상태

일련번호 \ 구분	이용상황	접면도로	비고
1	하우스 작물 재배	세로(가)	
2	노지 채소 재배	세로(불)	

3. 토지에 대한 기타사항

　　① 본건 토지 일대는 광역도시계획수립지침에 의한 환경보전가치가 2등급지 내지 3등급지인 것으로 확인됨.

　　② 일련번호2 토지의 구분지상권 설정사항에 대하여 한국전력공사에 문의한 결과 다음과 같은 내용을 통보 받음

송전선로 명칭	선하지 면적	구분지상권 내역	
		설정시기	보상금액
○○ 구간 345KV	200m^2	2023.4.1	2,400,000원

　　일련번호2 토지의 선하지 면적 중 당해 사업에 편입된 부분은 80m^{2}임.

〈자료 7〉 선하지 공중사용에 따른 사용료 평가시 적용되는 감가율 산정자료

- 입체이용배분율표(공중부분 사용에 따른 토지의 이용이 입체적으로 저해되는 정도)

해당지역 이용률구분 ＼ 용적률	고층시가지 800% 이상	중층시가지 550~750%	저층시가지 200~500%	주택지 100% 내외	농지·임지 100% 이하
건물 등 이용률(α)	0.8	0.75	0.75	0.7	0.8
지하 이용률(β)	0.15	0.10	0.10	0.15	0.10
그 밖의 이용률(γ)	0.05	0.15	0.15	0.15	0.10
γ의 상하 배분비율	1 : 1~2 : 1	1 : 1~3 : 1	1 : 1~3 : 1	1 : 1~3 : 1	1 : 1~4 : 1

※ γ의 상하배분비는 최고치를 적용함

- 감정평가사 J는 송전선로 건설로 인한 선하지의 공중부분 사용에 따른 사용료 평가시 입체이용저해 외에 토지의 경제적 가치가 감소되는 정도에 대한 적용보정률을 다음과 같이 판단함.

〈154KV〉

추가보정률	송전선요인	개별요인	그 밖의 요인
16%	4%	8%	4%

〈345KV〉

추가보정률	송전선요인	개별요인	그 밖의 요인
20%	8%	8%	4%

※ 상기 개별요인에는 영구사용에 따른 보정률을 5%가 포함되어 있음.

〈자료 8〉 그 밖의 요인 보정자료

1. 거래사례

소재지 지번	지목	이용 상황	면적 (m²)	금액(원)	거래시점	비 고
M시 P구 I동 140	답	전	1,200	91,200,000	2025.04.01	1) 거래내용에 대해 조사한바 마을 주민간의 정상적 거래로 판단됨 2) 대상토지(일련번호1)는 사례대비 개별 요인 3% 열세임

2. 보상평가 선례

소재지 지번	지목	이용상황	편입면적 (m²)	금액(원)	가격시점	사업명
M시 P구 H동 130	전	전	100	7,500,000	2024.07.01	○○도로공사

※ 대상토지(일련번호1)는 보상평가선례와 비교할 때 개별요인에서 5% 열세임.

※ I동 H동보다 지역요인에서 10% 열세임.

무허가건축물

연습문제 13 감정평가사 A씨는 S시장으로부터 도시계획시설도로에 편입된 지장물에 대한 보상평가를 의뢰받았다. 지장물 조서상의 기호 1, 2, 3이 보상의 대상이 될 수 있는지에 대하여 건축시점과 관련하여 기술하시오. ^(5점)

〈자료 1〉 평가의뢰 내역

1. 사업의 종류 : 도시계획시설도로 개설사업

2. 가격시점 : 2025년 9월 1일

3. 도시·군계획시설 결정고시일 : 2024년 12월 1일

4. 실시계획인가고시 : 2025년 1월 28일

〈자료 2〉 지장물조서

기호	소재지	물건의 종류	구조 및 규격	면적(m²)	비고
1	S동 58	주택	블록조슬레트즙	70	무허가건물(2009년 2월 신축)
2	S동 70	주택	블록조기와즙	80	무허가건물(2023년 2월 신축)
3	S동 90	주택	블록조슬레트즙	100	무허가건물(2025년 2월 신축)

잔여건축물 1

연습문제 14 감정평가사 A씨는 S시장으로부터 도시계획시설도로에 편입된 지장물에 대한 보상 평가를 의뢰받았다. 지장물 조서상의 잔여부분 감가보상을 할 것인지 여부를 설명하고, 보상액을 산정하시오. (10점)

〈자료 1〉 평가의뢰 내역

1. 사업의 종류 : 도시계획시설도로 개설사업

2. 가격시점 : 2025년 9월 1일

3. 시설결정고시일 : 2024년 12월 1일

4. 실시계획인가고시일 : 2025년 1월 28일

〈자료 2〉 의뢰물건의 내역

1. 토지조서

기호	소재지	지목	면적(m²)	용도지역	비고
1	G구 S동 250	대	400	자연녹지	일부편입(140m²)

2. 지장물조서

기호	소재지	물건의 종류	구조 및 규격	면적(m²)	비고
1	S동 250	점포	철골조	500	

〈자료 3〉 토지 및 지장물에 대한 조사사항

1. 토지 및 건물의 도면내용

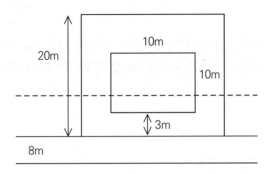

2. 본 건물의 잔여부분은 보수 후 재사용이 가능한 것으로 판단된다.

3. 건물은 가로 × 세로 × 높이 = 10m × 10m × 5m이다.

4. 건물의 편입부분 보상단가는 m³당 50,000원, 보수비는 m²당 10,000원이다.

5. 해당 토지는 정방형이며, 해당 도로사업으로 인해 15m 도로로 확장된다.

잔여건축물 2

연습문제 15 감정평가사 甲은 공익사업에 편입되는 물건에 대한 협의평가를 의뢰받았다. 관련 법규 및 이론을 참작하고 제시된 자료를 활용하여 적정보상액을 산정하시오. (10점)

〈자료 1〉 사업개요

1. 사업종류 : ○○도시계획도로사업

2. 사업명칭 : ○○~△△ 도로 확·포장공사

3. 사업기간 : 실시계획인가고시일로부터 2년 이내

4. 실시계획인가고시일 : 2024년 11월 30일

〈자료 2〉 감정평가 의뢰내역

1. 가격시점 : 2025년 8월 7일

2. 지장물 의뢰목록

일련 번호	소재지 지번	물건종류	규격	수량	비 고
1	○○동 151-6	조적조 (1, 2층건물/상가)	일부편입	6m²	보수비 포함평가

〈자료 3〉 대상물건 현황

소재지 지번	구조	주용도	층별내역	사용승인일	비 고
○○동 151-6	조적조	상가	1층 : 100m² 2층 : 100m²	2009. 11. 1.	일부편입으로 인한 벽체보수 면적 : 23.79m²

〈자료 4〉 재조달원가 관련 자료 등

1. 재조달원가

용도	구조	급수	표준단가 (원/m²)	내용연수
점포 및 상가	조적조	3	1,180,000	45

2. 보수공사비

항 목	보수공사비
벽체벽돌쌓기	800,000원/m²
테두리 보수공사	1,300,000원
보일러 보수공사	1,000,000원
시설개선비	3,000,000원
기타비용	제비용의 20%

〈자료 5〉 기타사항

1. 건물의 일부편입으로 인한 철거 시 시공하중에 대한 구조 안정성은 양호한 것으로 조사됨

2. 전체 건물 중 1층(창고) 및 2층(보일러실) 일부가 편입됨

3. 편입면적이 과소하여 보수 후 잔여건축물의 가격감소는 없음

4. 건물의 감가수정은 정액법(만년감가)을 적용하며, 적용단가 산정 시 백 원 단위에서 반올림함

지장물보상

연습문제 16 감정평가사 J는 K씨로부터 ○○천 정비사업과 관련하여 보상목적의 감정평가를 의뢰받았다. 주어진 자료를 활용하고 보상 관련법규의 제 규정을 참작하여 지장물 가격을 구하시오. (10점)

〈자료 1〉 감정평가의뢰 내역

1. 사업명 : ○○천 정비사업

2. 시행자 : K시장

3. 실시계획 인가일 : 2025.5.1

4. 가격시점 : 2025.8.28

〈자료 2〉 물건조서

일련 번호	소재지 지번	물건의 종류	구조, 규격	수량 (m²)	소유자	비고
1	K시P구 I동151	비닐하우스	철파이프, 비닐	30.0	A	일부편입
2	K시P구 I동151	비닐하우스	철파이프, 비닐	30.0	A	일부편입
3	K시P구 I동153	관리사	조립식판넬 철파이프 보온덮개	45.0	C	일부편입

〈자료 3〉 지장물에 대한 자료

1. 일련번호1, 일련번호2 비닐하우스는 일부 편입에 따른 통상비용은 5,000원/m²이며 잔여부분의 보수비는 50,000원/동으로 조사됨

2. 본건 건물 중 일련번호3 관리사(2020.5.30 신축, 무허가)는 이전이 가능하고 재조달원가는 180,000원/m²이며 경제적 내용년수는 20년, 잔존가치는 없음.

① 본건 중 일련번호3 건물은 구조상 편입부분을 철거한 경우 잔여부분의 보수가 사실상 불가능할 것으로 판단되며 전체면적은 97.5m²임.

② 관리사 전체의 이전에 소요되는 통상비용

(단위 : 원)

해체·운반비	정지비	재건축비	부대비용
2,700,000	500,000	10,500,000	1,800,000

※ 재건축비에는 보충자재비 1,500,000원 및 연탄난로를 유류난로로 교체하는데 소요되는 추가비용 1,000,000원이 포함되어 있음.

주거용건축물

연습문제 17 Y시로부터 보상평가 의뢰를 받고 다음과 같은 자료를 수집하였다. 보상평가 관련 제 규정에 의하여 적정 보상평가액을 산정하시오. (10점)

〈자료 1〉 감정평가의뢰 내역

1. 사업명 : 근린공원조성사업

2. 평가대상 : 주택(토지는 국유지)

소재지	지번	건물구조	면적(m²)	신축일자
Y시 K동	10	목조 기와지붕 단층(한식구조)	100	1993.1.12

3. 사업인정 고시일 : 2025.2.5

4. 가격시점 : 2025.8.27

〈자료 2〉 해당 공공사업의 이주대책

1. 해당 공공사업에 편입된 주거용 건물 소유자에 대해 주택입주권 부여

2. 주택입주권 가치 : 30,000,000원

〈자료 3〉 이전공사비율

공사비내역 구조 및 용도	신축공사비 (원/m²)	이전공사비율				내용년수
		해체공사	운반공사	보충자재	재축공사	
목조 기와지붕 단층 주택	630,000	0.142	0.030	0.168	0.538	45

〈자료 4〉 해당 공공사업지구 내 주택 거래사례

1. 사례물건 : Y시 K동 15번지 주택(토지는 국유지)

2. 사례건물 내용

건물구조	면적(m^2)	신축일자
목조 기와지붕 단층(한식구조)	105	1992.12.5

3. 거래가격 : 80,000,000원

4. 거래시점 : 2025.5.1(거래 이후 인근지역 주택가격 변동은 없음)

5. 건물개별요인 비교치(면적비교 제외) : 0.95

생활보상

연습문제 18 감정평가사 甲은 A군수로부터 「도로법」에 따른 도로에 편입되는 토지·지장물 등에 대한 협의보상평가를 의뢰받았다. 관련 법규 및 이론에 의거 제시된 자료를 활용하여 다음 상황의 주거용 건축물 특례규정에 따른 생활보상액을 산정하시오. (10점)

[상황] 소유자 乙씨 부부(부부와 함께 동거하던 아들 1명은 현재 징집으로 인한 입영 중임)는 주거용 건축물이 공익사업에 편입됨으로 인하여 추가적으로 지급받을 수 있는 보상으로 이주대책, 주거이전비, 이사비 등이 있다. 하지만 사업시행자는 이주대책을 별도로 수립·실시하지 않는다고 한다. 공익사업의 시행으로 주거용 건축물을 제공함에 따라 생활의 근거를 상실하게 된 소유자 乙이 수령할 수 있는 보상액(주거용 건축물 보상평가액 제외)은 각각 얼마인가?

〈자료 1〉 평가의뢰 내역 등

1. 사업의 종류 : ○○ ~ ○○ 간 도로건설공사

2. 도로구역결정고시일 : 2024. 12. 31.

3. 사업시행자 : A군수

4. 보상평가의뢰일자 : 2025. 6. 1.

5. 제시된 가격시점 : 2025. 7. 31.

6. 현장조사완료일 : 2025. 6. 30.

7. 토지조서 및 대상토지특성

기호	소재지	지번	지목	현실이용상황	전체면적 (m²)	편입면적 (m²)	용도지역 및 지구	비고		
								도로교통	형상지세	기타
1	A군 B면 C리	106번지	대	단독주택	330	330	계획관리지역	세로(가)	사다리형 완경사	후면 주택지대

※ 토지 소유자 : 乙

8. 물건조서 및 대상건축물특성

기호	소재지	지번	물건의 종류	구조 및 규격	수량	비고		
						사용승인일	등급	내용년수
1	A군 B면 C리	106번지	단독주택	벽돌조 슬래브지붕 1층	88m²	2020. 7. 1.	상급	50년
2	A군 B면 C리	106번지	부속창고	벽돌조 슬래브지붕 1층	8m²	2020. 7. 1.	중급	45년
3	A군 B면 C리	106번지	야외화장실	벽돌조 슬래브지붕 1층	4m²	2020. 7. 1.	중급	45년

※ 물건 소유자 : 乙, 기호2, 3은 기호1의 부속건축물임.

〈자료 2〉 토지 및 건물 보상평가액

1. 토지 : 129,030,000원

2. 건물 : 137,865,000원

〈자료 3〉 이사비 등 보상 관련 참고자료

1. 가구원수에 따른 1년분의 평균생계비는 1인당 15,106,000원 임

　　※ 가구원수에 따른 1년분의 평균생계비

　　　　= 농가경제조사통계의 연간 전국평균 가계지출비 ÷ 가구당 전국평균 농가인구

2. 도시근로자가구의 가구원수별 월평균 명목가계지출비

구 분	1인 가구	2인 가구	3인 가구
월평균 가계지출비	2,277,700원	3,334,200원	4,665,400원

3. 이사비

주택연면적	이사비	비 고
66m²~99m² 미만	1,540,000원	노임, 차량운임, 포장비 등 포함
99m² 이상	1,790,000원	노임, 차량운임, 포장비 등 포함

※ 연면적은 부속건축물을 합한 면적을 적용하기로 함

과수 등 1

연습문제 19 감정평가사 K씨는 대한주택공사로부터 OO택지개발사업지구에 편입되는 토지상에 식재되어 있는 관상수에 대한 보상평가를 의뢰 받은 후 현장조사를 통하여 다음의 자료를 확보하였다. 다음 자료를 참고하여 보상액을 산정하시오. (가격시점 2025. 8. 31) ^(10점)

〈자료 1〉 수목의 내역

1. 관상수

    1) 수종 및 주수 : 은행나무, 6주

    2) 규격 : 수고 4.0m, 흉고직경 10.0cm

    3) 이식가능성 : 이식 가능한 것으로 조사됨.

    4) 이식적기 : 2월~7월

〈자료 2〉 관상수 이전비용관련 자료

1. 수고 4.0m, 흉고직경 10.0cm인 은행나무의 1주당 품셈 등은 다음과 같음

구 분	품 셈	비 고
굴취비	조경공 : 0.63인, 보통인부 : 0.08인	조경공 : 74,000/일
상하차비	목도공 : 0.075인	목도공 : 75,000/일 보통인부 : 53,000/일
식재비	조경공 : 0.43인, 보통인부 : 0.21, 굴삭기(0.4m³) : 0.32	굴삭기(0.4㎥) : 80,000/일

2. 운반비는 동일 규격 은행나무의 경우 2.5톤 트럭의 경우는 7주, 4.5톤의 경우에는 14주, 8톤의 경우에는 26주가 최대 적재량이며, 트럭사용료는 2.5톤은 75,000원, 4.5톤은 95,000원, 8톤은 125,000원임.

3. 재료비는 굴취비와 식재비의 5%, 부대비용은 굴취비, 운반비, 상하차비, 식재비, 재료비의 10%를 적용함.

4. 본 은행나무의 수목가격은 주당 80,000원으로 조사됨.

5. 이전비 산정시에는 이식품셈법에 의함.

6. 원 미만은 절사

과수 등 2

연습문제 20 감정평가사 K씨는 대한주택공사로부터 OO택지개발사업지구에 편입되는 토지상에 식재되어 있는 배나무에 대한 보상평가를 의뢰 받은 후 현장조사를 통하여 다음의 자료를 확보하였다. 다음 자료를 참고하여 보상액을 산정하시오. (가격시점 2025. 8. 31) [10점]

〈자료 1〉 수목의 내역

1. 과수

  1) 수종, 수령 및 주수 : 일반 배, 10년생, 200주

  2) 수고 : 2.8m

  3) 재배면적 : 5,000m²

〈자료 2〉 배나무 관련자료

1. 가격자료

구 분	10a당 순수익	10a당 가격	주당 가격
일반 배, 10년생	551,000	4,620,000	140,000

※ 위 자료는 표준 재식주수를 기준으로 한 것임.

2. 이식비 관련자료

수고(m)	굴취비	운반비	상하차비	식재비	재료비	부대비용
2.6~3.0	10,000	2,500	500	21,000	1,600	3,600

3. 감수액

  이식1차년도 : 100%, 이식2차년도 : 80%, 이식3차년도 : 40%

4. 이식가능수령 : 7년

5. 이식적기 : 2월 하순~3월 하순, 11월

과수 등 3

연습문제 21 Y시로부터 보상평가 의뢰를 받고 다음과 같은 자료를 수집하였다. 보상평가 관련 제 규정에 의하여 적정 보상평가액을 산정하시오. (10점)

〈자료 1〉 감정평가의뢰 내역

1. 사업명 : 근린공원조성사업

2. 평가대상

   Y시 K동 12번지 지상 배나무 50주(근원경 10, 수고 4, 이식가능수령 내)

3. 사업인정 고시일 : 2025.2.5.

4. 가격시점 : 2025.8.27

〈자료 2〉 이식비 품셈표

규격	굴취		운반	상하차비 (원)	식재		재료비	부대 비용	수익액 (원)	수목 가격 (원)
H2.0R6	조경공 0.11	보통인부 0.01	0.008	357	조경공 0.11	보통인부 0.07	(굴취비+식재비) 의 10%	전체이식비의 20%	10,000	55,000
H3.0R8	조경공 0.19	보통인부 0.02	0.015	1,017	조경공 0.23	보통인부 0.14	(굴취비+식재비) 의 10%	전체이식비의 20%	15,000	80,000
H4.0R10	조경공 0.30	보통인부 0.04	0.030	2,000	조경공 0.40	보통인부 0.25	(굴취비+식재비) 의 10%	전체이식비의 20%	20,000	120,000

〈자료 3〉 수목이식 관련자료

1. 정부노임단가 : 조경공 45,000원, 보통인부 30,000원

2. 구역화물자동차운임 : 43,000원(4.5t, 30Km내)

〈자료 4〉 수종별 이식적기 및 고손율

구 분	이식적기	고손율
일반사과	2월 하순~3월 하순	15% 이하
왜성사과	2월 하순~3월 하순, 11월	20% 이하
배	2월 하순~3월 하순, 11월	10% 이하

광업권

연습문제 22 일단의 공업단지 조성사업에 편입되어 광업권이 소멸하는 경우, 다음 광업권에 대한 보상평가액을 구하시오. (15점)

〈자료 1〉 감정평가의뢰 내역

1. 소재지 : 강원도 태백시 화정동 산 10

2. 광산종류 : 석탄광산

3. 가격시점 : 2025. 6. 1

〈자료 2〉 이전·전용가능시설의 자산가액

(단위 : 원)

구 분	평가액	이전비	비 고
건물	8,000,000	9,000,000	
기계기구, 구축물 등	23,000,000	11,100,000	

※ 토지를 제외하고는 모두 이전·전용이 가능함.

〈자료 3〉 대상광산의 수익산정 자료

1. 매장량
   ⑴ 확정광량 : 4,200,000 ton
   ⑵ 추정광량 : 2,400,000 ton

2. 월간 생산량 : 30,000 ton(150,000원 / ton)

3. 가행월수 : 12개월

4. 가채율 : 광업권보상평가지침 제6조제3항제4호에 근거한다.

5. 제경비(원/년) : 아래의 비용항목은 상호 별개의 비용계정임.

 ⑴ 채광비, 선광제련비 등 : 45,360,000,000

 ⑵ 감가상각비 : 540,000,000

〈자료 4〉 장래투하비용 등

1. 장래투자비용은 상각 전 제경비의 12%로 예상되며 가행년도 말에 일괄지급하는 것으로 가정한다.

2. 전년도 광업부문 상장법인의 배당률은 29%이며 세율(법인세 등)은 20%이다.

3. 1년 만기 정기예금 이자율은 연 11.5%이다.

4. 현가화에 필요한 할인율은 연 12.5%를 적용한다.

5. 가채율 : 확정 70%, 추정 42%

어업손실

연습문제 23 대한민국 정부와 중국 정부 간에 한중 어업협정이 체결됨에 따라 조업어장에서 어업 활동에 제한을 받는 어업인의 폐업어선 등에 대한 지원사업으로 A호 어선에 대한 폐업지원금 산출 평가를 의뢰 받은 감정평가사 L씨는 지원금 산출에 필요한 〈자료 1〉 내지 〈자료 7〉을 수집하였다. 아래의 조사된 자료를 이용하여 A호 어선에 대한 폐업 지원금(손실보상금)을 산출하시오. (가격시점 2025.8.1.) [10점]

〈자료 1〉 선박의 개요

어선번호	1		어선명칭		A호
어선종류	동력선		선체재질		강
총톤수	79톤		주요치수(M)		길이 : 24.51 너비 : 6.70 깊이 : 2.65
무선설비	SSB 1기		어업종류		근해통발어업
추진기관	디젤기관 1대 (600마력)		형식	제작자	제작년월일
			CAT3412DIT	○○○	2021.6월
최대승선인원	어선원 : 12명 기타의 자 : 0명 계 : 12명				
선적항	○○시		조선지		○○시
조선자	××조선㈜		진수연월일		2021.7월

〈자료 2〉 재조달원가 등

- ○○시에 소재하는 조선소에 어선의 재조달원가를 조사한 결과 강선은 4,500,000원/ton 수준이었음

- 선박의 주기관의 가격조사를 한 결과 평가대상 선박인 1,800rpm의 고속기관은 마력당 200,000원으로 조사되었음.

- 의장품은 선박 건조시 신품으로 장착하였고 재조달원가는 250,000,000원으로 조사되었음.

- 어구는 2024년 6월에 구입하였으며, 재조달원가는 100,000,000원으로 조사되었음.

〈자료 3〉 내용년수 및 잔존가치율

구 분	내용년수(년)	잔존가치율(%)
선체(강선)	25	20
기관	20	10
의장	15	10
어구	3	10

〈자료 4〉 연도별 어획량

(단위 : kg)

2019년	2020년	2021년	2022년	2023년	2024년	2025년
114,000	111,000	112,000	114,000	110,000	112,000	79,000

〈자료 5〉 월별 판매 단가

- 2024년

월	1	2	3	4	5	6	7	8	9	10	11	12
단가(원/kg)	5,000	5,000	5,100	5,200	5,200	5,200	5,300	5,300	5,300	5,200	5,200	5,100

- 2025년

월	1	2	3	4	5	6	7	8	9	10	11	12
단가(원/kg)	5,300	5,400	5,400	5,400	5,400	5,300	5,300	5,300	–	–	–	–

〈자료 6〉 정률표

구 분	잔존가치율(10%)			잔존가치율(20%)
내용년수 / 경과년수	3	15	20	25
1	2/0.464	14/0.858	19/0.891	24/0.938
2	1/0.215	13/0.736	18/0.794	23/0.879
3	0.100	12/0.631	17/0.708	22/0.824
4		11/0.541	16/0.631	21/0.773
5		10/0.464	15/0.562	20/0.725
6		9/0.398	14/0.501	19/0.680
7		8/0.341	13/0.447	18/0.637
8		7/0.293	12/0.398	17/0.598
9		6/0.251	11/0.355	16/0.560
10		5/0.215	10/0.316	15/0.525
11		4/0.185	9/0.282	14/0.493
12		3/0.158	8/0.251	13/0.462
13		2/0.136	7/0.224	12/0.433
14		1/0.117	6/0.200	11/0.406
15		0.100	5/0.178	10/0.381
16			4/0.158	9/0.357
17			3/0.141	8/0.335
18			2/0.126	7/0.314
19			1/0.112	6/0.294
20			0.100	5/0.276
21				4/0.259
22				3/0.243
23				2/0.228
24				1/0.213
25				0.200

〈자료 7〉 기타

• A호에 적용할 어업 경비율은 85%로 조사되었음.

• 보상의 원인이 되는 "처분일"은 가격시점과 동일함.

• 선체·기관의 단가, 평균 연간어획량, 평년수익액의 산정시 1,000단위 미만은 버림.

영업손실

연습문제 **24** 감정평가사 K씨는 G구청장으로부터 "△△도시계획도로사업"에 편입되는 영업에 대한 보상평가를 의뢰받아 현장조사를 통하여 다음과 같은 사항을 조사하였다. 의뢰된 각 영업별 평가방법을 「공익사업을 위한 토지 등의 취득 및 보상에 관한 법률」 시행규칙 제45조, 제47조, 제52조 및 조사사항을 분석하여 각 영업에 대한 보상액을 산정하시오. (25점)

〈자료 1〉 평가의뢰내역

1. 공익사업명 : △△도시계획도로사업

2. 사업시행자 : G구

3. 도시계획시설결정고시일 : 2023. 3. 20

4. 실시계획승인 고시일 : 2025. 3. 20

5. 보상계획공고일 : 2025. 5. 12

6. 가격시점 : 2025. 8. 31

7. 사업인정 전 협의를 위한 보상계획공고는 없었던 것으로 확인

〈자료 2〉 공통자료 (기호 1~6)

건물 일부에는 그 건물 영업자(가족수 7인)가 소규모 식당을 운영하고 있으며, 현지조사시에 영업장소 이전에 따른 휴업 등에 대한 손실보상을 요구하고 있다. 조사된 영업상황은 다음과 같다.

1. 영업의 종류 : 식품위생법상 일반음식점

2. 영업개시일 : 2022년 1월

3. 영업행위 관련 허가 또는 신고 이행 여부 : 영업개시 당시 부가가치세법 제5조 규정에 의한 사업자등록은 되어 있으며, 조사사항 외에는 별도의 허가·신고 등은 하지 않은 것으로 조사되었다.

4. 최근 3년간 연간 평균소득 : 36,000,000원

   ※ 최근 3년간 연간 평균소득에는 영업을 하고 있는 임차자 부부의 연간 자가노력비상당액 12,000,000원이 포함되어 있다.

5. 휴업기간 중 고정적 비용 계속지출 예상액(화재보험료 등) : 4,000,000원

6. 영업시설 및 재고자산 등의 이전비 : 3,600,000원

   ※ 이전 이후 규모에 맞게 추가시설분 시설비 상당액 600,000원이 포함되어 있다.

7. 재고자산의 이전에 따른 감손상당액 : 700,000원

8. 기타 부대비용 : 500,000

〈자료 3〉 물건조서

기호	소재지	지번	물건의 종류	수량	상호	비고
1	S동	11	영업의 휴업	1식	A상회	무허가 건축물
2	S동	12	영업의 휴업	1식	B상회	무허가 건축물
3	S동	13	영업의 휴업	1식	C상회	무허가 건축물
4	S동	14	영업의 휴업	1식	D상회	무허가 건축물
5	S동	15	영업의 휴업	1식	E상회	사업인정 후 허가영업
6	S동	16	영업의 휴업	1식	F상회	무허가 건축물 무허가 영업

〈자료 4〉 도시근로자 월평균 가계지출비 (통계청 자료)

명 수	2024(연간)	2024 4/4
3인	2,915,554	2,669,931
4인	3,201,063	3,083,879

〈자료 5〉 영업에 대한 조사사항

1. 기호 1, 2

자유업에 해당하며 건물 소유자가 영업을 행하고 있다. 기호 1은 88년 1월 6일 건축되었으나, 기호 2는 92년 4월 8일 건축되었다.

2. 기호 3, 4

자유업이 해당하며 건물 임차인이 영업을 행하고 있다. 기호 3은 88년 1월 6일 건축되었으나, 기호 4는 92년 4월 8일 건축되었다.

3. 기호 5

허가업종이나 영업개시당시 별도의 허가를 받지 아니한 채, 2025년 6월 1일에야 비로소 허가를 득하고 현재 소유자가 영업 중이다.

4. 기호 6

허가업종이나 무허가로 소유자가 직접 영업 중이며, 기호6은 87년 12월에 건축된 무허가 건축물 내 영업이다.

생활보상

연습문제 25 감정평가사 A는 공공사업에 편입되는 다음 토지와 지장물에 대한 보상평가를 의뢰받았다. 개인별보상 원칙에 따라 적절한 소유자별 보상액을 산정하되, 생활보상관련 규정에 의한 생활보상을 고려하시오. (15점)

〈자료 1〉 평가개요

1. 사업인정고시일 : 2025년 1월 15일 (계획·공고·고시일 2024년 5월 3일)

2. 가격시점 : 2025년 8월 20일

3. 평가목적 : 보상액 산정

4. 평가대상(사업면적 : 325,000m²)

(1) 토지조서

| 기호 | 소재지 | 지번 | 지목 | 면적(m²) | | 용도지역 | 실제이용상황 | 소유자 |
				실제	편입			
1	S군 A리	100	전	800	800	관리지역	주거용건부지	甲

(2) 물건조서

기호	소재지	지번	물건의 종류	구조, 규격	면적 (m²)	신축년도	소유자
1	S군 A리	100	주택	블록조슬레트지붕 단층	75	88년 2월 10일	甲

※ 기호1은 무허가 건물로 판명되었으며, 사업시행자가 현황측량하여 ① 대 : 375m² ② 전 : 425m²으로 구분평가 의뢰하였다.

〈자료 2〉 표준지공시지가

일련 번호	소재지	지번	면적 (m²)	지목	이용상황	용도지역	공시지가(원/m²)	
							2025.1.1	2024.1.1
1	S군 A리	42-5	150	대	단독주택	관리지역	85,000	83,000
2	S군 A리	56-7	253	전	전	관리지역	40,000	38,000
3	S군 A리	73-1	353	답	창고	관리지역	60,000	59,000

※ 공시지가는 인근 적정시세를 충분히 반영하고 있음.

〈자료 3〉 지가변동률

(단위 : %)

구 분		A도				S군				D군			
		용도지역별		이용상황별		용도지역별		이용상황별		용도지역별		이용상황별	
		관리지역		대		관리지역		대		관리지역		대	
		당월	누계	당월	누계	당월	누계	당월	누계	당월	누계	당월	누계
2024년	12월	0.100	1.611	0.300	2.221	0.100	0.934	0.190	3.038	0.150	2.120	0.030	4.695
2025년	1월	0.500	0.500	0.500	0.500	0.900	0.900	0.500	0.500	0.300	0.300	0.400	0.400
	2월	0.600	1.103	0.600	1.103	0.800	1.707	0.600	1.103	0.400	0.701	0.300	0.701
	3월	0.400	1.507	0.400	1.507	0.800	2.521	0.400	1.507	0.300	1.003	0.300	1.003
	4월	0.700	2.218	0.700	2.218	1.100	3.649	0.700	2.218	0.500	1.508	0.400	1.407
	5월	0.600	2.831	0.600	2.831	0.900	4.581	0.600	2.831	0.500	2.016	0.600	2.016
	6월	0.700	3.551	0.700	3.551	1.000	5.627	0.700	3.551	0.500	2.526	0.500	2.526

※ 상기 표에서 "누계"는 해당년도의 1월부터 해당월까지의 누계를 의미한다.(예) 2024년 12월 누계 : 2024년 1월~ 12월까지의 누계)
※ D군은 S군에 인접하여 있으며, 현저한 지가의 변동여부는 토지보상법 시행령 제37조 제3항 내용을 기준으로 판단한다.

〈자료 4〉 가치형성요인 분석 자료

1. 해당 공익사업의 계획 · 공고 · 고시로 인한 취득할 토지의 지가의 변동은 없음.

2. 지역요인

　S군 A리는 D군 B리보다 10% 열세함

3. 토지 개별요인(지목 외의 요인만 고려)

구 분	토지1	표준지1	표준지2	표준지3
평점	105	95	100	100

〈자료 5〉 건물가격자료

1. 건축비(가격시점 현재 기준)

구 분	블록조 슬레이트	블록조 기와	목조 기와
건축비(원/m²)	250,000	200,000	150,000
내용년수	30	30	25

　※ 2025년 1월 1일 이후, 건축비는 보합세를 유지하고 있다. 또한 감가수정은 정액법에 의하되, 최종잔가율은 10%이다.

2. 이전비 산정자료

　건물은 이전 가능하며, 자료를 조사한 결과 이전비 내역은 아래와 같다.

　⑴ 해체 및 철거비 : 20,000원/m²

　⑵ 운반비 : 30,000원/m²

　⑶ 재축비

　　① 블록조 슬레이트 : 50,000원/m²

　　② 블록조 기와 : 40,000원/m²

　　③ 목조 기와 : 25,000원/m²

　⑷ 보충자재비 : 30,000원/m²

　⑸ 부대비용 : 20,000원/m²

　⑹ 시설개선비 : 25,000,000원

축산보상

연습문제 26 감정평가사 甲은 A군수로부터 「도로법」에 따른 도로에 편입되는 토지·지장물 등에 대한 협의보상평가를 의뢰받았다. 관련 법규 및 이론에 의거 제시된 자료를 활용하여 다음 상황에 따른 축산보상액을 산정하시오. (10점)

(상황) 물건조서의 꿀벌(양봉), 닭(산란계)에 대하여 축산업의 손실에 대한 보상평가를 하려고 한다. 영업손실의 보상대상인 영업의 일반적인 요건은 성립하는 것으로 가정한다. 꿀벌(양봉), 닭(산란계)에 대한 축산업 손실보상의 대상여부를 판단하여 보상액을 산정하시오.

〈자료 1〉 평가의뢰 내역 등

1. 사업의 종류 : ○○ ~ ○○ 간 도로건설공사

2. 도로구역결정고시일 : 2024. 12. 31.

3. 사업시행자 : A군수

4. 보상평가의뢰일자 : 2025. 6. 1.

5. 제시된 가격시점 : 2025. 7. 31.

6. 현장조사완료일 : 2025. 6. 30.

7. 지장물조서

기호	소재지	지번	물건의 종류	구조 및 규격	수량	비고 사용승인일	비고 등급	비고 내용년수
1	A군 B면 C리	106번지	꿀벌(양봉)		30군			
2	A군 B면 C리	106번지	닭(산란계)	70일령 이상	20마리			

※ 물건 소유자 : 乙

〈자료 2〉축산업 관련 보상평가 참고자료

1. 축산업의 가축별 기준마리 수

가축	기준마리 수	가축	기준마리 수
소	5마리	닭	200마리
사슴	15마리	토끼	150마리
염소 · 양	20마리	오리	150마리
꿀벌	20군	돼지	20마리

※ 자료 : 「공익사업을 위한 토지 등의 취득 및 보상에 관한 법률 시행규칙」 [별표 3]

2. 꿀벌(양봉)

　가. 축산이익은 최근 3년간의 평균소득을 토대로 연간 240,000원/군 임

　나. 수송비는 5,000원/군 이고, 이전손실은 벌통폐사에 따른 손실, 채밀능력 저하 등으로 인한 손실, 이전시 유실 및 치사에 따른 손실 등을 고려할 때 25,000원/군 임(단, 그 외 추가적인 손실은 없는 것으로 함)

3. 닭(산란계)

　가. 축산이익은 최근 3년간의 평균소득을 토대로 연간 3,600원/수 임

　나. 수송비는 200원/수 이고, 이전손실은 산란율 저하로 인한 손실, 폐사율 증가로 인한 손실, 제반 사육경비 등을 고려할 때 1,300원/수 임(단, 그 외 추가적인 손실은 없는 것으로 함)

4. 기타 참고사항

　가. 도시근로자가구 월평균 가계지출비(3인 가구 기준)는 4,665,400원 임

　나. 휴업기간은 4개월로 함

　다. 영업이익감소액은 휴업기간에 해당하는 영업이익의 100분의 20으로 하되, 1천 만을 초과하지 못함

보상평가 종합

📁 **목표**

토지보상법에 따른 보상목적 적정가격 감정평가의 연습

[연관학습] 토지보상법 제70조 이하와 시행규칙 제22조 이하를 심도있게 학습하고, 문제별 관련 조문을 다시 한 번 깊이있게 학습

1	토지 / 건축물
2	토지 · 주거용건축물 · 수목 보상
3	토지 / 농업손실(산업단지사업)
4	토지 / 지장물(재편입가산금 등)
5	선하지 보상
6	건물 / 영업손실

토지 / 건축물

종합문제 1 감정평가사 K씨는 S시장으로부터 도시계획도로에 편입된 토지 및 지장물에 대한 보상 감정평가액 산정을 의뢰받았다. 다음의 자료를 활용하고 보상관련 제규정을 참작하여 다음 물음에 답하시오. (20점)

(물음 1) 토지의 보상감정평가액을 구하시오.

(물음 2) 건축물의 보상감정평가액을 구하시오.

〈자료 1〉 감정평가의뢰 내역

1. 사업의 종류 : ○○도시계획도로 개설

2. 도시계획시설 결정고시일 : 2024. 5. 20

3. 도시계획 실시계획의 고시일 : 2025. 5. 5

4. 보상계획 공고일 : 2025. 8. 1

5. 가격시점 : 2025. 8. 31

〈자료 2〉 감정평가의뢰 조서

1. 토지조서

기호	소재지	지번	지목	면적(m²)	용도지역
1	S시 M동	29-5	전	350	자연녹지

2. 지장물 조서

기호	소재지	지번	물건의 종류	구조·규격	수량	비고
1	S시 M동	29-5	점포	블록조 스레트지붕 단층	80m²	무허가건물 88년 1월 신축

〈자료 3〉 인근지역의 표준지공시지가 현황

기호	소재지	지번	면적 (m²)	지목	이용 상황	용도 지역	도로 교통	형상 지세	2024.1.1 공시지가 (원/m²)	2025.1.1 공시지가 (원/m²)
A	S시 M동	47-3	300	전	전	자연 녹지	세로 (가)	부정형 평지	280,000	320,000
B	S시 M동	60-5	375	전	전창고	자연 녹지	소로 한면	부정형 평지	300,000	350,000
C	S시 M동	100-7	120	대	단독 주택	자연 녹지	세로 (가)	가장형 평지	520,000	630,000
D	S시 M동	123-4	150	대	상업용	자연 녹지	소로 한면	정방형 평지	950,000	1,100,000

※ 도시계획 실시계획의 고시로 인하여 S시 지역 전반적으로 20%의 지가가 상승한 것으로 인정된다. 이러한 지가 상승은 당해 사업으로 인한 것으로 확인되었다.

〈자료 4〉 지가변동률 (S시, %)

구 분	평균	용도지역별					이용상황별				
		주거	상업	녹지	관리	농림	전	답	주거	상업	임야
2024년 5월	0.087	0.054	0.164	0.117	0.037	0.252	0.128	0.112	0.133	0.142	0.219
	1.585	1.155	1.779	1.638	1.032	2.051	3.009	2.456	1.245	1.007	1.815
2024년 12월	1.287	1.054	1.164	1.117	1.037	4.252	0.588	0.442	0.339	0.174	0.416
	3.287	3.182	3.475	3.694	2.076	8.051	7.089	5.596	2.847	1.679	3.385
2025년 6월	0.296	0.000	0.262	0.404	0.234	0.175	0.425	0.057	0.041	0.414	0.197
	2.544	5.116	1.555	3.068	2.087	2.689	3.838	2.246	2.736	2.692	1.136

※ 하단은 해당 월까지의 누계임.

〈자료 5〉 대상토지 및 보상평가사례에 대한 조사사항

1. 대상 토지는 무허가건축물(점포) 부지로 이용중임.

2. 현장조사 결과 공부상 지목과 상이하여 사업시행자에게 조회한 결과, 현실적 이용상황을 감안하여 평가하되, 지적측량에 의한 면적을 '대'로 보고 평가해 줄 것을 요구함.

3. 대상 토지는 소로한면에 접하며, 형상은 가장형, 지세는 평지임.

4. 인근지역 보상평가사례
   ⑴ 사업명 : △△도시계획도로 개설
   ⑵ 가격시점 : 2024. 5. 7
   ⑶ 소재지 : S시 M동 142-5번지
   ⑷ 지목 및 면적 : 대, 600m²
   ⑸ 용도지역 : 자연녹지지역
   ⑹ 토지특성 : 상업용, 소로한면에 접하며 형상은 부정형, 지세는 평지임.
   ⑺ 보상단가 : 1,250,000원/m²
   ⑻ 보상평가사례와의 균형을 위해서 적정한 보정이 필요함.

〈자료 6〉 토지특성에 따른 격차율

1. 도로접면

	중로한면	소로한면	세로(가)	세로(불)
중로한면	1.00	0.85	0.70	0.60
소로한면	1.18	1.00	0.80	0.65
세로(가)	1.43	1.25	1.00	0.76
세로(불)	1.67	1.53	1.32	1.00

2. 형상

	정방형	가장형	부정형
정방형	1.00	1.05	0.85
가장형	0.95	1.00	0.80
부정형	1.18	1.25	1.00

⟨자료 7⟩ 건설사례 등

	건설사례A	건설사례B	대상건물
사용승인일	2025.4.20	–	–
연면적	100m²	90m²	80m²
가격시점현재의 내용년수	40	35	–
건물개별요인	98	125	100
건축비(신축당시)	39,000,000	45,000,000	27,000,000
적법여부	적법	무허가	무허가

⟨자료 8⟩ 건물구조 등

1. 건설사례A, B는 표준적인 건축비로 판단됨.

2. 건설사례A와 대상건물은 동일한 구조이나 건설사례B는 철근콘크리트구조임.

3. 건축비지수는 변동이 없는 것으로 가정함.

4. 대상건물은 소유자의 이해관계인이 건축하여 다소 저가의 건축비로 판명되었음.

5. 본건 대상건물의 이전비용은 건설사례B의 재조달원가의 45%로 산정되었음.

6. 대상건물은 관리상태, 시공상태 등을 고려할 때 유효잔존년수는 9년임.

토지 · 주거용건축물 · 수목 보상

종합문제 2 감정평가사 甲은 A군수로부터 「도로법」에 따른 도로에 편입되는 토지 · 지장물 등에 대한 협의보상평가를 의뢰받았다. 관련 법규 및 이론에 의거 제시된 자료를 활용하여 다음의 각 물음에 답하시오. (25점)

> (물음 1) 대상토지에 대한 보상액을 산정하시오. (단, 시산가액에 대한 합리성 검토는 하지 않음) (10점)
>
> (물음 2) 소유자 乙은 아래 자료와 같이 주거용 건축물을 신축하여 현재까지 거주하고 있다. 지장물 중 건축물에 대한 보상액을 산정하시오. (단, 건축물은 이전이 불가능하며, 이주대책 등은 고려하지 않음) (10점)
>
> (물음 3) 소나무(관상수)에 대한 보상액을 산정하시오. (5점)

〈자료 1〉 평가의뢰 내역 등

1. 사업의 종류 : ○○ ~ ○○ 간 도로건설공사

2. 도로구역결정고시일 : 2024. 12. 31.

3. 사업시행자 : A군수

4. 보상평가의뢰일자 : 2025. 6. 1.

5. 제시된 가격시점 : 2025. 7. 31.

6. 현장조사완료일 : 2025. 6. 30.

7. 토지조서 및 대상토지특성

기호	소재지	지번	지목	현실이용상황	전체면적 (m²)	편입면적 (m²)	용도지역 및 지구	비고 도로교통	비고 형상지세	기타
1	A군 B면 C리	106번지	대	단독주택	330	330	계획관리지역	세로(가)	사다리형 완경사	후면 주택지대

※ 토지 소유자 : 乙

8. 물건조서 및 대상건축물특성

기호	소재지	지번	물건의 종류	구조 및 규격	수량	비고		
						사용승인일	등급	내용 년수
1	A군 B면 C리	106 번지	단독주택	벽돌조 슬래 브지붕 1층	88m²	2020. 7. 1.	상급	50년
2	A군 B면 C리	106 번지	부속창고	벽돌조 슬래 브지붕 1층	8m²	2020. 7. 1.	중급	45년
3	A군 B면 C리	106 번지	소나무 (관상수)	H3.5×W1.5 ×R15	1주	기준시점 현재 이식 부적기임.		

※ 물건 소유자 : 乙, 기호 2는 기호1의 부속건축물임.

〈자료 2〉 표준지공시지가

기 호	소재지	지 목	면적 (m²)	이용 상황	용도 지역	도로 교통	형상 지세	공시지가 (원/m²)	비고	공시 기준일
가	A군 B면 C리 50번지	대	210	주상용	계획관리 지역	세로 (가)	부정형 평지	400,000	계획도로 저촉 10%	2024. 1. 1.
나	A군 B면 C리 50번지	대	210	주상용	계획관리 지역	세로 (가)	부정형 평지	450,000	계획도로 저촉 10%	2025. 1. 1.
다	A군 B면 C리 65번지	대	300	단독 주택	계획관리 지역	소로 한면	사다리 평지	300,000	계획도로 저촉 25%	2024. 1. 1.
라	A군 B면 C리 65번지	대	300	단독 주택	계획관리 지역	소로 한면	사다리 평지	330,000	계획도로 저촉 25%	2025. 1. 1.

주 1) 상기 표준지공시지가는 공히 대상토지와 인근지역에 소재함
   2) 표준지공시지가 기호 가), 나)는 주택상가혼용지대이고, 표준지공시지가 기호 다), 라)는 후면주택지대임

⟨자료 3⟩ 거래사례

기호	소재지	지목	면적(m²)	이용상황	용도지역	도로교통	형상지세	거래가액(원/m²)	거래일자
A	A군 B면 C리 42번지	대	160	상업용	계획관리지역	소로한면	사다리평지	700,000	2024. 12. 1.
B	D군 E면 F리 15번지	대	270	단독주택	계획관리지역	소로한면	사다리평지	643,000	2024. 12. 1.

주 1) 거래사례는 대상토지 및 표준지공시지가와 동일수급권 유사지역 또는 인근 지역에 소재하며, 공히 지역요인은 대등함
  2) 거래사례는 거래당사자간의 사정이 개입되지 않은 정상적인 거래로 판단됨
  3) 거래사례 중 기호 A)는 주택상가혼용지대이고, 기호 B)는 후면주택지대임
  4) 선정된 거래사례와 비교표준지의 개별요인은 대체로 대등함.

⟨자료 4⟩ 지가변동률

기 간	A군 계획관리지역 지가변동률(%)	비 고
2024. 01. 01 ~ 2024. 12. 31(누계)	8.340	2024. 12. 01 ~ 2024. 12. 31 : 0.150%임
2025. 01. 01 ~ 2025. 05. 31(누계)	5.270	
2025. 05. 01 ~ 2025. 05. 31	0.132	

기 간	D군 계획관리지역 지가변동률(%)	비 고
2024. 01. 01 ~ 2024. 12. 31(누계)	7.450	2024. 12. 01 ~ 2024. 12. 31 : 0.130%임
2025. 01. 01 ~ 2025. 05. 31(누계)	5.070	
2025. 05. 01 ~ 2025. 05. 31	0.145	

주 1) 지가변동률은 용도지역별 지가변동률을 적용하며, 생산자물가지수는 고려하지 않기로 함
  2) 지가변동률은 2025년 6월 이후는 고시되지 않아서 5월 지가변동률을 연장·추정하여 적용함
  3) 지가변동률은 백분율로서 소수점 넷째자리에서 반올림하여 셋째자리까지 표시함

〈자료 5〉 토지 가치형성요인 비교자료

1. 접근조건

   대상토지는 표준지 가), 나), 다), 라) 대비 각각 20% 열세함

2. 환경조건

   대상토지는 표준지 가), 나) 대비 30%, 표준지 다), 라) 대비 10% 각각 열세함

3. 기타 격차율 자료

   1) 토지이용상황

구 분	주거용	주상용	상업용
주거용	1.00	1.10	1.30
주상용	0.91	1.00	1.18
상업용	0.77	0.85	1.00

   2) 형상

구 분	사다리	부정형
사다리형	1.00	0.95
부정형	1.05	1.00

   3) 경사

구 분	평지	완경사
평지	1.00	0.91
완경사	1.10	1.00

   4) 도로접면

구 분	세로가	소로한면
세로가	1.00	1.18
소로한면	0.85	1.00

   5) 도시·군계획시설

구 분	일반	도로
일반	1.00	0.85
도로	1.18	1.00

   ※ 도시·군계획시설에 대한 요인비교치는 소수점이하 셋째자리에서 반올림하여 둘째자리까지 표시함

〈자료 6〉 건축물 재조달원가 관련 자료

1. 표준단가

(단위 : 원/m²)

용도	구조	상급	중급	하급	내용년수
단독주택	벽돌조 슬래브 지붕	1,400,000	1,200,000	1,000,000	50년
창고	벽돌조 슬래브 지붕	400,000	360,000	320,000	45년

※ 대상건축물 및 주거용 건축물 거래사례에도 동일하게 적용함

2. 단독주택 부대설비 보정단가

(단위 : 원/m²)

구 분	위생 · 급배수설비	난방설비
보정단가	30,000	70,000

※ 대상건축물 및 주거용 건축물 거래사례에도 동일하게 적용함
※ 부속건축물은 부대설비 미설치

〈자료 7〉 주거용 건축물 거래사례 자료 등

1. 주거용 건축물 거래사례

소재지	건축물 면적(m²)	이용 상황	구조	사용 승인일	등급	거래가액 거래일자	비고
A군 B면 C리 200 번지	88	단독 주택	벽돌조 슬래브지붕 1층	2020. 6. 1.	상급	130,000,000원 2025. 6. 1.	건축물 일체의 거래임
	8	부속 창고	벽돌조 슬래브지붕 1층	2020. 6. 1.	중급		

주 1) 거래사례는 토지를 수반하지 않은 주거용 건축물만의 거래로서 보상대상 건축물과 유사하여 비교가능성이 높은 것으로 판단됨
  2) 거래사례는 인근지역 내의 거래당사자간의 사정이 개입되지 않은 정상적인 거래로 판단됨

2. 건축물 가치형성요인 비교자료

   가. 대상건축물은 주거용 건축물 거래사례 대비 현상 및 관리상태에서 5% 우세함

   나. 건축비지수는 보합세임.

   다. 면적 등 기타 제반 가치형성요인은 대등함

〈자료 8〉 수목 보상평가 참고자료

1. 이식에 소요되는 비용은 다음과 같이 조사됨

(단위 : 주당)

구 분	굴취비	운반비	상하차비	식재비	재료비	부대비용	소계
이식비	70,000	50,000	30,000	130,000	30,000	20,000	330,000

※ 이식은 물리적으로 가능한 것으로 판단됨

2. 수목의 취득가격은 400,000원/주 임

3. 고손율을 적용할 경우 20% 임

4. 감수율을 적용할 경우 이식1차년 : 100%, 이식2차년 : 80%, 이식3차년 : 40% 임

〈자료 9〉 기타 사항

1. 지역요인비교치 및 개별요인비교치는 소수점 넷째자리에서 반올림하여 셋째자리까지 표시함

2. 그 밖의 요인 보정치는 표준지 기준 산정방식을 적용함

3. 대상토지의 결정단가는 백원단위에서 반올림하여 천원단위까지 표시함

4. 건축물의 감가수정은 정액법으로 하며, 경과연수는 연단위로 산정함

5. 건축물의 단가는 백원단위에서 절사하여 천원단위까지 표시함

토지 / 농업손실 (산업단지사업)

종합문제 3   감정평가사 김씨는 사업시행자로부터 OO 일반산업단지 개발사업에 편입되는 일부 토지 및 지장물에 대한 보상평가를 의뢰 받았다. 다음 물음에 답하시오. (25점)

> (물음 1) 토지의 보상평가액을 산정하시오.
>
> (물음 2) 지장물 조서 상 농업손실보상 가능성을 검토하시오.
>
> (물음 3) 지장물 보상액을 산정하시오.

〈자료 1〉 OO 일반산업단지 개발사업의 개요

1. OO 일반산업단지 지정 열람 공고 : 2023.05.02. (사업면적 300,000m²)

2. OO 일반산업단지 지정고시 : 2024.06.09

3. 실시계획의 승인 : 2025.01.10

4. 해당사업의 보상계획의 공고일 : 2025.06.01.

5. 계약체결예정일 : 2025.08.31

〈자료 2〉 토지 및 지장물조서

1. 토지조서

기호	소재지	지번	지목	면적	현 용도지역	종전 용도지역
1	ABC리	12	전	200	미지정	농림지역
2		산15	임야	1,000	계획관리	관리지역

2. 지장물 조서

기호	소재지	지번	지목	경작 면적(m²)	물건의 종류	비고
가	ABC리	산15	임야	400	농업손실보상	'채소류' 재배

〈자료 3〉 인근지역 표준지공시지가

1. 사업구역 내 표준지 일부 발췌

일련	소재지 지번	면적 (m²)	지목	이용 상황	2025 용도지역	종전 용도지역	도로 교통	형상 지세
1	ABC리 45-25	2,995	답	답	미지정	농림	맹지	부정형/평지
2	ABC리 94-2	671	대	단독	미지정	관리	세로(가)	사다리/완경사
3	ABC리 108-1	2,303	전	답	미지정	관리	세로(가)	부정형/완경사

일련	공시지가(원/m²)		
	2025년	2024년	2023년
1	32,000	29,000	24,000
2	91,000	83,000	70,000
3	91,000	60,000	50,000

※ 상기 표준지를 포함한 사업구역내 모든 표준지의 전년 대비 가격상승률은 2024년은 16%, 2025년은 13%임.

2. 사업 구역 외 표준지

일련	소재지 지번	면적 (m²)	지목	이용 상황	2025 용도지역	종전 용도지역	도로 교통	형상 지세
4	ABC리 18-11	2,303	전	답	미지정	관리	세로(가)	부정형/완경사
5	ABC리 산 52	9,000	임	임야	계획관리	관리	세로(가)	부정형/완경사

일련	공시지가(원/m²)		
	2025년	2024년	2023년
4	66,000	60,000	50,000
5	40,000	35,000	–

3. □□군 전체 표준지의 전년 대비 가격상승률은 2024년이 16%, 2025년이 10% 임.

4. 용도지역 변경

현재 미지정 지역은 "산업 입지 및 개발에 관한 법률"의 산업단지 지정고시(2024.6.9)로 인하여 변경되었으며, 계획관리지역은 해당 사업과 무관한 관리지역의 세분화과정에서 변경된 것임.

〈자료 4〉 실지조사사항

1. 토지에 대한 조사내용

구 분	내 용
교통상황	대상물건 인근까지 차량접근이 가능하고 인근에 시내버스정류장이 소재하여 일반적인 대중교통사정은 보통임
도로 및 형상 지세	기호1) 세로가, 세장형, 평지 기호2) 세로가, 부정형, 완경사
토지 이용관계	미지정 지역은 해당 사업으로 인한 변경임.
기타 참고사항	기호2) '05년부터 농작물 경작(전)을 한 사실이 있으나, 산지관리법상 산지전용허가를 득하지 않은 것으로 확인되었으며, 지목변경이 이루어지지 않았음.

2. 지장물 (다)에 대한 조사내용

지목이 '임야' 「산지관리법」 상 '준보전산지'이나 측량결과 400m²는 '농지'로 이용중인 토지로서 지목변경을 하지 못한 상태로 산업단지 지정고시 3년 이전부터 경작을 해온 토지로서, 농지원부에 등재된 상태임.

〈자료 5〉 평가선례 등

1. 보상평가선례 내역 (동일 리 소재)

기호	지번	용도 지역	이용 상황	가격시점	평가단가		지역 요인	개별요인 비교치
					A법인	B법인		
A	100	관리	단독주택	2023.09.05	205,000	195,000	1	0.97
B	200	농림	전	2024.01.01	59,000	61,000	1	0.98

2. 보상선례에는 해당 사업지에 인접하여 해당 사업에 따른 개발이익이 반영될 수 있는 것으로 판단되며, 보상선례는 편의상 적정한 선례 하나를 선정하여 그 밖의 요인 보정을 요하는 토지에 적용한다. 전을 제외한 임야 및 주거용, 주상용부지의 경우 공시지가는 적정시세를 반영하고 있어 그 밖의 요인 보정을 요하지 않는다.

〈자료 6〉 지가변동률 등

1. 지가변동률

기간	□□군				
	평균	농림	관리	계획관리	공업
2022.1.1~2022.12.31	9.0%	12.0%	15.0%	–	3.0%
2023.1.1~2023.12.31	8.0%	10.0%	12.0%	–	5.0%
2024.1.1~2024.12.31	8.0%	10.0%	10.0%	–	6.0%
2025.1.1~2025.3.31	5.0%	5.0%		5.0%	3.0%
2025.1.1~2025.8.31	5.0%	7.0%		6.0%	12.0%

기간	지가영향이 없는 인접 시, 군, 구 평균				
	평균	농림	관리	계획관리	공업
2022.1.1~2022.12.31	3.0%	3.0%	3.0%	–	2.0%
2023.1.1~2023.12.31	3.0%	2.0%	3.0%	–	1.0%
2024.1.1~2024.12.31	3.0%	3.0%	2.0%	–	1.0%
2025.1.1~2025.3.31	1.0%	2.0%	–	1.0%	1.5%
2025.1.1~2025.8.31	2.0%	3.0%	–	2.0%	2.0%

2. □□군의 지가상황은 해당 국가산업단지의 영향으로 국가산정단지의 지정고시 후 전반적으로 지속적인 상승국면에 있으며, 최근 6개월 동안도 5% 이상 변동된 상태이다. 또한 해당시가 속한 경기도의 지가변동과 비교하여도 40% 이상 격차를 보이고 있어 지가안정을 위한 부동산 대책이 요구되고 있다.

〈자료 7〉 통계청 농가경제조사 통계자료

1. 연간 수입자료

(단위 : 천원)

도별	항목	2020	2021	2022	2023	2024
평균	농업총수입	23,611	26,623	26,496	27,322	26,102
	농작물수입	18,414	21,456	19,952	20,067	20,307
경기도	농업총수입	26,045	27,313	29,665	31,093	28,332
	농작물수입	18,131	19,190	20,622	19,479	19,625

2. 표본농가경지면적

(단위 : m²)

도별	2020	2021	2022	2023	2024
평균	16,293.05	16,237.83	15,846.28	16,067.81	16,132.70
경기도	15,122.06	15,216.39	15,612.19	14,821.09	15,261.84

〈자료 8〉 기타자료

1. 형상 : 정방형 120, 가장형 110, 세장형 105, 삼각형 90, 부정형 85

2. 도로접면 : 중로한면 115, 소로한면 110, 세로(가) 105, 세로(불) 100, 맹지 85, 각지는 3% 가산

3. 지세 : 평지 100, 완경사 85, 급경사 70, 저지 60

4. 보상평가시 일반 원칙에 따르되, 토지보상평가지침을 기준함.

5. 표준지 선정시 이용상황의 동일성에 유의하여 선정하고, 시점수정은 같은 용도지역의 지가 변동률을 적용하는 것이 불가능하거나 적절하지 아니하다고 판단되는 경우에는 용도지역별 평균 지가변동률을 적용할 것.

토지 / 지장물 (재편입가산금 등)

종합문제 4　경기도 태평시 남구 춘향동에 사는 K씨는 6년전 자신의 주택이 근린공원 조성사업에 편입되어 손실보상을 받고 인접지로 이주하였다. 그 후 K씨가 새로 이주한 주택이 다시 OO공사가 시행하는 택지개발사업지구에 편입되었다. 2024. 12. 20 자 정부의 도로사업(서울-태평고속화도로 건설공사)계획 발표로 인하여 사업지구를 포함한 인근 지역의 토지가격이 약 10% 상승하였다. 다음 자료를 활용하여 OO공사가 K씨에게 지급하여야 할 토지 및 지장물의 총보상금액을 산정하시오. (20점)

〈자료 1〉 택지개발사업 개요

1) 택지개발사업 주민 공고공람일 : 2023. 06. 22

2) 택지개발사업 지구지정고시일 : 2023. 08. 03 (지구면적 : 100,000m²)

3) 택지개발사업 실시계획인가일 : 2024. 03. 08

4) 보상평가 현장조사일 : 2025. 01. 11.

5) 계약체결 예정일 : 2025. 01. 20.

〈자료 2〉 편입대상물건의 상황

1) 토지

　가. 소재지 : 태평시 남구 춘향동 71, 대, 500m²(토지대장상 면적)

　나. 용도지역 : 자연녹지지역

　다. 기타제한 : 군사시설보호구역, 도시계획시설 도로 저촉(저촉비율은 전체면적의 약 15%)

　라. 형상, 고저 : 사다리, 완경사

　마. 접면도로상태 : 세로한면

2) 지장물

기호	용도	공부	현황	건축년도
1	주택	적벽돌조 슬래브 50m^2	시멘벽돌조 슬래브 45m^2	2008. 09. 01

〈자료 3〉 표준지공시지가 현황 (인근지역 표준지)

(단위 : 원/m^2)

기호	소재지	지번	면적 (m^2)	이용 상황	용도 지역	도로 교통	형상 지세	공법상 제한사항	각 연도별 공시지가		
									2023	2024	2025
1	춘향동	201	853	단독	자연녹지	세로한면	세장형 평지	군사시설보호 구역, 도로저촉	145,000	148,000	151,000
2	춘향동	256	428	주거기타 (교회)	자연녹지	세로각지	부정형 평지	군사시설보호 구역	150,000	153,000	158,000
3	춘향동	289	360	단독	자연녹지	세로한면	세장형 완경사	군사시설보호 구역, 도로저촉	155,000	158,000	161,000
4	춘향동	321-3	411	주거나지	자연녹지	세로한면	사다리 평지	–	150,000	153,000	155,000

〈자료 4〉 지가변동률

구 분	행정구역	상업지역	주거지역	녹지지역	공업지역
2023년	태평시 남구	2.945	3.051	2.365	2.197
2024년	태평시 남구	1.425	2.208	3.016	1.511
2025년 1월~3월 누계	태평시 남구	1.425	1.097	2.333	0.997
2025년 4월	태평시 남구	0.162	0.136	1.231	0.674
2025년 5월	태평시 남구	0.201	0.601	0.337	0.354
2025년 6월	태평시 남구	0.152	0.238	0.601	0.784

〈자료 5〉 토지가격 비준표 (경기도 태평시)

1) 도시계획시설

미 저촉	학교	도로
1.00	0.90	0.85

2) 공법상 제한상태

미 저촉	군사시설 보호구역
1.00	0.75

〈자료 6〉 지역요인

각 표준지와 대상지의 지역요인은 동일함

〈자료 7〉 개별요인

1) 접면도로

세로 불	세로 한면	세로 각지
1.00	1.07	1.10

2) 형상

부정형	사다리	세장형	정방형, 가장형
1.00	1.05	1.08	1.10

3) 고저

완경사	평지	저지
1.00	1.05	1.01

〈자료 8〉 이전공사 항목 (재조달원가 대비 비율)

기호	구 분	노무비	해체비	이전비	자재비	폐자재 처분익	설치비	재조달 원가 (원/m²)	내용 년수
1	적벽돌슬래브조 주택	0.213	0.157	0.138	0.213	0.086	0.160	680,000	40
2	시멘벽돌조슬래브 주택	0.207	0.143	0.135	0.208	0.053	0.168	520,000	35

〈자료 9〉 유의사항

1) 지역요인과 개별요인의 비교수치는 각 세항목별로 소수점 셋째자리에서 반올림하여 둘째자리까지 표시한다.

2) 토지 및 지장물 적용단가는 100원 단위에서 반올림하여 1,000원 단위까지 표시한다.

3) 감가수정은 만년감가를 적용한다.

선하지보상

종합문제 5 감정평가사 K씨는 한국전력공사 ○○전력관리처장으로부터 지장철탑이설 공사에 따른 철탑미건립선하지에 대한 보상평가가 의뢰되었다. 또 동일 토지가 선하지 보상 후 도시계획시설사업에 편입됨에 따른 보상액 각각 산정하시오. (25점)

> (물음 1) 기설선하지의 영구사용보상액을 산정하시오.
>
> (물음 2) 동일 토지가 선하지 보상 후 도시계획시설 도로사업에 편입시 보상액을 산정하시오.

〈자료 1〉 감정평가의뢰 내역

(자료 1-1) 보상평가 의뢰서 및 기설선하지 사업의 개요

고시 제 ○○○-208호 관련하여 A시 B면 C리 기설선하지 및 신설선하지 보상액 산정을 의뢰합니다.

사업시행자	기관명등 명칭	한국전력공사장	
	대표자	○○○	
	주소	○○시 ○○○	
사업의 종류	전력	평가서제출기한	2025. 6. 5
가격시점	평가일(평가일 현재)	고시일자	공고 제 ○○○-208호

1. 사업시행자 : 한국전력공사 ○○전력관리처

2. 사업의 종류 : 154kV △△ T/L No.58~61(기설), NO. 80~83(신설) 지장철탑이설공사

3. 가격시점 : 2025년 5월 31일

4. 기설 선하지 보상 토지조서

지지물		지번	지목		용지유형	지적(m²)		지상고 (m)	비 고 (평가기간)
번호			지목	현황		원지적	편입		
59	60	361-25	대	대	선하지	990	381.8	30	기설 선하지

(자료 1-2) 도시계획시설사업의 개요

1. 실시계획인가고시 2025. 06. 01.

2. 가격시점 : 2025. 08. 31.

3. 토지조서

지번	지목		지적(m²)		비 고 (관계인)
	지목	현황	원지적	편입	
361-25	대	대	990	990	구분지상권(한국전력)

※ 개인별 보상원칙에 의거 토지소유자 및 구분지상권자에 대한 보상액을 따로 산정해 줄 것을 요구하였음.

〈자료 2〉 현장 조사내역

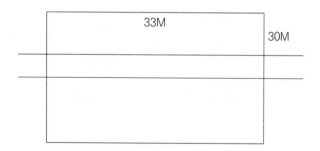

본건은 상업지역과 인접한 저층시가지로, 7층 주상용으로 이용함이 최유효이용에 해당한다.
가로 33m 세로 30m 토지, '대'로서 대체로 평탄하며, 7M 도로에 접한다.
※ 송전선로의 폭은 2m, 층고는 건축법 기준 4m임.

【선하지 면적 결정 기준】

송전선로의 건설을 위한 토지의 공중부분 사용에 따른 사용료의 평가시에 적용할 선하지 면적은 전기사업자가 다음에서 정하는 기준에 따라 산정하여 제시한 면적으로 한다.

1. 송전선로의 양측 최외선으로부터 수평으로 3m를 더한 범위안의 직하 토지의 면적으로 함을 원칙으로 한다.

2. 택지 및 택지예정지로서 당해 토지의 최유효이용을 상정한 건축물의 최고높이가 전기설비기준 제140조제1항에서 정한 전압별 측방이격거리(3m에 35,000V를 넘는 10,000V 또는 그 단수마다 15cm를 더한 값의 거리를 말한다)의 전선 최하높이 보다 높은 경우에는 송전선로의 양측 최외선으로부터 그 이격거리를 수평으로 더한 범위안에서 정한 직하 토지의 면적으로 한다.

〈자료 3〉 공부 조사내역

1. 2025년 5월 31일자 각종 관련공부(토지대장, 토지이용계획확인서, 등기사항전부증명서)를 통한 조사내역.

지번	지목	면적(m²)	용도지역	소유자	등기상 소유권취득일
361-25	대	990	미지정지역	병	2024년 6월 1일

2. 도시관리계획 결정 고시

A시 공고 제2022-000호
       도시관리계획 변경 결정 공고- 용도지역 변경 결정 고시 -

1. 『국토의계획 및 이용에 관한 법률』제28조 및 같은 법 시행령 제22조 제2항 규정에 도시관리계획을 결정에 대한 공고를 시행합니다.

                                     2024년 12월 31일
                                       A시장

도시관리계획 결정
   1) 용도지역·지구 : 관리지역에서 도시지역(미지정지역)으로 변경
   2) 용도지역 결정(변경)
     -용도지역 결정조서

구 분	용도지역	위 치
변경	도시지역	A시 B군 C리 일대

※ 용도지역의 변경은 당해 사업과 직접 관련성은 없음.

〈자료 4〉 표준지공시지가 (A시 B면 C리 소재)

1. 공시기준일 2025년 1월 1일

지번	면적(m²)	지목	이용상황	용도지역	도로교통	형상지세	공시지가 (원/m²)
226-2	3,068.0	답	답	미지정	세로(불)	세장형 평지	38,000
349-5	391.0	대	단독주택	미지정	세로(가)	부정형 평지	156,000

2. 그 밖의 요인 보정치

인근 시세, 거래가격 및 평가전례 등 각종 가격자료를 조사한 결과 2025년의 공시지가
는 정상적인 가격수준 대비 80% 수준이며, 그 전에는 70% 수준이었던 것으로 판단됨.

〈자료 5〉 감가율 산정에 관한 자료

1. 입체이용배분표

해당지역 / 이용률	용적률	고층시가지 800%	중층시가지 550~750	저층시가지 200~500	주택지 100%	농지, 임지 100% 이하
건물의 이용률		0.80	0.75	0.75	0.70	0.80
지하부분의 이용률		0.15	0.10	0.10	0.15	0.10
그 밖의 이용률		0.05	0.15	0.15	0.15	0.10
그 밖의 이용률의 상하 배분비		1:1-2:1	1:1-3:1	1:1-3:1	1:1-3:1	1:1-4:1

※ 그 밖의 이용률은 상하배분비율의 최고치를 적용

2. 층별효용비율표

층	B1	1	2	3	4~16
층별효용비율	91	109	100	100	77

3. 건축가능층수기준표

건축구분 \ 토피	5m 이상	10m 이상	15m 이상	20m 이상
지상	6	10	13	15
지하	1	1	1	1

4. 추가보정률 산정기준표

(1) 154KV

감가요인 항목		택지	농지	임지
송전선로 요인 (a)	회선 수	8~12%	5~10%	5~8%
	송전선높이			
	해당 토지의 철탑 건립 여부			
	주변 철탑 수			
	철탑 거리			
	철탑으로 인한 일조 장애			
	송전선 통과 위치			
개별요인 (b)	용도지역, 고저, 경사도, 형상	8~17%※1)	6~13%※1)	6~8%※1)
	필지면적			
	도로접면			
	간선도로 거리			
	구분지상권 설정여부※1)			
그 밖의 요인 (C)	인구수준(인구수, 인구 순유입), 경제 활성화 정도, 장래의 동향 등	5% 이내	3% 이내	3% 이내
추가보정률 합계		16~43%	11~31%	11~21%

※ 1) 구분지상권이 설정되는 경우(5%)를 기준으로 한 범위이며, 미설정시 해당범위에서 -5%를 일괄 적용한다.

(2) 송전선로 요인에서는 대상의 회선수 송전선 높이 등을 고려한 결과 중위치 수준의 저해
가 있으며, 개별요인에서는 구분지상권 설정여부 외의 5%의 감가요인이 있으며, 해당 시
군구의 인구수준 등은 최대치를 적용함.

〈자료 6〉 지가변동률

구 분	년도	2024	2025	2025	2025	2025
	월	12	1	2	3	4
평균	평균	-2.217	0.379	0.445	0.452	0.442
	누계	2.198	0.379	0.826	1.282	1.730
녹지지역	녹지	-2.396	0.339	0.376	0.373	0.384
	누계	1.466	0.339	0.716	1.092	1.480

※ 2025년 4월 이후 5월부터는 시점수정의 편의상 지가변동이 없는 것을 전제함.

〈자료 7〉 토지의 개별요인 자료

1. 도로접면

소로한면	소로각지	세로가	세각가	세로불	세각불	맹지
89	93	85	87	81	82	78

2. 토지용도

주거용	상업업무	주상복합	공업용	전	답	임야
100	123	121	104	74	72	40

3. 형상

정방형	장방형	사다리형	부정형	자루형
100	100	99	96	95

〈자료 8〉 기타사항

1. 각종 요인비교치 및 보정률은 소수점 셋째자리까지 산정(반올림).

2. 토지의 기초가액 단가는 유효숫자 세자리, 선하지 보상액 단가 결정시 원단위 미만에서 절사하고, 최종평가금액은 십원단위 미만에서 절사함.

3. 도시계획시설 도로사업에 따른 소유권 외 권리인 구분지상권의 평가방법은 아래와 같이 한다.
   ⑴ 1방법 : 입체이용저해율을 기준하는 방법(추가보정률은 제외하여 보정률을 산정)
   ⑵ 2방법 : 기 지급한 보상금 또는 권리설정계약을 기준으로 하는 방법. 즉 용익물권으로서 전세금과 같이 기지급한 보상금액으로 하는 방법
   ⑶ 결정 : 각 방식에 의한 금액의 평균치로 구분지상권자의 권리액을 결정함.

건물 / 영업손실

종합문제 6 감정평가사 L씨는 택지개발예정지구로 지정고시된 지역의 보상에 대하여 중앙토지수용위원회로부터 이의재결평가 의뢰를 받았다. 보상 관련법규의 제규정 등을 참작하고 제시된 자료를 활용하여 보상액을 산정하시오. (25점)

> (물음 1) 건물의 보상감정평가액을 산정하시오.
>
> (물음 2) 〈자료 4〉를 활용하여 아래 조건에 따라 영업손실보상액을 산정하되, 구체적인 산출근거를 제시하시오.
> 1) 영업허가를 득하고 영업장소가 적법인 경우
> 2) 영업허가를 득하고 영업장소가 무허가 건축물인 경우
> 3) 무허가 영업이고 영업장소가 적법인 경우
> 4) 무허가 영업이고 영업장소가 무허가 건축물인 경우

〈자료 1〉 사업개요

1. 사업의 종류 : ○○택지개발사업

2. 택지개발사업 주민 공고, 공람일 : 2020. 04. 05.

3. 택지개발사업 지구지정 고시일 : 2024. 10. 24.

4. 협의평가 가격시점 : 2025. 05. 21.

5. 재결일 : 2025. 08. 25.

6. 현장조사 완료일 : 2025. 09. 21.

7. 이의재결시점 : 2025. 10. 25

〈자료 2〉 의뢰물건 내용

1. 지장물조서

기호	소재지	물건의 종류	구조·규격	수량	비고
가	신원동 210	주택	시멘트벽돌조 슬래브지붕 단층	50m²	20m²편입
나	신원동 210	점포	블록조 스레트지붕 단층	40m²	전부편입
다	신원동 210	나라안경	-	1식	영업권

〈자료 3〉 건물 조사사항

1. 기초자료

구 분		기호 가)	기호 나)	비 고
사용승인일자		2005. 10. 25	1988. 10. 01	기호 나) 유효 잔존년수 10년
건물 내용년수		45년	40년	
가격시점 현재 재조달원가(원/m²)		550,000	450,000	
이전비 (원)	해체비	4,000,000	2,000,000	
	운반비	1,500,000	1,200,000	
	정지비	1,200,000	1,000,000	
	재건축비	20,000,000	15,000,000	설비 개량비용 각 5,000,000원 포함
	보충자재비	5,000,000	3,000,000	
	부대비용	5,000,000	3,000,000	

2. 건물 조사내용

- 본 건물의 이전비는 전체 건물을 기준으로 한 것임.
- 기호 가) 건물은 기둥이 없는 구조임.
- 건물높이는 2m이며 벽면적은 반올림하여 소수점 첫째자리까지 사정함.
- 건축 보수비용은 400,000원/m²을 적용함
- 화장실은 편입되어 재설치되어야 하고 위생설비 설치비용은 전체면적을 기준으로 하여 50,000원/m²을 적용함
- 위생설비 이외에는 추가적인 설비공사는 없음.

- 기호 가) 건물 단면도

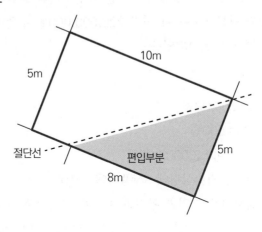

〈자료 4〉 영업보상 관련자료

1. 대상건물의 임차인은 개인사업자로서 2020. 12. 01부터 안경점을 운영하여 왔음.

2. 영업이익에 관한 자료
   1) 재무제표에 의한 영업이익 산정

(단위 : 원)

구 분	2021년	2022년	2023년	2024년
매출액	180,000,000	200,000,000	240,000,000	150,000,000
매출원가	87,000,000	95,000,000	113,000,000	65,000,000
판매 및 일반관리비	35,000,000	40,000,000	50,000,000	40,000,000

※ 2024년 매출액은 택지개발사업 개발승인이 고시됨으로써 매출액이 감소된 것으로 조사됨

   2) 부가가치세 과세표준액 기준 매출액 등

구 분	매출액(원)	표준소득률(%)
2021년	110,000,000	20
2022년	120,000,000	20
2023년	150,000,000	20
2024년	90,000,000	20

3) 인근동종 유사규모 업종의 영업이익 수준 대상물건을 포함한 인근지역 내 동종유사규모 업종의 매출액을 탐문조사한 바 연간 220,000,000원 수준이고 매출액 대비 영업이익률은 약 30%인 것으로 조사되었음.

3. 이전 관련자료

1) 상품재고액 : 30,000,000원

2) 상품운반비 : 3,000,000원

3) 영업시설 등의 이전비 : 2,000,000원

4) 상품의 이전에 따른 감손상당액 : 상품가액의 10%

5) 고정적 비용 : 임차인은 영업과 관련된 차량에 대한 자동차세 600,000원과 매달 임대료로 500,000원을, 종업원(소득세 원천징수 안함)은 2인으로서 각각 1,200,000원/월을 지급하고 있으며 휴업기간 중에는 1인만 필요함

6) 이전광고비 및 개업비 등 부대비용 : 2,000,000원

4. 기타자료

1) 제조부분 보통인부 노임단가 : 50,000원/일

2) 도시근로자 월평균 가계지출비

구 분	월평균 가계지출비
2인	2,500,000
3인	3,000,000
4인	3,500,000
5인	4,000,000

3) 영업이익은 만원단위에서 반올림하여 사정함.

▌저자약력 ▌

■ 감정평가사 김 사 왕

- 제일감정평가법인 본사 이사
- 한국감정평가사협회 감정평가기준위원
- 국방부 국유재산 자문위원
- 국방부 위탁개발사업 적정성 검토 자문위원
- 국토교통부 중앙토지수용위원회아카데미 강사
- 한국부동산원 보상자문위원
- 하우패스감정평가학원 실무강사

■ 감정평가사 김 승 연

- 하나감정평가법인 이사
- 한국감정평가사협회 연수위원
- 하우패스감정평가학원 실무강사

■ 감정평가사 황 현 아

- 하나감정평가법인
- 하우패스감정평가학원 실무강사

〈저자 3인 공 · 편저〉
- 플러스 감정평가실무연습 입문·중급 · 기출
- 감정평가실무와 이론 I ‖
- 감정평가실무 필기노트 I ‖
- 감정평가실무 노트

[제6판]
PLUS 입문 감정평가실무연습 I (문제편)

2015년 3월 3일 초판 발행
2016년 3월 18일 제2판 발행
2018년 3월 5일 제3판 발행
2020년 3월 13일 제4판 1쇄 발행
2021년 4월 28일 제4판 2쇄 발행
2022년 4월 4일 제5판 1쇄 발행
2024년 3월 19일 제6판 1쇄 발행

저 자 / 김사왕 · 김승연 · 황현아
발행인 / 이 진 근
발행처 / **회 경 사**
　　　　서울시 구로구 디지털로33길 11, 1008호
　　　　(구로동 에이스테크노타워 8차)
전 화 / (02)2025-7840, 7841   FAX/(02) 2025-7842
등 록 / 1993년 8월 17일 제16-447호
홈페이지 http://www.macc.co.kr
e-mail/macc7@macc.co.kr

세트가 39,000원

ISBN 978-89-6044-250-4   14320
ISBN 978-89-6044-249-8   14320(전2권)